MARCO ANTÔNIO
&
CLEÓPATRA

COLEÇÃO "OS SENHORES DE ROMA"

Augusto

Tibério

César

Marco Antônio e Cleópatra

Nero e seus herdeiros

Calígula

OS SENHORES DE ROMA

MARCO ANTÔNIO & CLEÓPATRA

ALLAN MASSIE

TRADUÇÃO
MARIA IGNEZ DUQUE ESTRADA

Diretor editorial: **PEDRO ALMEIDA**
Coordenação editorial: **CARLA SACRATO**
Preparação: **THAIS ENTRIEL**
Revisão: **BÁRBARA PARENTE**
Capa: **RENATO KLISMAN | SAAVEDRA EDIÇÕES**
Projeto gráfico e diagramação: **CRISTIANE | SAAVEDRA EDIÇÕES**

Dados Internacionais de Catalogação na Publicação (CIP)
Angélica Ilacqua CRB-8/7057

Massie, Allan 1938-

Marco Antônio e Cleópatra / Allan Massie; tradução de Maria Ignez Duque Estrada. — São Paulo: Faro Editorial, 2021.

224 p. (Os senhores de Roma)

ISBN: 978-65-5957-005-8
Título original: Antony

1. Ficção inglesa 2. Antônio, Marco, 83 A.C. - 30 A.C. - Ficção 3. Cleópatra, Rainha do Egito, 30 A.C. - Ficção I. Título II. Estrada, Maria Ignez Duque. III. Série

21-1855 CDD 823.914

Índice para catálogo sistemático:
1. Ficção inglesa

2ª edição brasileira: 2021
Direitos de edição em língua portuguesa, para o Brasil, adquiridos por FARO EDITORIAL

Avenida Andrômeda, 885 - Sala 310
Alphaville - Barueri - SP - Brasil
CEP: 06473-000
WWW.FAROEDITORIAL.COM.BR

Para a Alison, como sempre

I

A TROVOADA DA NOITE TINHA SE AFASTADO, MAS O VENTO DAS MONtanhas continuava a fazer-se sentir em rajadas curtas. Trebônio arrastou-me para fora do teatro e levou-me até o pórtico para me contar uma história, uma coisa terrível, insistia ele tão extensamente na sua desconexa narrativa que, aborrecido, deixei de lhe prestar atenção e procurei algo de mais divertido, pondo-me a mirar uma bonita prostituta que havia iniciado o seu comércio a uma hora tão matutina. E senti uma leve pena que o tumulto que se seguiu me tivesse impedido de desfrutá-la. Devia ser Síria, julgo eu, e lançava-me um olhar negro, líquido e atrevido. Mas não precisas escrever isso, Crítias.

Mas eu escrevi, como veem. Aprendi a ignorar este gênero de solicitações da sua parte, enquanto ele me vai ditando as suas memórias, que formam já três volumes substanciais, o último referente a esses tempos em que a sorte lhe foi mais favorável. Deixei de obedecer a tais pedidos num dia em que me senti muito fatigado e a pena parecia correr nos meus dedos sem obedecer a minha vontade. Poderá parecer estranho, mas eu não fazia nada por isso: acontecia simplesmente. Mais tarde, ao transcrever as minhas notas, porque eu uso uma espécie de estenografia inventada por mim, achei que não devia pôr de parte muita coisa que me parecia interessante e talvez mais reveladora do que o que ele queria que ficasse escrito. E a partir desse dia ficou dependente do meu alvedrio aquilo que ficaria ou não no papel. E criei o hábito, como poderão ver, de acrescentar os meus próprios comentários. Fato que pode criar certa confusão, porque nem sempre estou certo, mais tarde, daquilo que é da minha lavra ou pertence ao que ele me ditou. Mas a nossa situação atual chegou a um tal ponto que... Parece que ele voltou a ficar em condições de recomeçar... Mas não... Continua a andar de um lado para o outro, dentro do quarto, como um leão numa jaula. E continua a parecer um leão, o seu porte mantém uma presença nobre.

— Trebônio tinha vindo me visitar instigado pelos autoproclamados libertadores, tenho certeza. Pelo menos, foi o que eu pensei quando os gritos subiam de tom e ele se agarrou a mim, dizendo-me que eu não corria perigo. Eu não acreditei nisso, libertei-me dele e corri a esconder-me no meio da multidão. Mas não vou descrever agora toda essa balbúrdia; podes fazê-lo tu, mais tarde. Já me ouviste falar disso tantas vezes e leste tantos relatos que podes escrever algo de dramático sobre o assunto.

Mas isso é coisa que não me preocupa. Esta é pelo menos a terceira vez que ele tenta descrever os horríveis Idos de Março, e de todas as vezes se sentiu incapaz de falar deles.

— Mas, para ser honesto, não sou eu quem pode fazer uma descrição fiel dos fatos. Eu não vi nada e falar desse assunto é como descrever uma batalha quando se tem apenas na memória a imagem dos corpos destroçados. A ação violenta é como um sonho e mais nítida que uma experiência que se tem acordado. Podemos tentar apanhar alguns fragmentos e procurar descrevê-los, mas o sonho, no seu todo, escapa-se-nos. É verdade. E, de passagem, deixai que vos diga que sempre pensei que aquele que afirma lembrar-se dos seus sonhos com todo o pormenor, e *ele* é um desses, só pode ser um mentiroso. É certo que todos nós mentimos, de diferentes maneiras e por diferentes razões. Octaviano mente porque é, por natureza, uma pessoa tão retorcida que é capaz de cagar em espiral. Podia muito bem ser um cretense como tu, Crítias.

— Se o meu senhor o diz...

— O que eles queriam era matar a mim também; e nesse preciso momento. Nunca entendi a razão por que não o fizeram. O Rato Bruto, ou seja, Décimo, e não Marco Júnio, meritíssimo descendente do nobre Bruto, contou-me, mais tarde, que Cássio tinha mesmo pretendido que eu devia ser abatido juntamente com César, mas que o primo Marquinhos, como Rato costumava designar depreciativamente o "libertador", afirmara com toda a pompa que se matavam os tiranos, não se matavam os seus lacaios.

"'Muitíssimo obrigado', disse eu. 'Mas eu sou algum lacaio?'

"'Foi o que disse, Marquinhos', replicou Rato, com um riso sardônico.

"'E tu, Rato? De que lado estavas tu nesse debate?'

"'Bem', começou por dizer Rato, 'sabes perfeitamente que sempre te apreciei, e ainda tentei ficar do teu lado, mas estava tão bêbado que eu nem me lembro daquilo que disse. Mas tenho de admitir que estava de acordo com Cássio. E totalmente, meu caro, apesar do respeito que me merecem as tuas qualidades'.

"E tinha razão: Rato não era parvo, se bem que não fosse tão inteligente como supunha. Os libertadores deviam ter tido o cuidado de me abater juntamente com César. E eu não lhes dei tempo para se lamentarem que tinham errado. Mas nunca houve coisa tão desconchavada como essa conspiração feita por esses senhores. Não tomaram medidas em relação a quem tinha o poder sobre a cidade e o controle da respectiva segurança. Imaginavam, talvez, que bastava acabar com *ele*, com César, para que a República voltasse de forma natural ao seu anterior equilíbrio. Posso perceber que Marco Bruto pensasse uma coisa dessas. Mas Cássio não. Porque ele era tudo menos estúpido. *Ele*... Acho que tenho de dizer qualquer coisa sobre César nesta passagem."

— Haveis já dito bastante sobre ele nos volumes anteriores, meu amo. E tende em conta que tudo o que aconteceu na altura foi bastante contraditório. Achais que podeis encarar, hoje, esses tempos de uma forma objetiva?

Mas ele sacudiu-me a cabeça com um gesto terno e respondeu:

— Não sejas impertinente, garoto.

Garoto! Eu estava a rondar os trinta anos e vivia em sua casa desde os quinze, mas ele continuava a chamar-me de garoto quando estava bem disposto, ou então, ocasionalmente, quando parecia perplexo ou distraído. A verdade é que ele era um sentimental, como a maioria dos romanos, embora isso seja a última coisa que eles podem admitir. De um ponto de vista intelectual, eu desprezava esse gênero de emoções à flor da pele, mas devo reconhecer também que essa é uma das razões por que eu, apesar de tudo — e o melhor é que ele nem se aperceba disso —, sinto amor por ele. E de uma forma especial.

— César — disse ele, atirando-se para cima de uma almofada, bebendo dum trago uma taça de vinho e mantendo-a nas mãos, apesar de vazia. — Nunca houve ninguém que ele tivesse contatado, que conseguisse escapar-lhe. César era o perfeito jogador, marido de todas as mulheres, esposa de todos os homens. Era o que diziam dele no Senado. Não sei dizer por que, tu descobrirás mais tarde, Crítias. E era verdade; mas não no sentido que em geral as pessoas imaginavam. César adorava exercer o seu encanto para controlar as pessoas, mas não dava a mínima importância ao sentimento que inspirava nelas. E como podemos nós designar tal sentimento? Amor não será a palavra mais exata. No fundo, acho que ninguém amava realmente César. Talvez algumas mulheres, Servília, a mãe de Marquinhos, quem sabe? Mas Cleópatra, não. Essa sabia o que queria dele e fazia o seu jogo. Os homens que o conheciam não o amavam, ele não inspirava amor. Os seus soldados, talvez. Porque ele fazia de tudo para conquistar o amor dos homens do seu exército. E que os soldados sentissem devoção por ele, não tenho dúvidas. Mas amor? Acho que não. Havia algo de frio em César que impedia o amor. Seria realmente um deus? No fundo, Crítias, ninguém é capaz de amar um deus, não achas? Temor, adoração, sim, mas amor, de maneira nenhuma.

"Eu pertencia ao seu partido. Servi-o fielmente. Na guerra atuei como seu general e ganhei honras e glória ao lutar a seu lado. Mas não fiquei abalado com o seu assassínio nem senti a sua morte como uma perda pessoal. E posso até entender que outros em quem César confiava e que ele encarava como leais seguidores tivessem chegado a ponto de o matar. Mas, se não fiquei abalado, não significa que não tivesse ficado alarmado. Senti que o perigo me rondava. Tendo sido excluído da conspiração, isso só podia querer dizer que eu corria o risco de ser banido da vida pública. Roma inteira estava em polvorosa.

"Sentia-me à beira de um precipício que parecia disposto a engolir-me. E ainda o corpo de César jazia banhado no próprio sangue, já eu tentava descobrir para mim novas oportunidades. Enquanto César foi vivo, senti-me condenado a ser seu subordinado. Agora que o mundo parecia desabar, chegava a minha vez de decidir por mim próprio.

"Abandonando o local do crime, sem saber o que iria acontecer a seguir, a primeira coisa que fiz foi dirigir-me a minha casa e dar ordens para que se organizasse a respectiva defesa. E em seguida mandei pessoal meu certificar-se do que estava se passando na cidade. Tu foste um deles, não é verdade, Crítias?"

— Claro que sim, meu senhor — respondi.

Depois do assassinato, e consciente do perigo que meu amo corria, não pude evitar o impulso natural de regozijo por aquela morte porque eu, como um verdadeiro grego, sempre encarei com grande simpatia os tiranicidas, e com maior compreensão, devo dizer, que o meu amo. Para nós, gregos, aquele que mata o tirano fá-lo de acordo com a nossa maneira de pensar: pratica um ato honroso, aprovado por toda a nossa filosofia e merecendo por isso verdadeira admiração. Seguindo a massa anônima que se dirigia ao Capitólio, fui a tempo de ouvir Marco Bruto justificar o ato praticado e de proclamar que a República havia sido restaurada. O seu discurso era um tanto claudicante. E teria sido diferente, disseram mais tarde, se tivesse sido Cícero a falar em vez dele. Mas os conspiradores não o haviam escolhido porque não queriam que ele ficasse a conhecer por dentro os seus planos. E perdeu-se essa oportunidade.

No que diz respeito à plebe, o que se verificou foi uma reprovação nada simpática do ato cometido. Na verdade, o povo romano é constituído por uma escumalha degenerada. Vive apenas para o prazer e adquiriu a mentalidade de quem apenas pretende um senhor para poder adular. Incapaz de pensar ou refletir, a sua natureza parece justificar a ditadura perpétua que César tinha estabelecido. Por isso me sentia seguro em poder declarar a meu amo que não devia recear nada que viesse da populaça.

Calpúrnia é a mulher de César. Uma megera de primeira, neurótica, exigente e com uma língua viperina.

— Eu avisei a ele — disse-me ela aos berros. — Se ele me tivesse dado ouvidos, nunca teria posto os pés no Senado. Eu tinha tido uns sonhos horríveis. Mas ele não os levou a sério. Ele é que sabia tudo. Para ele eu era apenas uma mulher, a mulher com quem estava casado. Não me quis ouvir. E agora está morto. Só espero que tenha aprendido a lição.

Mas eu me senti satisfeito por ver que Calpúrnia não precisava ser confortada. Não tinha de me preocupar com esse aspecto. A sua indignação era tal que se sobrepunha a qualquer dor que estivesse a sofrer. E não perdi tempo com ela. Mas garanti-lhe que não precisava se atormentar com a sua segurança pessoal, que eu próprio me encarregaria disso e, rapidamente, apossei-me dos papéis pessoais de César e dos relativos aos negócios públicos. Disse a Calpúrnia que estava agindo como amigo de César e também como cônsul. Em boa verdade, eu não tinha qualquer autoridade para agir como agi, mas tinha certeza de que Calpúrnia também não tinha a mínima noção disso. Tampouco se interessou em verificar aquilo que eu estava a fazer. Limitou-se a solicitar-me dois pedidos: em primeiro lugar, gostaria que fossem punidos os assassinos de César, e, em segundo lugar, que a "a puta egípcia" — era dessa forma bastante desrespeitosa que ela se referia à rainha do Egito — fosse imediatamente expulsa de Roma. Não argumentei nem lhe disse que eu não estava em situação de corresponder às suas exigências, nem sequer sabia se seria do meu interesse tentar fazer ambas as coisas. Calpúrnia não era mulher com quem se pudesse conversar seriamente. E, quando eu me dispunha a sair de sua casa, perguntou-me:

— Sabes quantas punhaladas tinha ele no corpo?

— Não sei dizer-te, Calpúrnia.

— Vinte e três, foi o que me disseram. E tudo aconteceu, porque ele não ligou ao que eu lhe disse.

Enviei em seguida mensagens a alguns amigos de César e aos seus simpatizantes a solicitar-lhes que viessem visitar-me. Três deles esperavam já por mim quando regressei a casa. O primeiro foi Balbo, banqueiro, e um dos poucos homens em quem César confiava verdadeiramente. César costumava dizer que estava em dívida com Balbo havia tanto tempo que seria absurdo tentar esconder-lhe o mínimo segredo. Balbo estava agora ali, em minha casa, sentado, e olhava para mim com a expressão reservada de quem já estava a par do pior.

O segundo foi Áulio Hírcio, já designado, juntamente com Víbio Pansa Cetroniano, cônsul para os anos seguintes. Eram ambos *novi homines* e pertenciam a essa classe que os aristocratas assassinos de César mais desprezavam e odiavam. Gente que, embora se mantivesse leal à memória de César, eu tinha certeza de que ficaria do meu lado na primeira altura. Eu tinha já decidido forçar o Senado a manter as nomeações propostas por César para os cargos de Estado, mas sabia que Hírcio se mantinha na incerteza quanto ao seu prometido consulado, que para ele representava o ápice das suas ambições e arrastaria evidentemente a ascensão da sua família à nobreza.

A terceira criatura que esperava por mim era pessoalmente a menos respeitável, mas, em virtude da sua posição, aquela que eu mais necessidade tinha que se mantivesse do meu lado. (Eu tinha tido tempo para pensar nesse assunto e nessa perspectiva.) Tratava-se de Marco Emílio Lépido. Bem-nascido, de boa aparência, nada estúpido, possuía a má sorte de ser um desajeitado. E ainda por cima tinha a consciência disso: o de ter um bom nascimento e de ser incapaz de manter os níveis de qualidade de que tinham dado mostras os seus antepassados. E como não era tolo, sofria de uma enorme falta de confiança nos seus próprios juízos, que normalmente eram afetados pela sua incapacidade, e de nada lhe interessar a não ser o que lhe dizia diretamente respeito. Mas até nesse aspecto Lépido era de uma importância inestimável, porque sendo ele o homem responsável pelo cavalo de César, isso significava que tinha o comando do único corpo de tropas instalado próximo da cidade. E disse-lhe:

— Tenho que me congratular com a tua lealdade, Lépido. Tenho certeza de que os conspiradores fizeram de tudo para terem do seu lado um homem como tu, levando em conta a tua própria pessoa e o lugar que ocupas.

— Não digas uma coisa dessas — respondeu ele. — Ou tu pensas que César teria sido abatido com cinquenta punhaladas se eu tivesse tido a mais leve suspeita ou informação de que andavam a planear um crime tão monstruoso?

Quando ele disse isso, reparei que Balbo tinha franzido o sobrolho. Mas eu consegui dominar-me para não lhe dizer que ele devia ter sido o único homem em Roma incluindo o próprio César que desconhecia o boato e a não suspeitar de nada. E, em vez disso, fiz-lhe notar que a sua ignorância quanto à conspiração só vinha realçar a integridade do seu caráter e que os conspiradores, conhecendo-o, não se aventuraram sequer a abordá-lo.

— Não vou tão longe — disse ele. — Mas deixa que te conte o seguinte. Quando tive conhecimento de tão nefando crime, a minha primeira reação foi a de pegar as minhas tropas e dirigir-me ao Senado para dar cabo desses biltres. E ainda hoje penso que devia ter cedido ao meu impulso, porque o meu maior desejo é vingar César.

— E esse desejo só demonstra a nobreza do teu coração — respondi. "Mas não a tua sensatez", pensei eu, sem lhe dizer, evidentemente.

— Nesse momento eu estava a lisonjear Lépido, mas deixa-me dizer também que muitas vezes me diverti à sua custa. É certo que ele me inspirava respeito. Ele era o perfeito representante da velha nobreza fora de moda, confiante e inocente, como poucos de nós conseguem sê-lo nos dias de hoje e para quem toda e qualquer ação praticada devia ser sempre pelo bem da República. Se ele fosse de outra natureza, teria feito o que disse, marchado com as suas tropas até o Capitólio e enfrentado os assassinos de César. O que o levaria a ficar numa posição de poder igual à de César ou de Sula.

"Não o fez. E eu, em menos de uma hora, consegui ficar senhor do dinheiro, das tropas e, o que é mais importante, da maior respeitabilidade. Como cônsul podia utilizar o poder que me era concedido; os apoios de Hírcio e Lépido trouxeram-me uma autoridade adicional. Em vez de escolher a via que me levaria a agir contra os assassinos de César ou a encontrar uma forma de reconciliação, optei pelo caminho mais seguro, que me advinha do fato de me sentir numa posição de força. E pensei para mim próprio que eles é que perderam ao me pouparem a vida. Pelo menos deviam ter-me prendido; e eu, reconhecendo a falta de visão dos amotinados, senti-me numa situação de maior superioridade. Sozinho, iria limitar-me a desafiá-los; certo e seguro da estratégia que tinha desencadeado, poderia tratar com eles de igual para igual; e mais, podia provar-lhes que era eu quem dominava a situação."

E O MEU SENHOR CALOU-SE E PEDIU A UM ESCRAVO QUE LHE TROUXESSE mais vinho. O que me dava praticamente a certeza de que por hoje ele tinha chegado ao fim do seu ditado coerente. Ele não queria admitir tal coisa, mas o uso imoderado que fazia da bebida impedia-o de continuar lúcido. É curioso o que ele diz de Lépido. A verdade é que ele e Octaviano se serviram desse nobre um tanto simplório e que o puseram de lado quando deixou de ter importância para os seus objetivos. O meu amo sempre se sentiu culpado pela forma como tratou Lépido. Mas não imagino que Octaviano tenha sentido o mínimo escrúpulo pelo seu comportamento.

II

PENSO QUE TALVEZ SEJA UMA BOA IDEIA SER EU PRÓPRIO A DIZER QUALquer coisa sobre esses acontecimentos importantes e o modo como foram por mim encarados. Em primeiro lugar, eu vivia havia muito tempo na casa de Marco Antônio e era seu secretário havia muitos anos. Deve haver pouca gente que saiba tanto como eu sobre esse aspecto obscuro da política romana e parece-me adequado lembrar aqui tudo que fiquei sabendo e o juízo que faço sobre esses acontecimentos. Para mais, sei que daqui em diante não terei qualquer futuro. É verdade também que já arranjei as coisas para me eclipsar sem ser notado. Porque, apesar da minha insignificância, também sei que não posso confiar minimamente em Octaviano.

Deveis ter curiosidade em saber algo a meu respeito. E posso começar por contar que eu sou, ou fui, um dos dois belos rapazes que Marco Antônio adquiriu por oito talentos para servirem na sua casa. Podem pensar que estou mentindo, mas para mim é um dado indiscutível o fato de ter sido, enquanto rapaz, adolescente e já jovem adulto, considerado como alguém dotado de uma rara beleza. (E ainda hoje penso que sou extremamente bem-parecido.) Mas nunca fui um escravo. Meu pai era um liberto que servia como secretário na casa do padrasto do meu senhor, esse poltrão e dissoluto Públio Cornélio Lentúlio Sura, que de forma arrojada se aventurou na chamada Conspiração de Catilina (da qual César nunca esteve muito afastado) e que o levou à morte (por estrangulamento) e sem julgamento, por ordem de Cícero, nos anos do consulado deste. O meu senhor amava profundamente o padrasto, encarando-o como modelo a seguir, jovem nobre que era e atraído pela vida dissipada como as vespas pelo mel, e nunca perdoou Cícero pelo processo ilegal e inconstitucional que usou para o executar sumariamente como inimigo público. Foram sem conta as vezes que o ouvi discorrer sobre esse tema, sempre que Cícero se apresentava como defensor da legalidade constitucional, da legitimidade, da liberdade e da virtude.

Tendo em conta o modo como ele respeitava a memória do padrasto, era natural que quisesse estender a sua generosidade juvenil e a sua proteção a todos os que pertenciam à casa de Lentúlio. Daí o fato de meu pai entrar ao seu serviço e eu próprio, vivendo com ele, o seguir, naturalmente, na sua nova profissão, sobretudo quando meu amo começou a notar as minhas qualidades de inteligência e bom senso. (Qualidades que muitas vezes não se encontram reunidas na mesma pessoa e muito menos quando combinadas com a beleza e o encanto com que fora bafejado.) E foi assim que me tornei uma espécie de menino favorito do meu senhor embora nunca tivesse sido, como se chegou a dizer, seu catamita, e mais tarde seu secretário pessoal e confidente.

Acho que isso me basta como credenciais.

Os romanos vivem obcecados num grau que a nós, gregos, pode parecer bizarro, pelas linhagens e ligações familiares. A família do meu amo era uma família distinta; e, embora os Antônios tivessem origem plebeia, havia muitas gerações que pertenciam à nobreza. O avô do meu senhor, chamado também Marco Antônio, tinha tido a honra de um triunfo, a mais gloriosa recompensa que pode ser dada a um romano, setenta anos atrás. Tinha conseguido elevada reputação enquanto orador e tribuno e também como comandante militar, até que a sua devoção à República lhe custou a vida durante a guerra civil entre Mário e Sula. Esta era pelo menos a versão da família. Em minha opinião, o que aconteceu foi ele ter calculado mal a situação e decidido no lugar errado, pelo partido errado e na ocasião errada.

O tio do meu senhor, Gaio Antônio, estava também implicado, como já disse, na conspiração de Catilina, mas confesso que não conheço os pormenores. Diz-se que se manteve na sombra e que de forma prudente decidiu ser acometido por um ataque de gota no momento crucial. Em consequência disso, e acho eu que também devido a um acordo com Cícero, acabou por ser nomeado governador da Macedônia, onde as suas (ilegais) cobranças fiscais fizeram nascer ódios e os subsequentes protestos junto de Roma. Gaio Antônio falhou ainda na defesa da província dos ataques das tribos bárbaras do Norte. Em consequência disso, a sua carreira terminou em desgraça, tendo sido banido para a ilha de Cefalônia. Mas ouvi diversas vezes meu amo falar bem dele. Era conhecido como o Quadrigário por ter conduzido sozinho um carro puxado a quatro cavalos na altura do triunfo de Sula. Ao que parece, era um homem que gostava de atrair as atenções e diz-se que, ao ser acusado de peculato na província de Acaia, essa terra tão bela e tão desgraçadamente explorada, se justificara nos autos com o fato de as suas dívidas serem tais que não tivera outra alternativa. Fosse como fosse, o certo é que acabou por ser expulso do Senado.

O ter-me interessado pela sua carreira deve-se ao fato de Gaio Antônio se assemelhar ao meu amo nos seus vícios, sem, no entanto, possuir nenhuma das suas virtudes. Mas o meu amo admirava-o, talvez devido ao seu egoísmo absoluto.

Personalidade mais importante, sem dúvida, era a mãe do meu senhor, Júlia, irmã de Lúcio Júlio César. Ela era terceira ou quarta prima do ditador. Os romanos dão uma importância a essas ligações familiares que nós, gregos, mais desprendidos e mais autossuficientes, mais abertos e individualistas, estamos longe de dar ou de levar a sério. O pai de Júlia, Lúcio Júlio César, era um homem com alguma proeminência. Depois da chamada Guerra Social, desencadeada contra os tradicionais aliados italianos (*socii*), criou uma lei, que ficou com o seu nome, que lhes garantia cidadania plena, embora essa mesma lei estivesse de tal modo redigida que poucos deles podiam recorrer a ela, o que tornava, na prática, os seus votos irrelevantes um processo típico da "legalidade" romana, segundo a minha fraca opinião.

Júlia era uma mulher fantástica e eu penso que o meu amo teve sempre um certo receio dela. Não há dúvida de que era ela quem suportava e geria as despesas da família e também a manutenção da casa. A isso se via obrigada. Ambos os seus maridos foram homens imprevidentes e irresponsáveis, homens de pouco siso. E o fato de meu amo ter crescido da forma como cresceu é seguramente devido à extrema valentia e tenacidade da mãe, num mundo que, se não era criminoso, era um mundo de guerras civis, proscrições e degenerescência moral. Mas não estou assim tão certo de que ele alguma vez tenha verdadeiramente escapado à sua influência:

porque fui testemunha da sua infeliz tendência para se ligar a mulheres de caráter forte como aconteceu mais tarde com a nada agradável influência da terrível Fúlvia, sua segunda mulher, e naturalmente a da própria rainha, que foi indubitavelmente o gênio mau do meu pobre amo.

E, embora o meu senhor respeitasse e temesse a mãe, tinha uma tal vitalidade, era por natureza de tal modo exuberante, que era incapaz de lhe ser subserviente, como acontecia com Marco Bruto em relação à austera Servília. (Mas nem sempre tão austera; como isso, basta pensar na sua longa ligação com o ditador. Ligação tão conhecida que levou muitos a dizerem que Bruto era filho de César. Se era então essa ideia de que o filho herda as características do pai, parece absurda!)

Mas meu amo, nos tempos gloriosos da sua juventude, ter-se-ia comportado de forma tal que não devia ter agradado muito a sua mãe, exagerando excessivamente os traços do seu temperamento, como dizem os romanos. Juntava-se aos grupos mais violentos da jovem aristocracia, que se aglomeravam em volta do belo e violento Públio Clódio Pulcro. Clódio era uma personalidade magnética. Entre aqueles que ele atraía para além do meu senhor, estavam o poeta C. Valério Catulo (com quem partilhava a irmã Clódia), C. Salústio Crispo, que acabou por se "recuperar" e escreve agora textos históricos e morais bastante amargos, e ainda Gaio Escribônio Curião, mais tarde o tribuno cuja detenção talvez tenha estado na origem da guerra civil que começou com a invasão da Itália por parte de César.

Esse Curião era um dos melhores amigos do meu amo e, não tenho dúvidas, até certo ponto o seu amante. Os dois eram inseparáveis, partilhando o sabor das noites, embebedando-se juntos, seduzindo mulheres e rapazes. E em pouco tempo estavam cobertos de dívidas, e o pai de Curião, um homem antiquado, vaidoso e reprovador, proibiu que eles andassem juntos. Mas essa proibição acabou por levá-los a praticar excessos, e houve ocasiões em que o meu senhor, iludindo os guardas, entrou pelo telhado da casa de Curião para se enfiar na cama do amigo. Mas tudo isso se passou anos antes de eu entrar ao serviço de meu amo, e falo desses assuntos sem o conhecimento direto que tenho dos acontecimentos que relato e se passaram mais tarde.

Mas sei, no entanto, que, quando Clódio atuou de forma a Cícero ser exilado por ter agido ilegalmente em relação aos conspiradores contra Catilina, condenando-os à morte, como aconteceu ao padrasto de meu amo, este e o seu amigo Curião faziam parte do bando de excitados que largou fogo à casa de Cícero. Este fato acabaria por ser lembrado quando Cícero, no seu último ano de vida, desferiu um ataque feroz a diversas pessoas, entre as quais meu amo.

Coisa notável entre esses jovens aristocratas romanos — pelo menos os da geração a que pertencia o meu senhor, porque pressinto que as coisas vão mudar no futuro que Octaviano parece estar preparando para a cidade — é o fato de a sua tendência para a dissipação não os impedir de serem também fogosos na atividade política.

Vejamos o caso de Clódio, por exemplo. Poder-se-á dizer que vivia inteiramente para os prazeres. Duvido mesmo que ele tenha passado uma única noite, antes de alcançar a idade adulta e usar a *toga virilis*, sem ter a seu lado na cama uma companhia; os seus amores, homens e mulheres, foram sendo cada vez mais numerosos até chegarem a alcançar o número dos de Circo Máximo. (E não tenho dúvidas de que o meu amo foi um deles.) Além disso, Clódio — e tenho autoridade para o dizer — quase nunca se encontrava em estado sóbrio, apesar de ser também um desses felizardos que só muito raramente eram subjugados pelos efeitos do vinho. Algumas das suas aventuras eram de tal ordem que nenhum homem sóbrio seria capaz de embarcar nelas: basta lembrar o dia em que ele se disfarçou de mulher e se imiscuiu nos ritos sagrados da Grande Deusa, nos quais os homens eram absolutamente proibidos de participar. (Violou, ainda por cima, algumas das celebrantes, entre as quais a primeira mulher de César.)

Pois esse rapaz desbragado, que não só praticou incesto com a irmã, sodomizando-a inclusive, acabou por se tornar o senhor dos distúrbios nas ruas, adorado pela populaça, e era de tal modo importante que não só conseguiu expulsar Cícero de Roma, como ainda fez tremer o poderoso Pompeu. E, quando foi assassinado em plena rua por um grupo comandado por T. Ânio Milo, o genro do ditador Sula, a multidão foi acometida de uma fúria tal que transformou o funeral de Clódio num campo de batalha que levou ao incêndio da Cúria.

O meu amo sempre me falou do gosto que tinha em andar nessas lutas de rua. Julgo até que nos últimos tempos não havia para ele maior prazer do que falar dos recuados tempos da juventude folgazona. Mas possuía também uma inteligência perspicaz e uma grande ambição, qualidades que motivavam os romanos mais do que qualquer outro povo, que o faziam sentir-se orgulhoso de si. Sabia que estava destinado aos maiores feitos e aspirava a tornar-se digno do seu próprio destino. Quando fez vinte e cinco anos, abandonou Roma para estudar Oratória na Grécia. Aceitou o convite feito por Aulo Gabínio, procônsul na Síria, para fazer parte dos elementos do seu gabinete. Gabínio, embora fosse descrito por Cícero, com a sua habitual delicadeza, como uma "sórdida ave de rapina", era um homem de mérito e com dignidade. De início, partidário de Pompeu, aderiu depois a César durante a guerra civil, tendo sido assassinado na Ilíria. O meu amo sempre disse bem dele.

Como seu lugar-tenente, comandando a cavalaria, meu amo dominou uma rebelião na Judeia e em seguida serviu na guerra do Egito. Até parece ironia ter sido o Egito o alfa e o ômega da sua glória! Ptolomeu XI Auleta ("O Tocador de Flauta"), que tinha conseguido o título de "Amigo e Aliado do Povo Romano", fora afastado do trono devido a uma revolta em Alexandria, e uma das suas filhas, Berenice, fora proclamada rainha. Ptolomeu recorreu ao Senado à procura de ajuda, mas esse augusto senhor tinha receio de confiar o comando das operações a um general qualquer que, por sua vez, retirasse dele o trono e o poder sobre o país, de tal modo corrupta e decadente se tornara a vida pública no Egito e os espíritos que nele mandavam! Fora nesse tempo que surgira a profecia descoberta nos antigos Livros Sibilinos, que impedia que o rei recuperasse o trono do Egito pela força das armas. Ptolomeu, rangendo os dentes, foi então recebido por Gabínio na sua qualidade de procônsul romano a comandar tropas próximo do Egito.

Gabínio teve o bom senso de não dar importância a uma profecia ridícula e provavelmente fraudulenta. E encarou com simpatia os dez mil talentos que Ptolomeu lhe oferecia. E a sua decisão de entrar na guerra terá sido certamente reforçada pelos anseios do meu amo.

A marcha a partir da Judeia era particularmente difícil e perigosa, já que era necessário atravessar um deserto sem água, no qual tinham já soçobrado muitos exércitos, e em seguida percorrer as terras traiçoeiras de Serbonia, cujo lodo apodrecido e malcheiroso era, segundo os supersticiosos Egípcios, as próprias exalações de Set, que é o nome dado por eles ao grego Tifão, o autor de todos os males, esse monstro terrível dotado de cabeças de cem serpentes, olhos em fogo e voz tenebrosa e que Zeus todo-poderoso tinha ordenado que vivesse nas profundezas do Tártaro. Eu próprio já estive nesses lugares e julguei que o cheiro, que é sem dúvida desagradável, não provinha senão da drenagem do mar Vermelho, que nessa zona fica separado do Mediterrâneo por uma estreita língua de terra.

O meu amo esforçou-se na difícil travessia e ocupou Pelésio. Ptolomeu queria que os habitantes da cidade fossem punidos pela sua cumplicidade na revolta que o havia deposto. Mas o meu senhor recusou-se. Tratava-se da sua primeira incursão em terras egípcias e queria conquistar as populações com o seu gesto magnânimo de clemência. Seguiu-se a tomada de Alexandria, depois de uma manobra na qual meu amo se distinguiu pela audácia e inteligência. E, embora não tivesse podido evitar que Ptolomeu mandasse executar Arquelau, marido de Berenice, o certo é que proporcionou à vítima um esplêndido funeral, que fez que os cidadãos o encarassem com todo o respeito.

Teria sido nessa ocasião que o meu senhor encontrou pela primeira vez Cleópatra, a irmã de Berenice?

Há quem diga que sim, que ela o seduziu, embora nessa altura ela tivesse apenas doze anos. Mas eu duvido que tal fato tenha acontecido, dado que a autenticidade dessa informação é duvidosa, uma vez que tinha sido posta a circular pela segunda mulher de meu amo, Fúlvia, numa época em que os dois estavam de más relações. E todos sabem que Fúlvia tem uma língua viperina.

Do Egito, o meu amo partiu para se juntar aos oficiais de César na Gália, durante todo o tempo que durou a guerra civil contra Pompeu e o partido dos aristocratas. E os acontecimentos que levaram ao assassínio de César foram por mim fielmente reproduzidos por escrito no último volume de memórias que ele, de forma mais coerente, me ditou na época.

III

TEM UM AR CANSADO E OS OLHOS RAIADOS DE SANGUE. TREME-LHE a mão enquanto emborca duas taças de vinho. Mas volta a ficar em condições de ditar. Penso que para ele é uma espécie de fuga.

CÍCERO DISSE NO SENADO: "HAVERÁ MAIS ALGUÉM, EXCETO MARCO Antônio, que lamente a morte de César?". Velho louco o que o levaria a pensar uma coisa dessas?

A necessidade premente era conseguir, fosse como fosse, um entendimento com os assassinos. Mas levei certo tempo até conseguir enfiar esta ideia na cabeça de Lépido.

A primeira coisa que fiz foi dar instruções a Lépido para manter estacionadas três coortes de legionários no Fórum e reforçar a guarda nos portões da cidade. Fiz notar que os libertadores acabariam por se dar conta de que Roma se transformara para eles numa prisão. Em seguida fiz com que ele enviasse aos chefes da conspiração missivas que explicavam que ele agira desse modo unicamente para manter a ordem na cidade e evitar distúrbios. O que, de fato, não deixava de ser verdade. O perigo de tumultos não estava fora de causa. Um dia ou dois mais tarde iria receber notícias de um fulano qualquer que se preparava para se autoproclamar descendente do velho líder popular Caio Mário e procurava sublevar os cidadãos para vingarem César e matarem os parasitas aristocratas que o tinham assassinado. Isso não podia eu evitar. Viria o tempo em que eu iria precisar da populaça, mas seria eu, e não outro, quem os levaria à sublevação. Mas, como qualquer homem sensível, eu tinha horror aos tumultos. Nunca sabemos como vão acabar. E houve uma coisa que Clódio nunca entendeu: que chegara o momento de eu romper com ele.

E, assim, para evitar confusões, precisava mandar matar esse impertinente impostor. Porque, para mim, ele não passava de um impostor.

(Mas, a propósito desse assunto, eu tinha ouvido uma versão diversa dessa disputa entre ele e Clódio e que durou pouco tempo. Dizia-se que ele mantinha uma ligação com Fúlvia, que então estava casada com Clódio. Devo dizer que não acredito nisso, não na ligação, que era plausível, mas que isso fosse o motivo da disputa. Nada daquilo que eu sabia sobre Clódio me levava a crer que ele ia causar problemas a quem se andava a deitar com a sua mulher, quando ele, por seu lado, tinha também uma boa companhia com quem se pudesse deitar. E alguma vez teria ele dormido sem uma boa companhia?)

Em seguida, na minha qualidade de cônsul, enviei instruções ao Senado para se reunir no dia seguinte (17 de março, toma nota, rapaz) no Templo de Telos. A casa do Senado não podia ser utilizada e eu pensei que seria boa tática não recorrer novamente ao Teatro de Pompeu. Embora estivesse tentado a fazê-lo não posso negar que devia ser divertido ver Marco Bruto proclamar a sua virtude no lugar onde ele próprio tinha apunhalado César.

E foi então que enviei um convite a Rato Bruto e ao seu sogro, Cássio, para virem jantar comigo, fazendo com que Lépido alargasse um convite semelhante a Marquinhos e a Metelo Cimbro.

— É preciso que as coisas sejam feitas de forma ordenada e legal — disse eu.

Rato foi o primeiro a chegar, tal como eu pensava, porque ele é por natureza um intrigante. Comecei por espicaçá-lo, dizendo-lhe que não o julgava assim tão louco.

— Pelo tom da tua carta, pensei que não vinha a tua casa para receber recriminações — disse ele.

— Rato, Rato — insisti eu —, achas que os nossos atos estão imunes às suas consequências? — Rato Bruto corou e eu, com pena dele, apertei-lhe a bochecha. Todos nós tínhamos ciúmes dele, evidentemente. E Cássio sentia-se diminuído por ele. — No entanto, fiquei surpreso por ver que não conseguiste escapar ao convite dele para entrares nesta farsa tão ridícula.

Deves saber que a inveja que Cássio sentia de César é inimiga do bom senso. Sempre imaginei que fosses mais sensato.

— Obrigado — disse ele. — As coisas teriam corrido melhor se os meus conselhos fossem ouvidos.

— Ou seja, que eu tivesse também ido desta para melhor.

— Ou seja, meu caro, que tu tivesses sido afastado da cena.

Depois chegou Cássio, magro, desconfiado, irritadiço, mas que ficou um pouco mais calmo ao ver que Hírcio estava também presente. Ao ver Rato Bruto, Hírcio não conseguiu evitar as lágrimas.

— Como pudeste fazer uma coisa assim? — acabou por dizer, extremamente desapontado. — César amava-te como não amava mais ninguém.

César jazia ali, como em câmara ardente, a presidir a nossa reunião. Tanto Cássio como Rato eram abstêmios. E eu disse para os excitar:

— Sabem bem que estão nas minhas mãos. Posso mandá-los amarrar na Rocha Tarpeia e deixar que a populaça se divirta à vossa custa. E não pensem que isso me é impossível. Lembrem-se de que eu, enquanto cônsul, tenho poderes sobre o exército.

— Com o teu colega Dolabella — disse Cássio.

Eu sorri ao ouvi-lo. Todos sabíamos que Dolabella não valia um traque. (Destaca bem esta frase, rapaz.)

— Mas há ainda Lépido — disse Cássio. — Acabo de saber que ele agora é um devoto de César e estou certo de que vai querer vingar-se. Mas eu posso obrigá-lo a cantar uma cantiga diferente.

— Claro que podes — disse eu. — Mas isso não vai ajudar-te em nada na asneira que fizeram.

— Não é bem assim. César está morto.

— E as vossas vidas estão nas minhas mãos. — Sorri e estendi-lhes o recipiente com vinho, mas eles recusaram. — Sinto-me tentado... — disse eu, após ter emborcado a minha taça de vinho. — Mas há um problema. Rato, aqui presente, é um amigo querido desde há muito, o que significa alguma coisa. Eu sei dar valor à amizade. — E em seguida fiz estalar uma noz entre os dedos. — Claro que posso fazer a vocês o que fiz à noz. Mas há um ponto no qual eu estou em perfeita sintonia como o nosso chorado general. Não tenho vontade de imitar Sula. O seu exemplo é-me detestável. Portanto, não vai haver proscrições. Já houve demasiado sangue derramado na nossa geração. E quero confiar-lhes um segredo. Eu também estava ficando preocupado com o rumo das coisas nas mãos de César. Ainda bem que não vai adiante essa guerra contra a Partia que ele estava planeando. Mas eu sempre estive a seu lado. Ao contrário de vós. A tirania é má, mas a guerra civil é pior. Sim, senhor, o vosso ato libertou-nos do tirano, pois era assim que o julgavam. A questão que se põe agora é saber como evitar a guerra. Têm alguma resposta?

Cássio mudou de posição. Não conseguia permanecer quieto por muito tempo e quase não tinha nádegas. E espirrava; ele era desse tipo de homens que estão sempre constipados e andam permanentemente com o nariz escorrendo.

— O que dizes parece-me plausível — disse ele —, mas não consigo acreditar na tua sinceridade. É difícil confiar em ti.

— Mas têm de confiar — disse eu. — A verdade é que não têm outra alternativa.

E foi então que ele se lembrou de falar do que aconteceu durante as Lupercálias, quando eu ofereci uma coroa a César. Mas eu estava preparado para lhe poder responder e dar uma explicação: a ideia partira de César, eu prestei-me a fazer o que ele me pedira. Que mal havia nisso? Cássio não me respondeu porque, no fundo, nem eu próprio conseguia aceitar uma tal explicação. Tinha sido um dos poucos atos da minha vida do qual me envergonhava. Um ato que não era digno de um descendente de Hércules. E, como eu disse a Rato, fiz aquilo quando estava completamente bêbado. Enfim... foi uma dessas ocasiões em que para me submeter a César me vi obrigado a embriagar-me. Não consegui encarar aquilo a que ele me obrigava. E, por essa razão, procurei desembaraçar-me como pude do assunto, embora ambos soubessem que eu me havia coberto de ridículo nessa ocasião. E não quis deixar passar em branco tal fato. Se a lembrança da minha atuação nas Lupercálias fazia com que Cássio pensasse em mim com desprezo, chegara o momento de ele me pagar por isso. Eu já tinha descoberto, por experiência própria, que não existe nada pior que subestimar os nossos inimigos.

E em seguida, antes de eles se irem embora, sublinhei as minhas intenções relativamente ao estado.

— Se estás sendo realmente sincero, eles confiarão em ti — disse Rato.

— Podes ter certeza.

No Senado reinava uma atmosfera tensa. A chuva caía nas ruas e no céu ressoavam os trovões.

Tibério Cláudio Nero, herdeiro de inumeráveis cônsules (embora eu imaginasse que ele era capaz de enumerá-los a todos, porque devia ter gravado no inconsciente um inconcebível número de nomes para justificar o fato de ser o primeiro a dirigir-se aos senadores), propôs "Honras públicas e exemplares aos nobres tiranicidas". Um estremecimento de apreensão percorreu toda a assembleia; os presentes não podiam esquecer que os legionários de César se encontravam ainda alinhados no Fórum. Ouviram-se alguns aplausos nervosos e também algumas manifestações de desaprovação por parte dos partidários de César, ou daqueles que estavam suficientemente atentos para imaginar que era prudente continuarem a ser amigos de César. Mas eu não manifestei quanto tudo aquilo me divertia.

E, como não era minha intenção que a assembleia se pusesse em desacordo ou que se desse azo a querelas partidárias, pedi calma aos presentes.

— Nem honras nem punições — disse e olhei nos olhos primeiro Cássio e a seguir Cícero.

Cícero desviou o olhar.

E eu disse:

— Prezados senadores, devemos ter a coragem de enfrentar a realidade. César está morto. O modo como morreu pode ser considerado um mal ou um bem, uma sorte ou uma desgraça. É uma questão de ponto de vista, e eu peço que guardem as vossas opiniões para vós próprios. Para que expressar publicamente opiniões que terão como único resultado colocar senadores contra senadores? Tivemos já entre nós, na nossa geração, disputas que bastem e sabemos bem aonde elas nos levaram de forma inexorável e terrível: à guerra civil. Hoje, o nosso propósito é o de assegurar a estabilidade da República. Por isso eu proponho, em primeiro lugar, que seja abolido o cargo de ditador, para que nenhum homem possa ser tentado de novo pelas oportunidades que ele lhe permite e ninguém venha a ser oprimido pelo poder que ele coloca nas mãos de um único romano. Os nossos antepassados, na sua sabedoria, afastaram a palavra *rei* da República; vamos fazer o mesmo com a palavra *ditador*.

À medida que ia falando ia sentindo o calor da assembleia dirigir-se para mim. Não era certamente o que eles esperavam, mas era com certeza algo que lhes agradava. No seu entusiasmo podiam não ter bem a noção do que significava a palavra *ditador*, mas sabiam muito bem que o poder de César tinha sido uma realidade.

E, em seguida, disse:

— Se for nossa intenção restaurar o mais rapidamente possível a ordem e a estabilidade da República, proponho que todos os magistrados sejam formalmente confirmados nos seus lugares, tanto os que estão já na sua posse como os que foram para tal designados.

Eu sabia bem o que isso significava; antes de mais, havia entre os assassinos pessoas que tinham sido colocadas em comandos provinciais e que receavam vir a perdê-los e em alguns casos nem sequer iriam consegui-los.

— Finalmente — disse eu —, e embora saibamos que César foi assassinado por cidadãos honrados e patriotas alarmados com o curso que a sua política parecia estar tomando, não é minha intenção discutir agora se esse seu gesto é ou não justificável. Como cônsul, acho-me no direito de propor que todos os atos praticados por César continuem a ter força de lei. E aviso-vos, meus amigos, que iremos cair numa situação perigosa e miserável se decidirmos de outra maneira.

Pouco mais havia para dizer e eu tinha pensado em ordenar que se acabasse com a ordem de trabalhos logo após o meu discurso. Mas depois pensei que seria melhor acalmar os senadores e deixar que eles ficassem com a ilusão de que tinham vindo para participar numa decisão livre e independente e não para assistir passivamente à aceitação dos meus argumentos.

E sentei-me no meu lugar, com um sorriso a bailar-me nos lábios, ao ver que Marco Bruto e depois Cícero se tinham levantado para falar. Marquinhos limitou-se a justificar a ação que tinham levado a cabo, o que era supérfluo, uma vez que eu havia deixado claro que os próprios seguidores de César deviam aceitar o fato de os libertadores deverem ficar isentos de críticas. Mas reparei depois que Marquinhos tinha preparado previamente o seu discurso e que lhe faltava a esperteza para o poder mudar depois de ouvir o meu. Teria sido melhor ter ficado calado, pois pude aperceber-me das reações negativas dos seus companheiros de aventura à medida que ele ia falando.

Quanto a Cícero, esse teve a audácia de propor uma anistia geral que devia incluir Sexto Pompeu, o mais hábil dos filhos dos grandes senhores, que continuava a desafiar a autoridade da República a partir da Espanha, onde continuava a comandar seis legiões. Mas a sua prédica não mereceu resposta positiva nem mesmo dos velhos aderentes do Grande Pompeu. Foi então que Cícero lançou mão da sua autoridade para apoiar o que eu havia proposto, sem mencionar alguma vez o meu nome, dando até a impressão de que as minhas propostas eram de sua autoria. A vaidade desse velho parecia não ter limites, o que só lhe veio a trazer dissabores na carreira política. E isso foi uma coisa que me desgostou profundamente, porque nunca se podia saber se o maldito velho falava por um motivo razoável ou apenas para satisfazer a sua insaciável vaidade.

Finalmente, levantou-se o padrasto de César, L. Calpúrnio Piso, para propor que fosse concedido a César um funeral oficial e fossem tornadas públicas as suas últimas vontades. Discutimos um pouco tentando deslindar se deveria ser levada adiante tal sugestão, e ficou acordado que Piso só iria falar se eu lhe desse autorização. O discurso de Cícero convenceu-me de que podíamos avançar com o assunto, e o velho orador voltou a erguer-se para apoiar Piso.

— Devemos criar uma nova concórdia na República, a começar aqui, caros senadores — disse ele.

Cícero voltava à sua antiga maneira de falar, que não deixava de ser a mais conveniente, e todos nós estávamos dispostos a concordar com ele. O que ele nunca imaginou é que os seus ideais só seriam possíveis quando os homens estivessem substancialmente de acordo quanto ao modo como o estado deveria ordenar e partilhar o poder. E como esse acordo continuará a não existir em Roma durante as nossas vidas e nos anos transatos, a concórdia continua impossível. Trinta anos de vida política não ensinaram nada ao velho Cícero.

O funeral de César...

O meu amo fez uma pausa, fechou os olhos e caiu no sono, sonhando talvez com esse dia da sua vida em que pela primeira vez se tornou senhor de Roma e controlador dos estados de espírito do povo romano. Certa vez, numa das suas raras visões introspectivas que não são o seu forte, meu amo fez notar que nesse dia se sentira como uma espécie de elemento transmissor, através do qual a populaça podia encontrar as palavras adequadas ao seu sentimento coletivo.

O funeral aconteceu num dia invernoso, com as nuvens carregadas a correrem no céu, movidas pelo vento que soprava das montanhas. A multidão parecia deprimida e de humor instável. Gaio Trebônio, um velho lugar-tenente de César que se havia distinguido na terrível batalha de Alésia e que se tinha ligado aos conspiradores por razões de orgulho e de ambição, teve a ousadia de aparecer e de clamar a todos quantos o queriam ouvir que, apesar de o seu dever de republicano o levar a concordar com a morte de César, ele não tinha estado entre aqueles que o haviam abatido.

(O seu papel, se bem vos lembrais, era o de deter o meu amo.) Mas os seus protestos só serviram para o incriminar. A multidão caiu sobre ele e um fulano fortalhaço, um talhante crivado de nódoas de sangue, agarrou-o pela toga e a rasgou. A sua vida corria perigo, mas o meu senhor ordenou a alguns homens de Lépido que pusessem termo ao motim que estava a gerar-se e levassem o gordo Trebônio para um lugar seguro.

O meu amo ergueu-se para falar. Permaneceu de pé na tribuna, com a majestade de um deus e a serena beleza de um Apolo, estendeu as mãos e, silenciosamente, obrigou a multidão a ficar silenciosa. E, finalmente, quando isso aconteceu, ele começou a falar e as suas palavras melífluas eram ao mesmo tempo plenas de dor e de tristeza. O discurso, que ele havia ensaiado durante toda a manhã com a ajuda, ou, antes, sob a orientação do célebre trágico Tirógenes, teve um efeito mágico.

Chamou-lhes amigos, romanos, compatriotas. Declarou, modestamente, ser um homem sem importância e que viera ali para sepultar César, que tinha sido assassinado, tristemente assassinado, por homens respeitáveis, vindos de grandes famílias que muito haviam dado a Roma por respeitáveis motivos. Quem era ele para poder julgá-los? Tinham dito que César era ambicioso. E César era certamente ambicioso. Pois nunca tinha havido um homem tão ambicioso como César, mas ambicioso pela grandeza de Roma e pela prosperidade do povo romano. Ele tinha unido a Gália ao Império, restaurado a paz e devolvido a riqueza ao povo, que amava profundamente. Sim, César era ambicioso e, por essa razão, esses homens respeitáveis o mataram.

Em seguida, deixando que as lágrimas lhe corressem — tinha levado uma meia hora a ensaiar o gesto até Tirógenes achar que estava perfeito —, o meu senhor abriu a toga de César manchada de sangue.

— Esta punhalada foi desferida pelo nobre Bruto...

A multidão gritou furiosamente e ele voltou a pedir silêncio.

— Estamos aqui apenas para enterrar César — disse ele, e fez uma pausa para que as suas palavras pudessem ser ouvidas por todos. — Para enterrar... César... — voltou a repetir, separando bem as palavras, de modo que os presentes sentissem todo o seu peso. E, em seguida, baixou a cabeça e deixou que a multidão se mantivesse presa à sua figura durante um longo minuto. Quando voltou a falar, a sua voz era lenta e pausada.

— Tinha a intenção de ler as suas últimas vontades — disse. — Acho que tendes o direito de ouvi-las. Mas hesitei ao sentir o vosso estado de espírito; a dor e a raiva causadas pela morte de César, que se ficou a dever à sua ambição. Mas, se eu as ler, vós ficareis sabendo quanto ele vos amava e o vosso pesar será insuportável e poderá levar-vos ao ódio. Mas não terei eu o direito de vos dizer quanto vos amava César?

Os gritos que se fizeram ouvir convenceram-no de que sim.

E o meu amo leu o testamento, enumerando as dádivas em dinheiro a cada cidadão e a doação dos jardins privados de César ao bem comum. Leu muito devagar e a multidão rompeu as vedações e começou a aclamar e a gritar furiosamente. Avançaram precipitadamente, partiram as mesas e bancadas do Fórum e começaram a erguer uma pira para queimar o corpo.

Acho que nesse momento todos eles desejavam lançar ao fogo o nobre Bruto e oferecer a coroa a meu amo, de tal modo empolgante fora a sua oratória.

E eu próprio acho que naqueles breves momentos ele mesmo se convenceu de que falara a verdade.

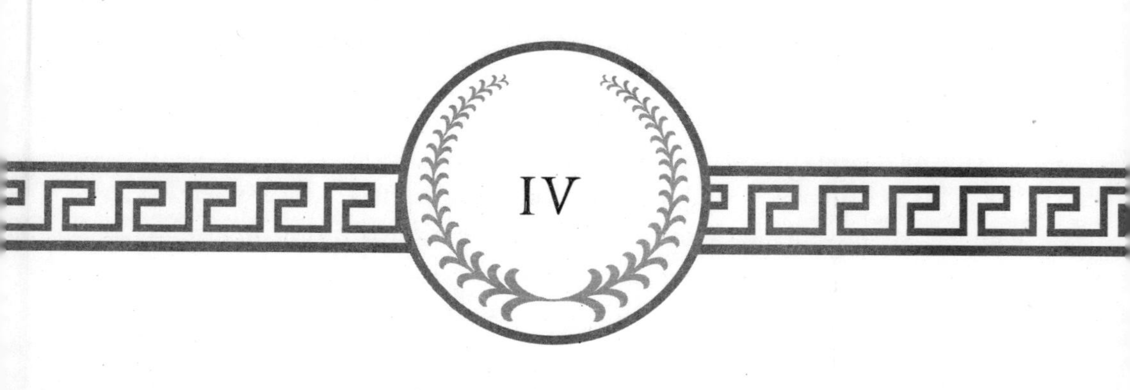

IV

Eu estava sendo sincero quando aboli a ditadura. Embora concordasse com César ao reconhecer que Roma e o Império exigiam um homem que estivesse em posição de autoridade, reconhecia também que a função de um ditador era uma coisa irritante. E pensava que podia assegurar a minha posição por outros meios.

Mas a minha autoridade era precária. A cidade em si não representava problemas. A populaça continuava hostil em relação aos conspiradores. Marco Bruto, que ocupava o lugar de pretor urbano, veio ter comigo, numa grande agitação, requerendo a minha permissão enquanto cônsul para se retirar para as suas propriedades. Dizia que a sua vida estava em perigo. E eu não perdi tempo a dar-lhe essa autorização, mas fazendo-lhe notar que me parecia muito estranho que um homem que havia restaurado a liberdade de Roma se sentisse agora prisioneiro dentro dela.

A minha prioridade era assegurar o apoio das legiões. O que significava ter de descobrir terras para recrutar veteranos. E convenci o meu irmão Lúcio a encarregar-se disso. Tinha-me apoderado do tesouro de César e também daquele que ele havia acumulado no Templo de Ops para a campanha que tinha planeado contra a Partia. Consegui distribuir alguns bens pelas legiões, combinando a prudência com a generosidade. Todavia, tendo em conta os possíveis distúrbios na cidade, fiz vir uma legião da Campânia.

Não sentia desejo de alterar a distribuição de províncias que César tinha feito. Por outro lado, era preciso salvaguardar a minha própria situação, e para isso precisava afastar Rato Bruto da Gália Cisalpina, que lhe tinha sido atribuída, ficando eu com ela de forma a alargar ao mesmo tempo o meu império proconsular de dois para seis anos. A Gália Cisalpina era a província ideal, porque qualquer exército que estivesse acampado nela era bastante para intimidar Roma e controlar politicamente os negócios políticos da cidade.

Rato Bruto protestou, deixou a cidade e dispôs-se a fazer guerra. Mas eu estava convencido de que ele tinha um apoio reduzido e que eu podia bem dominá-lo. E isto por uma coisa: embora ele não fosse destituído num papel subordinado, Bruto não tinha uma experiência bem-sucedida enquanto comandante independente. E não era popular entre as tropas.

Foi então que as coisas começaram a correr mal. Durante toda a minha vida tinha tido a experiência de que, quando tudo parece caminhar sobre rodas e a fortuna e os deuses nos sorriem, há sempre algo de mau que se vem atravessar no nosso caminho e da forma mais inesperada.

E o que nessa altura mais me aborreceu é que essa coisa má era o jovem Octaviano, esse mesmo que eu julguei ser havia tempos uma criatura atraente.

Octaviano: sobrinho de César e neto de um prestamista municipal.

Estava estudando algures na Grécia quando César foi assassinado. Tinha dezoito anos e chegara a Brindes com dois amigos da sua idade: Mecenas, um pedante efeminado, desses a que qualquer legionário gostava de apalpar o rabo, e Agripa, que parecia e se comportava como um cepo.

Confesso que não me havia lembrado dele. E, quando me chegou aos ouvidos que ele havia regressado, nunca imaginei que um simples rapazote me viesse causar tantos problemas.

Mas depois chegaram-me notícias de que ele tinha conseguido convencer uma legião e que vinha a caminho de Roma, depois de se proclamar herdeiro de César.

É certo que ele era nomeado como tal no testamento de César e que tinha sido adotado por ele, podendo legitimamente chamar de "pai" o ditador assassinado. Mas não me passara pela cabeça que ele tivesse a ousadia de se proclamar também herdeiro político de César. Era absurdo: o rapaz tinha apenas dezoito anos.

Diverti-me com a história, mas devia pôr fim à sua impertinência. E convidei-o a me visitar.

Saberão as pessoas entender até que ponto eu achava o rapaz insignificante? E deverei ser condenado por isso? Toda a gente tinha a mesma ideia em relação a ele. Só o velho Cícero descobriu que o rapaz podia desempenhar um papel importante, mas também ele se enganou.

Octaviano pareceu-me demasiado sério, quase tímido. Tinha a linha do queixo firme, mas os lábios eram demasiado moles e os olhos pareciam os de uma encantadora rapariga. Os braços eram também moles e roliços como os das raparigas, e a gente podia ver, pelo seu físico, que ele era incapaz de pegar numa espada ou de segurar um escudo. O corpo dele nunca devia ter suado ou cheirado mal debaixo de uma armadura, nem alguma vez se arrastara, sequioso, até junto de um ribeiro, com homens lá dentro a sangrar, moribundos.

Esperei que ele se instalasse numa almofada depois das minhas saudações, ele ajeitou o rabo e fez um pequeno ruído ao bater com a língua nos lábios. Parece que estou a vê-lo, à espera de que eu falasse primeiro, à espera como um gatinho.

— Andas por aí criando problemas, meu querido rapazinho — disse eu. — Sei que não é esse o teu desejo, mas o certo é que a coisa resultou.

Ele não me respondeu e continuou à espera enquanto o barulho que vinha do Fórum atravessava o ar dessa manhã de maio.

— Mas tenho de te agradecer o fato de haveres conseguido manter o Sul em paz — disse eu. — Foi um bom trabalho. Mas as histórias que tu puseste por aí a circular só podem aproveitar aos nossos inimigos.

— Que histórias? — disse ele. — Que inimigos?

— Sabes bem que histórias são e, se não sabes quem são os inimigos, pior para ti. Eles são capazes de te cortar em pedaços, meu caro. Sei que te tens correspondido com Cícero.

— Um homem de classe — disse ele — e um velho amigo de meu pai.

— Do teu pai? Estás a referir-te a *ele*? Guarda essa palavra para aqueles a quem queres impressionar. E, quanto a Cícero, lembra-te de uma coisa: ninguém confia nele, e ainda bem, mas tu estás a infringir a lei.

— Mas em Roma há alguma lei?

Fiz um esforço para me manter calmo.

— Não sejas insolente, meu caro rapazinho. Eu sou o cônsul da República, na qual não tens qualquer lugar oficial. Comandaste tropas sem teres autoridade para isso. Ao trazê-las para Roma, tornaste-te legalmente culpado de provocar a guerra na República. Podia levantar-te um processo por isso e, se esse processo andasse para a frente, podias ser condenado à morte. — Ele sorriu, mas não disse nada. — Mas eu estou pronto a esquecer isso. Ainda és um garoto. Estou disposto a aceitar a tua palavra se me disseres que não tinhas noção da enormidade que praticaste.

— Enormidade — disse ele pausadamente, como se estivesse a saborear a palavra.

— E em parte porque sempre gostei de ti — disse eu. Ele se sentou, tocado pela primeira vez, e corou. — Mas eu quero esses soldados que tens contigo. São muitos? Uma legião? Meia legião? Como cônsul, o seu comando me pertence. Tu não só não tens qualquer lugar oficial, como não podes ter devido à tua idade. Além disso, como és tu capaz de comandar um exército? São precisos anos de experiência. E eu tenho necessidade desses homens. Décimo Bruto, o Rato, tu deves conhecê-lo, ao que julgo foste muito amigo dele, ficou sem a Gália Cisalpina e começou a arranjar problemas. E ele e os outros sacanas estão já a preparar exércitos do outro lado do Adriático, embora ainda não saibam que eu estou a par de tudo.

— E o que me propões? — perguntou ele, com os olhos arregalados e fazendo-se de ingênuo.

— Um lugar no meu gabinete. Um consulado, antes de teres legalmente idade para tal. E segurança, porque não quero ver-te no mesmo caminho que *ele* e acabares com a garganta cortada. Encara as coisas como elas devem ser encaradas, meu rapaz; eu preciso dessas tropas e tu também precisas de mim. Se eu falhar, será por culpa tua.

— Não estou tão certo disso — disse ele, porém, sorriu como se estivesse de acordo e bebeu o vinho que eu tinha pedido. Mas limitou-se a molhar os lábios e pôs de lado a taça.

E ficou ouvindo atentamente, enquanto eu lhe fazia ver a situação estratégica. Parecia um bom ouvinte. Coisa que fora recomendada a César como uma qualidade do *rapaz.*

— Estou entendendo. Parece complicado, mas conseguiste explicar-me de forma bastante clara. Fico-te agradecido. Agora percebo melhor a situação.

— E vais fazer o que te pedi.

Ele tornou a sorrir, mas desta vez de forma aberta e sem aquele ar de gato assustado.

— A propósito: penso que fizeste o que era preciso para eu tomar posse da herança de César, de acordo com o seu testamento — disse ele.

— Evidentemente. Está à tua espera uma boa conta bancária. Mas o melhor é falares com Balbo. Ele é perito nessas matérias. Eu sou um mero soldado.

E ele foi embora em seguida. Alguns dias mais tarde ouvi dizer que se tinha dirigido diretamente à casa de Cícero.

Ficou de novo exausto. Animou-se enquanto me ia ditando, mas voltou a ficar cansado. Sentou-se a meditar e pediu mais vinho, embora a garrafa ainda não estivesse vazia. E bebeu num estado de transe, como se não estivesse ali. Deixara de beber com prazer.

Mas voltemos ao fato de Octaviano ter ficado corado. Bem, existem duas versões sobre essa história. Alguns diziam que o meu amo, numa noite em que estava bêbado, tinha violado Octaviano durante a campanha da Espanha. Outros afirmavam que ele tinha tentado seduzir Octaviano, mas fora rejeitado. Eu acho que não foi uma coisa nem outra.

Cícero ficou encantado por receber Octaviano. Embora tivesse mais de sessenta anos e já terem passado vinte depois do seu consulado, momento em que ele, segundo o seu ponto de vista, tinha salvado a República e, levando as coisas mais longe, violara a Constituição, Cícero pensava que mantinha ainda o controle dos negócios do Estado. Mas não tinha competência para tal. E mesmo na altura em que Gaio Mário e Sula lutaram pela supremacia, a verdade veio ao de cima: para controlar a República é preciso saber ter uma espada na mão e nunca a largar. Mas Cícero, com a ingenuidade de um filósofo, julgava que o homem que tivesse essa espada estaria disposto a ficar à sua mercê.

— Eu sempre fui um tipo incapaz de arranjar problemas, não estás de acordo, Crítias?

— Em certos aspectos, sim, meu senhor.

— Nunca imaginei que pudesse criar ódios. Talvez fosse uma fraqueza minha. Ou talvez seja essa a razão por que os meus negócios chegaram ao estado lamentável em que se encontram agora.

"As minhas relações com Cícero nunca foram fáceis, é verdade. Havia muita coisa entre nós, o sangue da minha família e a minha amizade com Clódio, que ele tanto gostava de enfurecer. Mas nos últimos anos julguei que isso eram águas passadas. Quando nos encontrávamos em atos oficiais, cumprimentávamo-nos um ao outro com uma certa delicadeza. Se acaso nos encontrávamos à mesma mesa de jantar, eu o deixava brilhar e apreciava a elegância da sua conversa. Ele era de fato um excelente conversador, ainda que no dia seguinte não nos lembrássemos de nada do que ele havia dito.

"Foi Fúlvia quem me disse que ele me odiava.

"Já disse alguma coisa sobre Fúlvia, Crítias?"

— Ainda não, meu amo.

Certamente que não. E eu digo isso porque duvido que ele se preocupasse minimamente em falar dela.

Fúlvia foi a mais terrível das esposas do meu amo. Era realmente bela, tão bela, diziam os homens, como o seu primeiro marido, Clódio; tão bela até como a irmã deste, Clódia, a quem o poeta Catulo amou e detestou. Eu acho que ninguém amou Fúlvia e quase poderia dizer que o meu amo a odiava. Mas não tenho certeza. E, embora eu o ouvisse jurar-lhe pragas na sua ausência, bastava ela entrar numa sala para que ele, excitado, pusesse tudo de patas para o ar. Mas ela não se mostrava preocupada. Mantinha o mesmo olhar calmo e a voz não se alterava. É certo que o melhor era taparmos os ouvidos para não ouvir o que ela dizia. O pessoal tinha medo dela e toda a gente sabia que ela tinha um faro especial, maior que o de muitos homens, para analisar a situação política.

Fúlvia disse:

— Não subestimes esse menino manhoso que é o Octaviano. Cícero julga que pode usar o rapaz para te destruir, fazendo com que os antigos apoiantes de César se afastem de ti. Vai procurar levar a cabo os seus intentos e será bem-sucedido, a não ser que tu ajas rapidamente e... o leves a afastar-se de Cícero. Eu conheço a mãe dele, é uma cabra calculista, e ele é um menino da mamãe, que faz o que ela lhe manda.

Para dar uma ideia do poder que Fúlvia tinha sobre o meu amo bastará dizer que, quando ambos se casaram, três anos antes do assassínio de César, o meu amo acabou imediatamente a ligação que tinha com a atriz Citéris, ligação que ele mantinha desde o seu primeiro casamento com Antonia. O que foi uma vergonha. Citéris era uma mulher deliciosa, uma pobre rapariga oriunda de Suburra, magra, quase macilenta, de enorme boca e olhos escuros. Nunca conseguiu falar o latim corretamente, a não ser quando representava. Numa conversa normal utilizava os verbos como lhe apetecia, se conseguia a concordância de um adjetivo com um substantivo, era por acaso. Mas até os rapazes do coro a adoravam, o que não deixa de ser algo de extraordinário, tendo em conta a má fama e má língua que lhes é atribuída. Citéris conseguia divertir-se com eles a propósito de tudo. Ela amava verdadeiramente o meu amo, tendo-lhe pago pelo menos uma vez as dívidas, e nunca ouvi falar de uma atriz que tanto tivesse feito por um amante aristocrata. As pessoas diziam que ela exercia uma influência nefasta sobre ele, degradante mesmo, dando azo às suas festas desbragadas que tão má reputação trouxeram ao meu amo entre os homens austeros. Mas as pessoas exageravam: como se as festas desbragadas não fossem coisa normal nos últimos tempos... Não, o meu amo nunca encontrou ninguém tão delicada e doce como Citéris, que vivia sempre assustada, com receio dele. "Ele está assim de tão mau humor, Crítias?", perguntava-me ela, beijando-me com o frescor de uma manhã de rosas quando eu a avisava de que ele estava pior que um urso furioso. Passamos bons momentos enquanto ela viveu conosco e toda a gente da casa do meu amo ficou triste quando Fúlvia se impôs e a mandou embora. E, agora, Fúlvia chega mesmo a dizer que, se voltar a vê-la com o meu amo na mesma sala, a mandará fustigar como a uma reles prostituta. Pobre Citéris! O que são as coisas! Ouvir dizer isso da boca de uma mulher que foi casada com Clódio e com Escribônio Curião, sabendo que eles, juntamente com o meu amo e seu terceiro marido, foram, por sua vez, para a cama uns com os outros! Mas isso não a impede de condenar a depravação dos gregos...

Mas admito que as suas intenções fossem as melhores.

Tenho aqui uma carta que ela escreveu depois da conversa com meu amo:

> Sendo inteligente como és, não posso deixar de pensar que às vezes me pareces terrivelmente obtuso. O que em parte se deve à pouca atenção que prestas aos teus negócios e em parte à confiança quase ilimitada que dás aos outros. Mas eu sempre te disse: nunca devemos tomar as coisas por aquilo que elas parecem.
>
> Apresentaste-me algumas razões que te levavam a pensar que nada tinhas a recear desse garoto que é Octaviano, mas nenhuma delas abona a favor da tua inteligência.

Em primeiro lugar, dizes que os soldados jamais o seguiriam numa batalha porque não têm confiança num rapaz sem experiência.

Mas eu digo que eles o seguirão enquanto tiver dinheiro para lhes pagar e, se ele for suficientemente sedutor, nem sequer precisará enfrentar uma batalha.

Tu dizes que Cícero está a servir-se do rapaz, usando-o em tarefas arriscadas.

Eu digo que isso é o que o velho pensa que está fazendo. Mas quando teve Cícero uma ideia sensata? Está corrompido pela vaidade e tu deves sabê-lo.

Tu dizes que Cícero está ultrapassado e que já não conta.

Eu digo que ele ainda tem influência. E, mais que isso, que tem uma língua venenosa. Pode destruir com palavras de modo tão certeiro como um outro qualquer com um punhal. Coisa que eu aprecio, porque me acho senhora das mesmas capacidades.

Tu dizes que, seja como for, a verdadeira batalha continua a ser entre o partido de César e aqueles que seguiram os autoproclamados Libertadores.

Eu digo que Cássio é suficientemente inteligente para tentar dividir o partido de César, o que está já acontecendo.

A verdade é que estás sendo demasiado simplório e complacente. Estás subestimando Octaviano. Eu não suporto esse garoto atrevido, mas tenho de reconhecer que ele tem garra e sabe pensar. É certo que ouvi o belo discurso de Cícero: que o rapaz deve ser elogiado, usado e depois suprimido. Veremos no fim quem suprimirá quem.

Em resumo, o que tu deves fazer é tentar trazê-lo para o teu partido.

Ou então acabar já com ele.

A tua complacência põe-me furiosa. Todos estamos à espera que ponhas em prática as tuas capacidades. É verdade que, até agora, a tua vida sempre recebeu o favor dos deuses, sabes disso, e que sempre houve alguém que te abriu o caminho para que depois o percorresses da forma mais agradável.

Mas agora esse alguém já não existe. Ficaste exposto e só. E passaste a depender dos teus próprios meios, da tua própria energia, da tua própria bravura.

Sê o homem que podes e deves ser. Aquele com quem eu me decidi casar. Prova-me que és ainda aquele que merece o meu respeito.

Tua mulher, Fúlvia.

O certo é que, fosse ela uma virago ou uma desavergonhada, eu não podia deixar de admirar uma mulher assim.

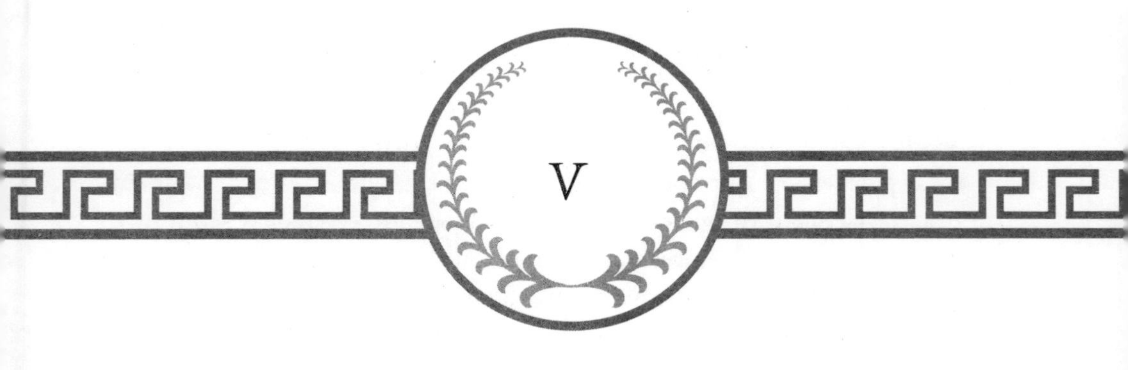

V

EU NÃO TINHA VONTADE DE RETOMAR A GUERRA CONTRA OS MEUS concidadãos, contrariamente às mentiras propaladas sobre mim. E por isso não estava disposto a fazer quaisquer incursões militares nesse verão. E, embora o rapazola do Octaviano ignorasse os meus conselhos e continuasse a organizar um exército, recorrendo tanto a recrutas sem treino como a veteranos na reserva, eu continuava a pensar que ele não representava nada que pusesse verdadeiramente em perigo os meus interesses. E o mesmo acontecia com Rato Bruto, que se mantinha relutante em abandonar a sua província da Gália, como eu havia decretado. Sabia que podia sempre obrigá-lo a obedecer-me sem ter de recorrer à força. Rato possuía as suas virtudes e, de certo modo, eu sentia afeto por ele, mas faltava-lhe coragem.

E dispus-me a passar o verão da forma mais agradável.

Mas em agosto, enquanto gozava banhos de mar na costa do Adriático, chegaram-me notícias de que Cícero tinha regressado da sua casa na baía de Nápoles e me havia atacado ferozmente no Senado. A sua devassa pelo meu alegado mau comportamento consistia no seu habitual chorrilho de falsidades e eu pensei que ninguém lhe daria ouvidos. Estendi-me à sombra das oliveiras e ri-me de tudo isso.

Mas foi o meu irmão Lúcio quem me fez ver a situação ao vir a minha casa em Tíbur, com o olhar esgazeado pela estupefação.

— O discurso de Cícero produzira um efeito tremendo — dissera ele.

E já se andava a dizer que os verdadeiros fiéis a César seriam mais sensatos se se dispusessem a seguir Octaviano.

— Dizem que Marco Antônio continua a andar permanentemente bêbado e não sai da sua letargia. E, ao olhar para ti, irmão, devo confessar que parece haver algo de verdade no que dizem.

— É verão — disse eu — e o sol continua forte.

Mas pareceu-me que era preciso responder a Cícero. E que era também um prazer fazê-lo. E dirigi-me ao Senado na terceira semana de setembro. Cícero não estava na assembleia. Mais tarde acabou por dizer que eu tinha reunido forças que se dispunham a matá-lo se ele ousasse aparecer. Mas isso era absurdo. Eu teria preferido que ele estivesse presente. Ele teria dado mais sabor ao dia, que por si se apresentava já bem condimentado.

E no Senado eu disse:

— Fui informado de que Cícero me atacou recentemente nesta casa e tenho pena de não me encontrar aqui no momento para lhe responder. Mas é curioso: as pessoas que Cícero ataca quase nunca se encontram nos locais que ele escolhe para as atacar. Bem, gostaria de saber a razão por que tal acontece. E o mais curioso é ele não se encontrar também aqui hoje, apesar de eu ter tido um especial cuidado em convidá-lo. É verdade que ele costumava discursar a dizer mal de César quando César se encontrava na Gália. E foi nessa altura que ele se juntou a Pompeu durante a guerra civil, se ainda vos lembrais, para regressar em fuga à Itália quando Pompeu foi derrotado. Lembro-me agora de que eu próprio o detive em Brindes, nessa ocasião, e ele me perguntou se eu ia mandar matá-lo. "Que ideia a tua, Cícero, eu jamais faria uma coisa dessas! Tu és um ornamento da literatura latina!" E mandei que ele fosse acompanhado de uma escolta de cavalaria para poder chegar em segurança à sua casa de campo! Não me lembro qual, ele possui tantas casas de campo, mas acho que ele também já não se lembra que eu lhe salvei a vida. A verdade é que os velhos têm tendência para esquecer, todos nós sabemos, embora Cícero goste de se lembrar de certos episódios da sua já longa vida de forma brilhante, com todas as suas qualidades e descritos de maneira que os torna ainda mais brilhantes.

"Mas uma coisa ele esqueceu, segundo parece: o modo como costumava escrever a César, e isto quando César era o supremo poder do estado. Tenho aqui comigo uma das suas cartas e muito gostaria que ele estivesse aqui presente para me ouvir lê-la.

"Mas se eu a ler, quase tenho a certeza de que alguém amigo lhe fará saber quanto ele, no fundo, gostava de adular César, agradecendo-lhe todas as gentilezas e comunicando-lhe o seu orgulho em chamar César de"amigo". Ora ouvi:

De Cícero para César:

As minhas saudações: foi grande honra a que me deste ao vires visitar-me a minha casa. Guardarei como um tesouro na memória a tua breve estada e a nossa agradável conversa ficará para sempre no meu coração enquanto eu viver. É bom saber que as tuas vitórias não te levaram a esquecer os velhos amigos e, por mais empenhado que estejas nos negócios do Estado, ainda te sintas com vontade de discutir, com tão denodado empenho, matérias literárias com gente "antiquada" como eu. O nosso diálogo foi tão agradável que eu me lembrei, vê tu a minha ousadia, de que uma vez te escrevi a dizer-te que estava convencido de que tu eras verdadeiramente o meu *alter ego*.

Tu, meu velho amigo, deves ter agora graves responsabilidades, e ninguém como tu poderá assumi-las com tamanha harmonia e levá-las a cabo com tanta felicidade. As preces de todos os romanos estão contigo.

Só te peço que tenhas cuidado com a tua saúde, da qual, no fundo, Roma em grande parte depende, e que o teu caráter, generoso e afeiçoado, faça com que mantenhas guardado num canto do teu coração um lugar para o teu velho admirador e amigo, que tão orgulhoso se sente de se considerar como tal.

Cícero.

E eu fiz notar:

— Se Cícero não fosse essa personalidade tão imensamente distinta, diria que nessa carta ele estava francamente a bajular César.

"Ora, acontece que poucas semanas mais tarde ele veio aqui, prezados senadores, para dizer que se sentia imensamente satisfeito por César ter sido assassinado.

"O que podemos nós fazer com um homem assim?

"Podemos acreditar numa só palavra que ele possa dizer?"

O meu amo estava deliciado com o seu próprio discurso. E ainda está. Mas eu sempre pensei se seria avisado cobrir com tal ridículo um homem como Cícero, cuja língua é a que nós conhecemos.

O fato é que Cícero, como toda a gente sabe, em consequência desse discurso, disparou em ataques violentos contra meu amo. Escreveu um panfleto e pô-lo a circular, embora não tivesse a coragem de o publicar abertamente. E Cícero atirou-se à vida pública e privada de meu amo. Dizia ele que Marco Antônio era bêbado, rufião, debochado, homossexual; um tirano, corrupto, brutal intratável; uma besta selvagem que devia ser abatida antes que a sua loucura se transmitisse aos outros e destruísse o Estado.

Este tipo de invectivas só convence quando contém um germe de verdade e só persuade aqueles que querem ser persuadidos. Os insultos de Cícero eram absurdamente exagerados. No entanto, o povo tinha já visto o meu amo correr embriagado pelas ruas de Roma. As histórias dos seus casos amorosos eram comentadas por todos. Ele ofendera muitas vezes o que era convencional e bem aceito. Havia muita gente disposta a pensar o pior dele, e Cícero facilmente contribuiria para que isso acontecesse. O que ele fez foi empestar o ar e, embora meu amo sacudisse as calúnias com desprezo, parte da lama acabou por ficar impregnada. Havia gente a quem ele sempre foi indiferente e que nunca confiaria nele tendo em conta o que Cícero dissera. Havia quem lhe gabasse as capacidades e que começou a pôr em causa o seu caráter. Viam nele um homem capaz de tudo e acharam melhor precaverem-se em relação a ele.

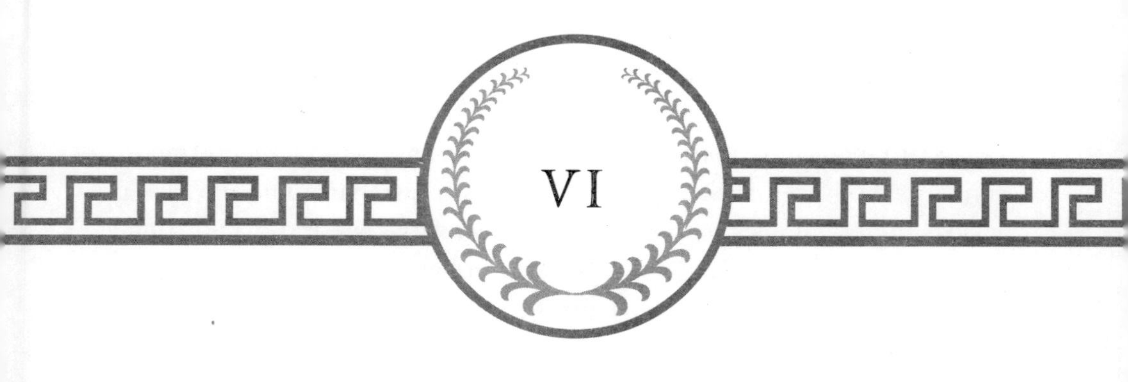

VI

E A SITUAÇÃO ERA A SEGUINTE: MEU AMO CONTINUAVA LANGUIDAMENTE a repousar na sua casa perto de Frascati, incerto quanto ao que iria fazer a seguir. (Fúlvia tinha ido para junto do mar por causa da saúde. Pelo menos foi o que ela disse.) Marco Bruto e Cássio tinham deixado a Itália, para se dirigirem, ostensivamente, às províncias que lhes haviam sido atribuídas, Creta e Cirene, e nem uma nem outra eram importantes. Mas ninguém sabia onde se encontravam ao certo, ou se se tinham reunido em algum lugar mais perigoso. Havia rumores de que Cássio era esperado no Egito, onde as legiões se tinham amotinado. Rato Bruto continuava a recusar entregar a sua província, a Gália Cisalpina. Dizia-se ainda que Cícero se preparava para desencadear novos ataques a meu amo e era evidente que muitos estavam dispostos a acreditar na maioria das calúnias que ele havia posto a circular.

Mas o mais sinistro de tudo é que Octaviano vinha fazendo recrutamentos na Campânia, em terras onde os veteranos de César se haviam estabelecido. Com um cinismo sem paralelo, dava a cada homem que subornava um prêmio de quinhentos denários, o equivalente a dois anos de adiantamento por serviços prestados como legionário.

Comprar um homem é uma coisa, mas conseguir a certeza de que ele continua comprado é mais difícil. Octaviano abria os cordões da bolsa. Ele devia ter querido afastar-se do meu amo, demonstrar a sua força para vir, depois, junto dele tentar um acordo. Em vez disso, marchou para Roma, ocupando o Fórum com as suas legiões na segunda semana de novembro. A sua atuação alarmou os seus próprios simpatizantes, que não tinham certeza de que ele fosse assim tão forte como parecia ser e recuaram. O tribuno Tito Canúcio foi uma exceção. Fez um discurso ao povo em louvor de Octaviano, no qual apoiava as exigências do rapaz relativamente às honras e posição do seu "pai", César. E isso ultrapassou aquilo que as pessoas poderiam aceitar. E deixou-as apreensivas. Mesmo os que ainda exprimiam a sua admiração por César não tinham o mínimo desejo de ver despontar, sem mais nem menos, um sucessor seu.

Todas essas notícias sobre o que o rapaz andava a fazer tiveram o condão de levar meu amo a agir. Pondo de lado a sua sensual letargia, voltou a ser ele próprio. Pelo menos foi o que ele pretendeu demonstrar. Quanto a mim, continuava a ser ele próprio, mesmo nas horas devotadas ao deboche.

Ele tinha pedido que viessem legiões da Macedônia e apressou-se a dirigir-se para o Sul para se encontrar com elas em Brindes. Mas encontrou-as agitadas, indisciplinadas, à beira do motim, seduzidas pelo que tinham ouvido da propaganda de Octaviano. Meu amo atuou com o poder de decisão que uma crise sempre lhe provoca, crise que infelizmente durara até as últimas semanas: ordenou a execução sumária dos cabecilhas dos boatos. E, em seguida, após ter restaurado a ordem, mostrou-se liberal e lançou o olhar para o Norte.

A notícia das suas movimentações chegou a Roma e espalhou o temor. Os soldados de Octaviano ficaram apreensivos. Muitos dos veteranos de Octaviano tinham servido sob as ordens de meu amo e conheciam as suas qualidades. Uma coisa era ser subornado pelo garoto Octaviano e desempenhar um papel numa charada; outra, mais séria, era enfrentar a fúria de Marco Antônio e ir ao encontro do leão na batalha. E não levou muito tempo para Octaviano aperceber-se de que as suas legiões se enfraqueciam devido à deserção dos mais prudentes. E que enganara a si próprio. Roma era indefensável. E fugiu para o Norte, para a casa de Mecenas, na cidade de Arécio.

O meu senhor mandou reunir o Senado. Tinha em mente acusar Octaviano de traição para que fosse proscrito como inimigo público.

Legalmente, não havia problemas: o rapaz era culpado. Tinha arrastado consigo um exército até Roma. Sem se apoiar em qualquer direito, tinha tentado usurpar os poderes do Estado.

Mas eu nunca perdoarei a mim próprio. Os homens dizem que eu perdera a coragem, mas não tinham coragem de me dizer na cara. Só que eu não podia evitar o que se murmurava à minha volta.

Não era uma questão de coragem. Eu já enfrentei perigos muito maiores.

A verdade é que um tal procedimento se mostrava impossível. Se eu tentasse proscrever Octaviano, culpado como era, qualquer tribuno podia interpor o seu veto; e, ao contrário das grandes cabeças que a si próprias se designavam de grandes aristocratas e se haviam oposto a César no ano do Rubicão, eu não estava preparado para violar a lei e lançar as minhas mãos iradas e sacrílegas ao pescoço de um tribuno. Os meus inimigos tinham-me como aventureiro e tirano, mas eu sempre tive mais respeito pela lei do que eles.

Além disso, havia outras razões...

— Ainda é noite, Crítias?

Ou será que os raios de um sol não desejado estendem sombras pelas areias?

Como eu agora odeio o Egito.

Onde estava eu? Estou a desviar-me do assunto.

— Mais vinho!

O rapaz não era apenas "o rapaz". Ele estava possuído do espírito de César, que lhe guiava os passos. Quando os veteranos olhavam para ele, não viam a sua figura efeminada: viam a sombra de César.

E contra isso eu não tinha poderes.

As suas tropas não se moviam contra mim. Eu é que tremia só de ouvir o nome de César.

E as coisas voltaram-se contra mim. Podia ler os prenúncios. Os meus inimigos se uniram. Dentro em breve deixaria de ser cônsul. E agora é com dificuldade que me lembro dos pormenores desses meses perigosos que vieram a seguir. Eu deixei Roma, rapidamente, é certo, mas não a correr. Tive ainda tempo de assumir o controle da província que ofereci a mim próprio: a Gália Cisalpina, que Rato Bruto se recusava a entregar-me. Pois bem, iria eu expulsá-lo dela.

Os meus homens podem não lutar com o herdeiro de César; mas irão lutar com os seus assassinos.

Pelo menos, era isso o que eu imaginava.

Obrigamos Rato a proteger-se junto de Mutina e investimos contra ele. O terreno estava gelado, a neve cobria as montanhas, a morte acontecia incessantemente nos dois campos de batalha.

Entretanto, em Roma, os novos cônsules, Pansa e Hírcio, que eu julgava meus amigos, pouco faziam em minha defesa. Tão pouco que em breve iriam engrossar as fileiras dos meus inimigos. Cícero, estupidamente inteligente como sempre, conseguiu uma artimanha a favor de Octaviano. Este iria pôr de lado toda e qualquer lei ajudado por Cícero, o grande campeão da legalidade, e iria ser nomeado pró-pretor, desafiando o costume e a razão. O rapaz tinha conseguido a autoridade que legalizava o poder que havia já alcançado.

O nosso dever era procurar a conciliação. Os romanos não deviam lutar entre si. Porque os inimigos de Roma estavam nas fronteiras. Lépido, que sempre fora leal, devia ter pensado que, se eu fosse destruído, eles iriam voltar-se de novo contra ele e introduziu-se no partido de César de forma sinuosa, desejoso de se acomodar, protestando a sua lealdade à República e a sua devoção ao princípio da concórdia. Foi uma boa cartada, a melhor que Lépido alguma vez jogou na sua vida.

Servílio atirou-se a ele no Senado. E Cícero secundou-o. Falou admirativamente de Lépido, de forma melíflua e falsa, como as eternas juras de fidelidade vindas de um amante. E em seguida pôs-se a comentar uma carta que eu tinha escrito a Octaviano e a Hírcio. A carta era uma carta honesta. Nela eu lhes dizia de forma bastante clara que estavam sendo usados pelos inimigos de César para destruírem a mim, seu leal seguidor, e, quando tivessem conseguido alcançar o seu objetivo, iriam ser postos de lado. Mas ninguém acreditava que eu falava a verdade.

Então Cícero escreveu a Lépido. Lembro-me perfeitamente das suas palavras: "Na minha opinião, seria mais avisado não te intrometeres em propostas de paz com Marco Antônio, que não serão aprovadas nem pelo Senado, nem pelo povo, nem por qualquer verdadeiro patriota...

Lépido podia orgulhar-se de pertencer a uma antiga descendência de cônsules que remontava aos primórdios da República; não precisava de receber lições de patriotismo de um recém-chegado ao mundo da política, como era o caso de Cícero, um jurista que surgira de repente, vindo de um município insignificante.

Essa carta iria custar caro a Cícero. Iria custar-lhe a vida.

Em termos estratégicos, o perigo era enorme. O meu exército cercou Rato Bruto em Mutina, mal ele investiu. Octaviano marchou, vindo da Bonônia (Bolonha), para se juntar a Hírcio. Eles podiam muito bem atacar, mas decidiram esperar por Pansa, que trazia consigo quatro legiões. A minha única esperança era evitar que eles se reunissem num só exército. Simulando um ataque contra Octaviano, que, caindo no engano, prontamente se retirou, eu confrontei-me em seguida com Pansa no Fórum da Gália, que ficava a umas sete milhas de Mutina.

A batalha era igual a muitas outras. Não havia tempo nem espaço para grandes manobras. Foi uma luta dura, cerrada, corpo a corpo, muda, gelada. Era assim que os romanos lutavam entre si, silenciosamente, sem gritos de guerra bárbaros, com o território ganho palmo a palmo.

Quando meu amo fala de guerra, a sua voz desce de tom e o seu rosto fica sombrio. Põe-se a passear pela sala e as palavras vêm-lhe em *staccato.* Acho que nunca matei um homem; mas ele matou muitos e é responsável pela morte de milhares.

É no campo de batalha que perdemos a nossa virgindade. Octaviano nunca se apercebeu disso. Dirige o seu exército sem uma espada na mão. Ao anoitecer, as legiões de Pansa começaram a ceder. E eu caí sobre elas, encurralando-as de forma brutal. Elas estavam prestes a capitular. Em todas as batalhas chega sempre um momento em que temos a noção do que vai se passar.

Foi então que um grito se ergueu, vindo da nossa esquerda. Enviei um estafeta para saber do que se tratava, mas, antes que ele regressasse, correu entre as nossas tropas que legiões folgadas tinham surgido desse flanco. Um oficial da nossa cavalaria auxiliar, com uma ferida no sobrolho a sangrar, galopou para junto de nós para nos informar que um novo exército se abatia sobre o nosso flanco.

Nessa altura, as legiões de Pansa começaram a se afastar. Eu gritei para que se parasse o avanço dos nossos, que começavam a infiltrar-se nas fileiras desbaratadas de Pansa. Com essa disciplina de que só os veteranos são capazes, a minha ordem foi obedecida. Mas não houve tempo para reformular o confronto, frente a frente, com esse novo inimigo. E, em vez disso, ordenei que se analisasse a retirada, enquanto a nossa ala esquerda se reorganizava de forma a lutar em posição segura.

Só as tropas formadas por veteranos seriam suficientemente hábeis para se retirarem para as montanhas. A noite caiu e nós nos agachamos em volta das panelas de comida e tratamos dos feridos.

Uma batalha não é senão um acidente, algo que os soldados amadores não compreendem. Pode-se perder batalha após batalha sem que isso nos leve a perder a esperança. O que interessa é a campanha no seu todo. (Portanto, nem tudo está perdido, nem mesmo agora.)

Mas nós fomos pressionados, obrigados a voltar a combater sete dias mais tarde, para lá de Mutina. Fomos obrigados a recuar em número excessivo. Do lado do inimigo houve Hírcio, que soçobrou, isso como paga da traição que me fizera. Mas a traição é moeda corrente numa guerra civil. Sabia disso muito bem e não podia acusar ninguém por isso.

Dirigimo-nos para noroeste, subindo para Via Emília, a caminho da Gália Narbonense, onde Lépido e Planco esperavam, atentos. Eu não podia conhecer o seu estado de espírito. A derrota tem um custo maior que a simples vida; os amigos estão divididos, confundidos, ocultos.

Lépido estava num dilema. Por mais amigo que fosse de mim, o certo é que tinha mais amor à própria pele. Além disso, havia velhos inimigos no seu estado maior, republicanos severos e autoconvencidos e antigos apoiantes de Pompeu. Eu sabia que o próprio Lépido tinha escrito ao Senado a propor-se como mediador entre as partes em luta. Aparentemente, tinha desempenhado esse papel; mas só aparentemente.

Acampamos junto a um rio que separava os meus homens dos seus. Enviei uma mensagem a Lépido para solicitar-lhe que permanecesse fiel à causa a que durante tanto tempo estivéramos associados. E, enquanto esperava resposta, chegaram notícias de que eu havia sido declarado inimigo público. Cícero alardeava que a causa de César estava condenada. As legiões que o haviam seguido com ardor não iriam lutar pelo degenerado Marco Antônio. Cícero devia ter visto os homens que morreram por mim em Mutina, onde linhas e linhas de recrutas ficavam com as tripas de fora quando se lhe deparava o silencioso e severo trabalho das armas dos meus veteranos. Mas Cícero sempre preferiu as palavras à realidade.

E, enquanto esperava pela resposta de Lépido, escrevi uma carta ao juvenil Octaviano:

Confesso que me surpreendeste. Nunca te julguei capaz de tanto. Conseguiste provar-me o teu ponto de vista, rapaz. Tens direito a que te trate de igual para igual.

Mas isto, certamente, não te interessa agora.

Mas lembra-te do que te disse há semanas.

Deixa-me dizer-te com todo o rigor o que vai acontecer.

Irás ser ovacionado (embora alguns velhos conservadores do Senado votem contra ti e isso venha a reverter em teu proveito). Mas o triunfo, o supremo comando da direção da guerra e das legiões que eram comandadas pelos lamentáveis Pansa e Hírcio, dois cônsules para sempre unidos como um duo de comediantes, estará garantido a um dos autoproclamados libertadores Rato Bruto, penso eu.

A verdade, garoto, é que eles, agora, julgando que eu estou derrotado — o que não é precisamente verdade —, não encontram em ti utilidade e vão te dispensar. E, sendo assim, tudo reverterá a favor da antiga corrupção, que é regra no Senado.

E, se não acreditas em mim, dá-te ao trabalho de olhar à tua volta.

Entretanto aceita este conselho: a guerra é só o começo, e eu penso que é tempo de estarmos do mesmo lado. Marquemos um encontro.

Lépido continuava hesitante. Vendo bem as coisas, eu não podia censurá-lo; e foi o que eu fiz, tentando prudentemente calar a minha irritação. A prudência não é uma virtude que os meus detratores alguma vez tenham descoberto em mim, mas nessa altura eu era um homem prudente.

— Não te rias, Crítias.

(Curioso: julguei que ele se havia perdido num delírio de palavras, esquecido da minha presença!)

Não posso agora censurar Lépido porque, mesmo faltando-lhe perspectiva, ele só podia ver as coisas à sua maneira. E, nesse sentido, o seu estado não podia ser pior. O Senado, atuando com uma precipitação que, posso jurar, lamentaria mais tarde, havia entregado todas as legiões e províncias no Oriente a Marco Bruto e a Cássio. Eles tinham até recebido calorosamente a oferta de ajuda de Sexto Pompeu, sem darem muita importância ao fato de terem descido tão baixo na sua qualidade de verdadeiro nobre romano.

Mas eu tinha uma certeza: a de que podia sempre impor-me a Lépido. E, assim, sem avisar, atravessei o rio e entrei no seu acampamento. Quando se espalhou que eu tinha chegado, os soldados vieram correndo para me saudar. Homens da Décima Legião que se lembravam das glórias que haviam ganhado durante o meu comando. E gritavam à minha volta e tentavam tocar-me. E em seguida ergueram-me sobre os seus escudos e me transportaram, em triunfo, até o quartel-general de Lépido. E este deve ter pensado que as suas próprias legiões se haviam rendido a mim.

Como, de fato, tinham.

Uma veia engrossava no seu rosto. Lépido não sabia o que lhe podia acontecer.

Eu ordenei aos soldados que me pusessem no chão. Em seguida, olhando-o de frente, avancei para Lépido, coloquei as mãos nos seus ombros e senti que ele se contraía. Abracei-o e o seu cheiro de suor veio-me às narinas.

— Meu velho camarada de armas — disse eu —, já é tempo de termos uma conversa.

— **E SABES, CRÍTIAS, A MINHA CHEGADA FOI PARA ELE UM ALÍVIO.** Libertava-o da responsabilidade de tomar uma decisão.

POR MINHA SUGESTÃO, LÉPIDO COMEÇOU A ESBOÇAR UMA CARTA PARA enviar ao Senado. Deixei-o escolher os termos em que era redigida. Lépido era um estilista com algum renome, de tal modo eu estava em sintonia com ele. Nela ele explicava que os seus soldados pareciam relutantes em tirar a vida dos seus concidadãos. Divertia-me o fato de ser ele a dizer isso, pois sabia quão breve eles seriam requisitados para fazerem precisamente isso e com a maior determinação.

Lépido estendeu-se na almofada depois do jantar e disse:

— Sabes, meu caro? Continuo a recear o jovem Octaviano.

— Octaviano — disse eu — não tem outra hipótese que não seja aliar-se finalmente a nós. Se não o fizer, acabará esmagado entre duas forças, sem ter tempo sequer de se aperceber disso. Ele julga que ainda pode confiar em Cícero, não fazendo ideia de até que ponto vai o caráter maligno do velho.

Permanecia em aberto a questão de Planco, governador da Gália Comata e velho companheiro, que tinha, no entanto, assegurado a Cícero que não eram considerações que tinham a ver com diferenças pessoais que iriam impedi-lo de se aliar, nem que fosse ao seu pior inimigo, quando estava em causa a salvação da República.

Lépido recordou-me dessas palavras. Receava que Planco se fosse juntar a Rato Bruto, que continuava a ser o general em que o Senado mais confiava.

Eu ri-me:

— Planco é um político e age consoante sopram os ventos, e agora, que conseguimos superar as nossas diferenças, os ventos favorecem a nossa causa.

— Espero bem que isso aconteça, meu caro — disse ele.

— Confia em mim.

E Lépido, cuja superficialidade jamais lhe permitia estar suficientemente certo de poder confiar nos seus próprios juízos, como viu ele a coisa? Com prazer? Com alívio? A segurança que eu lhe transmitia não a conseguia ele encontrar pelos seus próprios meios. Pobre Lépido.

— E que fazemos agora? — perguntou.

— Vamos esperar. Os nossos aliados são a paciência e o tempo.

Mas, apesar disso, e sem o conhecimento de Lépido, enviei um emissário a Planco com uma carta minha.

Planco, meu velho camarada de armas:

Acredita que entendo a tua situação.

És cônsul designado para o próximo ano, uma honra que todos os nobres romanos desejam alcançar e tu tencionas não fazer nada que te impeça de sê-lo.

É uma posição respeitável.

Mas tem em conta o seguinte:

Depois das batalhas em Mutina existem, segundo os meus cálculos, umas quarenta e cinco legiões no Ocidente.

Octaviano possui onze; Rato Bruto, dez (mas, infelizmente, mal preparadas), Lépido, sete; Pólio, na Espanha, duas; tu tens (julgo eu) quatro, existem umas quatro ou cinco na Gália e na Espanha, e eu tenho apenas quatro.

Podes dizer que eu estou em desvantagem. Mas agora aliei-me a Lépido. E as legiões que nós comandamos são formadas por veteranos. Eles me conhecem e conhecem o que eu fiz. Além disso, Pólio é um velho amigo. O que soma treze legiões. Se te juntares a nós, ficamos em posição de superioridade.

Quanto à força de Octaviano, ela é mais aparente que real. Acredita-me, sei o que digo. Poucos dos seus homens irão aceitar combater contra mim, ou contra os seus velhos camaradas que constituem as minhas legiões.

O juvenil Octaviano deve tudo o que tem ao seu nome, mas os veteranos sabem que os nomes não ganham batalhas.

Junta-te a mim e ficaremos apenas sem Rato Bruto.

Se não o fizeres, com quem é que contas?

Com Cícero e o Senado?

Ou tu julgas que os homens que assassinaram César irão confiar em ti, um homem que o serviu lealmente?

Planco estava confiante, como eu podia imaginar. Rato Bruto tentou negociar com ele. Planco enganou-o, subornou-lhe os soldados, mas depois, ao dar-se conta das forças que tinha contra si, perdeu a coragem. E fugiu para o Norte, para a Gália montanhosa, onde foi capturado por um chefe nativo. Esse homem, que me conhecia do tempo das Guerras da Gália de César, quis saber o que eu queria que ele fizesse ao capturado. E eu respondi que gostaria de nunca mais ouvir falar dele.

Só faltava Octaviano, que finalmente se apercebeu da deslealdade do Senado. Pediu que lhe dessem um consulado, mas foi-lhe recusado. Persuadido pelas minhas missivas, Octaviano marchou de novo para Roma; era necessário que o fizesse. Só isso me podia dar a certeza de que ele decidira finalmente combater os meus inimigos. Fez-se ele próprio cônsul embora não tivesse ainda vinte anos. Conseguiu ratificar retrospectivamente a sua adoção por parte de César e criou uma lei que condenava à morte os libertadores, com quem, seguindo os conselhos de Cícero, tinha tido relações pretensamente amigáveis durante meses.

Tinha chegado a hora de atuarmos juntos.

O MEU AMO NUNCA TEVE VONTADE DE DAR A SUA VERSÃO DESSE ENCONtro nessa ilha do rio que descia de Bonônia. Lépido, que era um falastrão hipócrita, depressa o fez e mais que qualquer outro. Fúlvia fê-lo também mais tarde, mas, como não esteve presente, as suas palavras não merecem confiança. Tal como meu amo, Octaviano guardou silêncio. O que não admira; tinha mais razões para ficar calado de vergonha. O que eu agora escrevo é autêntico. Eu estava lá na minha qualidade de secretário de meu amo. (Eu ainda tentei que fosse ele a dizer o que aconteceu com palavras suas, mas ele escusou-se a fazê-lo.)

Houve certa apreensão quando nos metemos no barco que nos levaria à ilha. Os soldados sabiam que, se os generais não chegassem a um acordo, entrariam em luta no dia seguinte. O meu amo sentou-se na proa do barco embrulhado numa manta, suportando a neblina fria da madrugada.

Lépido e Octaviano encontravam-se já na tenda quando chegamos e Lépido não disfarçava o nervosismo. Era a primeira vez que eu via Octaviano e não me custa confessar que estava ansioso por conhecê-lo. Meu amo tinha falado tanto dele, do seu caráter misterioso e dos seus atrativos físicos. Chegara a dizer por diversas vezes que Octaviano tinha sido amante de César e de Décimo Bruto e eu sabia que o seu maior amigo era Mecenas, que, por sua vez, era amigo especial de um bailarino chamado Cleão, por quem, devo admitir, eu próprio me apaixonei, infelizmente sem ser retribuído. Estava portanto excitado por ver esse rapaz que parecia combinar uma feminilidade deliciosa com uma habilidade que o levava a conseguir a lealdade dos soldados. Mas não podia dar razão a meu amo quando dizia que isso se devia apenas ao nome que ele exibia.

Confesso que fiquei desapontado. Ele aparentava um ar enfermiço. Era magro de cara e tinha um tom de pele amarelento. E parecia-me agitado, mas isso talvez se devesse a uma ponta de febre ou aos nervos, não sei dizer. Quando falava, a sua voz era áspera, como se ele próprio não acreditasse no que estava a dizer.

Meu amo entrou imediatamente no assunto. Octaviano insistiu que deviam discutir os assuntos primeiro a sós, mas meu amo fez questão em que eu devia estar presente como seu secretário.

— Se não tivermos um registro de tudo o que foi dito e acordado, este encontro não tem razão de ser. — E acabou por obter o consentimento de Octaviano. — Fizeste algumas coisas que não me agradaram, meu rapaz — disse ele. — E o teu comportamento dúbio teve os seus momentos perigosos. Gostei da maneira como conseguiste desenvencilhar-te. E agora quem está aqui à minha frente já não é um rapazinho, é César.

Ele abraçou o jovem e julguei até que ia beijá-lo.

— Mas isso não interessa. Para mim, serás sempre um rapazinho, apesar de seres César. Não sei se te lembras, claro que não te lembras, tu não estavas lá, mas deves ter ouvido falar, quando a multidão vociferou contra ele, de que ele estava se preparando para fazer a si próprio rei e ele disse, trocista: "O meu nome não é rei, é César...". — E em seguida voltou a instalar-se. — Portanto, enquanto nos apoiarmos um no outro, o Ocidente é teu. Não quero dizer com isso que não se mantenham alguns aspectos pouco claros na Itália; mas em breve iremos esclarecê-los. As luminárias bem pensantes e os senhores da oratória andam numa corrida...

— E Sexto Pompeu? — perguntou Octaviano. — Ele representa uma força que temos de levar em conta.

O meu amo deu uma gargalhada.

— Pompeu pode esperar. O pai dele sempre foi bom nesse aspecto. Nos seus últimos anos, aliás, era a única coisa que podia fazer. Pompeu tem o seu peso e a sua importância, mas não vamos recear que ele nos ataque.

Lépido tossiu. Era um hábito a que ele recorria quando não tinha nada para *dizer*, como se ninguém fosse dar importância ao seu discurso se ele não recorresse a este gesto preliminar.

— Tenho informações de que Marco Bruto e Caio Cássio reuniram quarenta legiões e planeiam acampar em Brindes na primavera — disse ele.

— Não farão tal coisa — disse meu amo.

— Aliados a Pompeu vão conseguir reunir uma frota.

— Pompeu não confia neles. De qualquer modo, não serão capazes de se movimentar assim tão depressa. Cássio sim, que tem coragem. Mas eles são um comitê. Ao passo que Marquinhos Bruto é um comitê formado por uma única pessoa.

— Mas souberam movimentar-se com bastante rapidez quando foram os Idos de Março — disse Octaviano, como se sentisse necessidade de contradizer meu amo.

— Um assassínio é fácil de cometer, a coisa é sempre rápida, não é como uma guerra. — E meu amo fez uma pausa. — A guerra arrasta-se por muito tempo. Precisamos ter poder para conseguir sustentar uma guerra. Já alguma vez experimentaste tal coisa, meu rapaz?

Octaviano disse:

— Não procures irritar-me. Pelo menos agora.

O meu amo sorriu para ele:

— Tu és o meu garoto.

Acho que Octaviano corou. E depois sacudiu os ombros, fazendo deslizar as mãos pelas coxas, que não tinham pelos. Eu ouvira dizer que ele as depilava com cascas de nozes aquecidas ao rubro.

— És um espertalhão — disse meu amo, continuando a sorrir. — Diz-me, meu menino, vieste agora de Roma, diz-me, em que estado se encontra o Tesouro?

— Paguei as minhas tropas com ele — disse Octaviano. — Como cônsul, evidentemente.

— Pois claro, como cônsul.

— Perfeitamente correto — disse Lépido —, perfeitamente correto, embora esse consulado… Mas não vamos falar nisso agora. Agora não. Já estou a ver-te a desencadear sanções para obrigar o pagamento de contas e contas atrasadas…

— Eu faria o mesmo, rapaz. Aliás ninguém está aqui para te exigir explicações sobre o que fizeste. Portanto, o Tesouro abriu-se para ti. E tu ficaste com o dinheiro. Estou com sede, Crítias, vai dizer a um rapaz que traga vinho. Um jarro de vinho branco para os generais.

Fez-se silêncio enquanto eles esperavam. Lépido contraiu-se e os seus dedos produziram um pequeno ruído em cima da mesa. Antônio mandou embora o rapaz e piscou-me o olho.

— Muito bem — disse ele. — Segundo os meus cálculos, conseguimos reunir quarenta e duas ou quarenta e três legiões. As vossas estão um pouco extenuadas, como estão as minhas. Mas podemos dizer que dispomos de um exército de duzentos mil homens. É certo que os rapazes gostam de nós, mas o seu amor murchará depressa se não for alimentado com dinheiro. Portanto, meu rapaz, diz-me: como está o Tesouro? Deixaste-o vazio?

Julguei que ele não ia responder. Mantinha o olhar fixo na mesa. E acho que estava arrependido de ter dito o que disse. Mas agora já não podia recuar, a reunião tinha de prosseguir. E, quando abriu a boca para falar, parecia que as palavras se lhe enrolavam na língua.

— Não sei exatamente como está o Tesouro. Só sei que o dinheiro que existe nele não vai conseguir suportar por muito tempo as despesas a que sou obrigado. Além disso, como tu já deves saber, não vamos conseguir auferir os impostos que nos vêm da Ásia enquanto os nossos inimigos dominarem a Grécia e tiverem o comando dos mares.

— Isso é verdade. E a cabra dessa egípcia não vai largar um tostão. Tenho em meu poder uma mensagem sua em que afirma que está evidentemente disposta a colaborar na vingança dos assassinos de César. Mas que não se vai aventurar a enviar por mar as somas em dinheiro dos seus impostos a Roma, porque a armada de Pompeu pode deitar-lhes a mão. Assim mesmo. O que não deixa de ser uma boa desculpa, apesar de bastante cínica. Tu a conheces, garoto?

Octaviano balançou a cabeça, parecendo ofendido só pelo fato de o obrigarem a pensar em Cleópatra.

És um valentíssimo sacana, pensei para mim próprio.

— O velho estava louco por ela. Completamente louco. Normalmente não se comportava assim. Para ele, as mulheres eram para usar e jogar fora. Mas talvez tenha tido a premonição de que ela era a sua última na cama. A rapaziada pensa que ela o enfeitiçou, não é verdade, Lépido?

— A verdade é que lhe causou uma profunda impressão.

— Pois é. E pouco faltou para ele nos mandar cortar a cabeça em Alexandria, enquanto ela lhe fazia festas no pirilau.

Não sei se meu amo faz alguma ideia das expressões que usou na época. Ainda bem que ele não vai ler o que eu escrevi. E, ainda por cima, podia não estar de acordo comigo. Ou com ele próprio. Mas isso não interessa. Ele não tem a capacidade de concentração necessária para ler a minha versão dos fatos. Está dormindo agora. Com a boca aberta. E ressona.

— Portanto, o problema principal é o dinheiro — disse meu amo. — Como eu costumo dizer, os meus rapazes adoram-me, mas não é pelos meus lindos olhos que eles combatem. E ninguém os pode criticar por isso.

Voltou a fazer uma pausa. Sabia bem qual iria ser a resposta, mas esperava que fosse Octaviano a dá-la.

O jovem hesitou e depois sorriu. E, quando o fez, reparei no seu fascínio. A sua beleza, de que eu tanto duvidara, veio à tona. Octaviano sorriu como se soubesse que aquilo que iria dizer era algo venenoso. E deu-lhe prazer um tal pensamento. E, como um gato, reclinou-se em frente do fogo, encolhendo as unhas.

— Mas há um precedente — disse ele. Já houve outros que estiveram na nossa situação. Sula, por exemplo.

Bebeu o vinho em pequenos goles e olhou para meu amo por cima da taça.

— Sula? — disse Lépido. — Não me parece que seja um precedente muito feliz...

A lembrança de Sula punha nervosos os romanos da geração do meu amo. L. Cornélio Sula não foi apenas o primeiro general romano a tomar a cidade pela força das armas. Ele foi também o homem que, apesar de ter enriquecido em consequência das suas vitórias nas guerras, mandou publicar a lista dos seus inimigos cujas propriedades foram confiscadas e cujas vidas foram liquidadas. Diz-se que o próprio Júlio César foi um dos proscritos e que se salvou devido à intervenção de um familiar que tinha caído nas boas graças de Sula.

— Sula? — disse também meu amo, como se esse nome o deixasse surpreendido, embora eu soubesse que isso não era verdade. — Sula? O teu pai — e, ao pronunciar esta palavra, fê-lo de forma um pouco desdenhosa —, na noite que precedeu a nossa travessia do Rubicão, disse-me que jamais imitaria Sula. A conduta de Sula foi odiada e deplorada por todos os homens bons. "Numa guerra civil", disse César, "a clemência para com os vencidos é algo de imperioso."

— Um sentimento nobre — disse Lépido. — Todos somos romanos de boa estirpe. Não podemos esquecê-lo.

— Os teus antepassados, sim, Lépido — disse o meu amo. — Mas a minha origem, embora distinta, é plebeia, e aqui este nosso jovem amigo... bem, meu rapazinho, o que é que tu sugeres?

— Sula morreu na cama. E foste tu mesmo, Marco Antônio, quem pegou na toga ensanguentada de César.

— E tens toda a razão. Aliás tenho comigo uma lista, dá-me, Crítias; uma lista dos trinta senadores mais ricos e o nome dos cento e cinquenta cavaleiros mais endinheirados que tiveram coragem o bastante para se declararem favoráveis aos autoproclamados libertadores.

E Octaviano acabou por dizer:

— Seria uma perfeita loucura embarcarmos para a Grécia, deixando os nossos amigos à solta na Itália.

E foi só no dia seguinte que eles começaram a citar nomes.

Em primeiro lugar, porque Lépido os levou a adiar. Lépido queria pisar em terreno seguro. Para ele as coisas deviam estar completamente em ordem antes de se aventurar a dar o seu consentimento àquilo que meu amo e Octaviano achavam por bem fazer. E com que autoridade, acabou ele por dizer, se propunham eles atuar? É verdade que Octaviano entretanto se tinha tornado cônsul, mas esse posto tinha sido proposto só para o final do ano. Ele e Marco Antônio, disse Lépido, tinham poderes proconsulares, mas isso não lhes conferia qualquer autoridade fora das respectivas províncias.

— Temos mais de quarenta legiões — disse o meu amo. — Não achas que isso é autoridade suficiente?

Octaviano disse:

— Lépido acha que não.

Teria ele já na cabeça a ideia de afastar Lépido do meu senhor? Penso que sim. Ele achava que, num grupo de três, um dos elementos, mais cedo ou mais tarde, acabaria por ficar isolado.

— É verdade — disse ele. — Há uma diferença, e nisso eu penso que vocês também estão de acordo, entre poder e autoridade. As nossas legiões nos dão poder, mas nós devemos não só ser respeitados pelo medo, mas também encontrar autoridade legal para as nossas ações. Foi pena que tu tivesses abolido o lugar de ditador, Marco Antônio. Se não o tivesses feito, eu sugeriria que fosses tu a assumi-lo.

— Tens razão — disse meu amo. — Mas deves saber que tenho pouco tempo para pensar em formalidades legais. Tenho idade bastante para me lembrar do modo como o nosso velho chefe Pompeu e esse gordo avarento do Marco Crasso tiveram em consideração o estado em Luca. Para mim basta-me esse precedente.

— Mas essa atitude foi condenada por todos os homens bons, que a consideraram como uma pura ação de rapina — disse Lépido. — E depois?

Octaviano disse:

— Eu sou demasiado novo para me lembrar disso, embora tenha lido algo sobre o assunto. Mas acho que encontrei uma solução. Tal como eles fizeram, também nós podemos criar um triunvirato. Só que vamos fazê-lo através dos processos legais. Vamos nos dirigir a um tribuno, e eu conheço o homem certo, para que imponha na Assembleia uma lei de emergência que nos dê poder por um determinado período, digamos cinco anos, para governar a República. O homem pode sempre encontrar uma forma de justificação bem engendrada e de tal modo bem pensada que permita que o povo julgue votar em plena consciência. Essa lei vai nos garantir um poder total, o que significa que, se qualquer um de nós decidir retirar-se para a vida privada, coisa que, mais cedo ou mais tarde, todos nós iremos desejar, isso não vai alterar em nada a legalidade dos nossos atos. Estaremos sempre em condições de controlar todas as eleições para os lugares oficiais, nomeando candidatos únicos, mesmo com anos de antecedência.

Meu amo disse:

— Estou de acordo com isso. Mas há uma coisa. Se vamos iniciar o nosso triunvirato em termos de igualdade e assim iremos continuar, então tu, meu menino, terás de renunciar ao teu consulado.

Essas palavras chocaram o nosso jovem (como o meu amo fez notar mais tarde).

— Evidentemente — disse ele. — Era o que eu ia precisamente propor. Mas tu te antecipaste e me tiraste as palavras da boca.

Foi nessa altura que eu comecei a respeitá-lo. Houve da minha parte uma imediata e agradável mudança de atitude em relação a ele.

E, em seguida, lançaram-se ao trabalho. Além da lista do meu amo, Octaviano e Lépido tinham eles próprios, ou através do respectivo pessoal, providenciado quanto aos nomes de senadores e cavaleiros que deviam ser, como Octaviano de forma enfática dizia, "desafetados". Havia um grande número de nomes que eram comuns nas três listas, e muitos deles tinham já saído da Itália e encontravam-se nos acampamentos dos libertadores ou muito perto deles. E, como a fortuna desses homens já havia sido estimada, Lépido pareceu tomar mais empenho na tarefa e as suas apreensões iniciais tinham desaparecido. Octaviano não demonstrava qualquer emoção. Se acaso sentia algum escrúpulo quanto à natureza do trabalho em que os três se empenhavam, não sei. Ele não deixava transparecer nem entusiasmo nem repugnância.

À medida que a discussão prosseguia, era inevitável que as querelas começassem a surgir. Mas os três tinham consciência de que estavam empenhados em fazer algo que devia inspirar ódio da parte dos homens bons. Havia qualquer coisa de terrível nessa decisão. Alguns dos nomes propostos para serem proscritos eram amigos ou familiares de um ou de outro daqueles três que tinham designado a si próprios julgadores. E eu reparei que, à medida que os argumentos se esgotavam, meu amo ia bebendo cada vez mais. Octaviano limitava-se a levar à boca alguns goles de vinho enfraquecido com água.

Lépido disse:

— Rapaz, tens de sacrificar o teu irmão Paulo.

— O meu irmão?

— Pensa no seu currículo, pensa na sua fortuna. Podes confiar nele? Um homem que traiu o meu pai, que o respeitava. Marco Antônio, que dizes?

Mas meu amo não lhe respondeu. Limitou-se a servir mais vinho para si e a olhar.

— Não é amigo meu — acabou por dizer.

— Então põe-no na lista — disse Octaviano.

— Está bem — disse Lépido.

— Consinto, mas com lágrimas nos olhos e em nome da República. Mas que haja o mesmo tratamento em relação a vocês dois. Uma vez eu, outra vez tu, como se costuma dizer. E, em troca, Marco Antônio deve concordar em entregar o irmão de sua mãe, L. Júlio César, um reconhecido adepto de Pompeu. Faço questão. Ele está ligado a vocês dois. Faço questão de que vocês estejam em igualdade comigo nestes casos de homicídio.

O meu amo bebeu mais um copo. Os seus olhos não queriam cruzar-se com os olhos de Octaviano. Teria eu sentido uma premonição? Teria havido dentro de mim um tremor de alerta em relação à energia do *rapaz*, essa extremada força de vontade que com o tempo iria abater-se sobre o meu senhor? Acho que não. Só em retrospectiva nós imaginamos tais coisas.

— Por que não? — disse Octaviano, que sorriu silenciosamente. — De qualquer maneira, ele já não pode viver muito tempo. Está cansado de viver neste mundo. O melhor é despachá-lo para o outro. Sacrificar tal homem, um Juliano e um César, é convencer os que duvidam de que as nossas vontades são tão resistentes como o mármore etrusco. E essas proscrições serão irreversíveis.

— Temos ainda Ático — disse Lépido. — Não há ninguém que possa vomitar tanto ouro como esse gordo banqueiro.

— Ático, não — murmurou meu amo.

— Mas eu insisto em Ático — disse Lépido.

E eu pensei que provavelmente era a primeira vez na sua vida que ele sentia na boca o sabor do poder absoluto, e isso punha-o fora de si.

— Existem boas razões para proscrevermos Ático — disse Octaviano. — Para começar, a sua riqueza. Depois, a sua amizade com Marco Bruto. E também o efeito que a sua morte vai provocar nos outros. Mas eu percebo-te perfeitamente, meu caro colega. Talvez seja melhor fazermos uma pausa. A guerra vai ser longa. Quando tivermos acabado com Bruto e com Cássio, teremos ainda que enfrentar Sexto Pompeu. É preciso tempo e dinheiro, muito dinheiro. E as proscrições deste calibre não podem ser repetidas. São uma espécie de coleta fundamental. Mas a seguir iremos precisar de mais dinheiro e não há ninguém tão bom para conseguir fundos como Ático e Balbo, o seu amigo banqueiro. Não será mais aconselhável, por razões mais que evidentes, ficarmos com eles? De qualquer forma, é bom que eles sintam que estiveram próximo da morte. Sentir-se-ão muito felizes por estarem vivos. Será pois mais razoável, a longo prazo, mantê-los fora da nossa lista.

— Ático viverá e Balbo também. Está fora de questão — disse meu amo. — Mas Cícero deve morrer.

Quando o meu amo pronunciou este nome, foi como se uma corrente de ar frio tivesse atravessado o ambiente. Cícero era, acima de tudo, e apesar das suas falhas de caráter e de falsos raciocínios, o mais ilustre romano vivo. É certo que ele tinha insultado o meu amo. Mas o próprio César tinha-o considerado "um ornamento da cultura romana" e havia-o protegido. "Para causar mais prejuízos", como gostava de dizer o meu amo. Além do mais, o fato de Octaviano estar agora em situação de poder avaliar a vida de Cícero só tinha sido possível, indubitavelmente, porque o velho tomara o seu partido nas semanas que se seguiram aos Idos de Março. E, se houvesse alguma delicadeza, se houvesse alguma gratidão a pairar no ar dessa tenda fria na ilha fluvial, Octaviano deveria ter pronunciado alguma coisa em defesa de Cícero.

— Como tu quiseres, Marco Antônio — foram as suas palavras.

Eu ouvi Lépido suster a respiração. Meu amo olhou para Octaviano e eu não consegui ler nada no seu rosto.

— "O rapaz deve ser adulado, enfeitado e depois atirado fora" — disse Octaviano. — Deves estar lembrado das suas palavras. Foste tu mesmo que me disseste, Marco Antônio. Cícero foi bastante adulado durante toda a sua vida; será honrado pelas gerações seguintes, gerações essas que talvez se esqueçam de nós. Que mais pode ele desejar? Deixemos que o velho morra.

Nessa noite meu amo estava com uma bebedeira sentimental. Ajudei-o a ir para a cama e ele se agarrou a mim a soluçar. O seu bafo cheirava fortemente a vinho e as suas unhas se cravaram nos meus ombros.

— Crítias — resmungou ele. — Que raio de rapaz é este Octaviano?

A TRAIÇÃO DO SENADO E AS TENTATIVAS DE CÍCERO DE VIRAR Octaviano contra mim não tinham evitado a conjugação das forças fiéis à memória de César. Mas as suas maquinações tinham dado tempo a Bruto e a Cássio para se reorganizarem.

Bruto tinha sido recebido como um herói na Grécia. Chegaram a erguer estátuas ao assassino de César. O meu irmão Gaio foi incapaz de enfrentá-lo. Preso, foi condenado à morte, como traidor. Bruto cunhara moeda com o punhal dos libertadores e, no verso, a sua própria imagem, o que demonstrava de forma modelar as virtudes republicanas.

Cássio derrotou o meu antigo colega Dolabella na Síria. O Oriente, à exceção do Egito, estava nas suas mãos. Cleópatra escreveu-me a protestar que tinha enviado tropas para ajudar Dolabella, mas que a sua armada havia sido apanhada de surpresa por uma tempestade. Talvez fosse verdade, embora eu nunca me convencesse disso. Agora pedia que o seu filho, a quem ela pôs o nome de Cesarião, fosse reconhecido como filho de César. Octaviano estava indignado. E insistia em que só ele podia se gabar desse título. Mas eu o persuadi de que o risco de Cleópatra oferecer aos nossos inimigos o apoio logístico e financeiro do Egito era tão grande, que o mais prudente seria não a contrariar.

— E que importância tem isso? — perguntei-lhe eu; e ele não me deu resposta, limitando-se a franzir o sobrolho, contrariado.

Mesmo sem o apoio do Egito, os nossos inimigos tinham ao seu dispor os recursos da Ásia. As províncias do Oriente estavam habituadas a pagar todos os anos pelo menos cinquenta milhões de denários em taxas e tributos.

Mas desde a morte de César que não havia chegado a Roma nem um simples tostão. O dinheiro tinha sido utilizado na criação de um tesouro dos libertadores, que se tornavam cada vez mais exigentes. Havia cidades na Ásia que eram obrigadas a entregar num ano o tributo que normalmente pagavam em dez. E não recebiam nenhuma promessa de remissão para o ano seguinte. Eles acuavam como lobos que se haviam abatido sobre as províncias indefesas que não tinham coragem para resistir.

E os libertadores avançavam nos seus preparativos de expansão, procurando fazer alianças com um desesperado inimigo de Roma, Orodes, imperador da Partia, que havia prometido ajuda em dinheiro e em homens. Para darem cabo de mim, tinham posto em risco a própria República.

Tudo se conjugava para que as coisas fossem decididas pela força das armas. Os exércitos confluíram para Filipos, que ficava a norte do mar Egeu, na Trácia ventosa. Nós tínhamos dificuldade em chegar lá a tempo, porque os nossos inimigos controlavam o mar e Octaviano perdia tempo e recursos numa frágil tentativa de submeter Sexto Pompeu contra a minha opinião. É certo que a armada de Pompeu podia contrariar os nossos esforços, mas eu considerava um erro estratégico perder tempo com isso. Na guerra é sempre de boa norma concentrarmos o máximo das nossas forças para podermos enfrentar o inimigo mais difícil. Mas Octaviano era um novato nas lides bélicas e os seus amigos Agripa e Mecenas não tinham qualquer experiência. Mecenas era temperamentalmente um inapto para a guerra e alimentava as suas fantasias.

Enfraquecido por essa espera, tive dificuldade em abrir caminho em Brindes, cercado pelo almirante de Cássio, Murco. Perdi três legiões nessa operação, e o final da campanha continuou a ser prejudicado pela persistente capacidade de Murco em bloquear o auxílio que me vinha da Itália.

É certo que os reforços eram o meu principal problema para conseguir manter a campanha. O que era natural.

Mas isso significava também a minha obrigação de levar o inimigo a combater. E eu não tinha recursos para manter uma campanha por muito tempo.

Ao contrário, o retardar da ação só vinha favorecer os interesses do inimigo. Segundo vim depois a saber, Cássio era a favor de que se evitasse a luta, para conseguir que eu lhe desse terreno e me movimentasse para alcançar os inóspitos terrenos da Trácia e neles acampar. Mas Bruto não pensava assim. Confiante nas suas virtudes, sobrestimava as suas capacidades.

Além disso, a posição em que eles se encontravam para entrar em luta era bastante forte. Os seus exércitos estendiam-se pelo Caminho Egnaciano e os seus flancos eram protegidos por terra pelas montanhas e por mar pelas zonas pantanosas. As suas linhas de abastecimento estavam concentradas, mas em segurança.

— Estamos mal-afortunados — disse eu. — Não temos hipótese de ladear-lhes os flancos. A batalha vai ser muito difícil para nós.

Octaviano atrasou-se em Dirráquio. E mandou dizer que tinha adoecido. Talvez tivesse. Mas para mim a sua doença eram só nervos. Até então tinha sido bem-sucedido sem precisar se afirmar numa batalha. Mas agora via-se perante a necessidade de fazê-lo, e isso o levava a ficar deitado, tremendo de febre, na sua tenda.

Eu não podia dar-me ao luxo de esperar por ele. Tínhamos já aberto poços, porque não havia água à volta do nosso acampamento. Não havia dia em que não receássemos a perda das nossas linhas de abastecimento.

Cássio encontrava-se no flanco esquerdo, Bruto no direito, protegido pelo alto das montanhas. E eu sorri. Sorri de admiração por Cássio, quando soube que as suas preocupações em relação às fracas capacidades de Bruto eram pelo menos iguais às que eu tinha em relação a Octaviano. Mas finalmente as forças do maldito rapaz movimentaram-se para se posicionarem e ele chegou dois dias mais tarde, com ar de choro. E eu voltei a sorrir: a ambição tinha sido substituída, dominada pelo medo; ele não podia deixar de acreditar em mim para se conseguir a vitória. Se eu fosse vencido, ele estaria perdido.

Fui encontrar-me com ele na sua tenda, sozinho com Agripa. (Mecenas, como era de se prever, tinha preferido ficar longe da batalha para se dedicar à exploração dos banhos e bordéis de Dirráquio, "os que ofereciam rapazes, claro". Foi o que eu pensei.)

— Começamos já a trabalhar e construímos um dique que vai nos permitir caminhar pelos pântanos.

— Nas tuas cartas afirmavas que era necessário um ataque frontal — disse Octaviano.

— É verdade, rapazinho, mas isso é demasiado perigoso.

— Mas cavar um dique através dos pântanos não é igualmente perigoso?

— Seria com outras tropas, mas não com as minhas.

Tanta confiança da minha parte era realmente ousadia. Eu tinha certeza de que até o próprio César teria hesitado em adotar uma estratégia assim tão arrojada. Mas eu estava convencido de que não havia outra escolha mais inteligente; e os meus homens confiaram na minha decisão.

A batalha nos pântanos começou às primeiras horas do dia. Para qualquer general, os primeiros momentos de uma batalha produzem uma excitação que não tem nada que se lhe equipare na vida, nem mesmo os primeiros arroubos de um novo amor. Enquanto via os meus soldados a marchar, em silêncio, como eu havia ordenado, por entre a neblina, e ouvia apenas o chapinhar dos seus pés nas zonas em que a água era mais baixa, levei os dedos frios ao pescoço e pensei subitamente na morte e na desonra. Mas pus essa ideia de lado e dei ordem para avançar.

As colinas que se sobrepunham à zona onde se encontrava Bruto tinham um toque rosa-pálido quando chegou a nós a notícia de que as nossas primeiras tropas tinham alcançado os postos avançados e os haviam dominado. E, logo de seguida, gritos longínquos diziam-me que tinha soado o alarme no campo do inimigo. Então eu avancei por entre os terrenos pantanosos onde ecoavam os gritos das aves aquáticas, espantadas pelo movimento das tropas. Levei pouco tempo para alcançar terra firme. Entre mim e o campo de batalha devia distanciar uma meia milha e apercebi-me de que tínhamos agido com a surpresa que eu desejava e que as nossas legiões seriam capazes de formar em linha, prontas para o ataque. O perigo residia agora em elas se movimentarem demasiado depressa e dei ordens para se manterem paradas no terreno. Muitas vezes, a vantagem obtida pelo ataque de surpresa é perdida porque os comandantes pensam que a vitória já está certa.

O sol brilhava no alto quando tudo se encontrava a postos para o avanço geral. E, para meu alívio, o inimigo estava ainda em fase de distribuição de posições, e nós carregamos e eles foram varridos, ficando nós a dominar a situação. A batalha iria decidir-se em poucos minutos, a vitória parecia desenhar-se a nosso favor, devido à combinação de audácia e cautela que tínhamos posto em prática ao executar o nosso plano. Agora dependia de Octaviano. Se os seus homens conseguissem aguentar o terreno, a campanha chegaria ao fim nesta manhã.

Seguiu-se uma grande confusão, a taça da vitória estava para ser arrebatada dos meus lábios. Eu próprio voltei apressadamente à retaguarda, depois de dar ordens aos meus oficiais superiores para aguentarem o terreno ganho.

Era já noite quando a situação se esclareceu. O exército de Octaviano tinha, evidentemente, debandado. Ele próprio desaparecera; foi encontrado mais tarde, já noite, escondido num refúgio de aves selvagens, a duas milhas das linhas da retaguarda. Mas Bruto, alarmado com as notícias do meu sucesso, ou talvez porque lhe faltasse confiança para dar o seu máximo, tinha desaparecido também no meio da confusão. Houve homens que disseram que nesta primeira batalha em Filipos tinha havido um comandante vitorioso e três vencidos. Essa piada tem a verdade que têm todas as piadas.

Nessa mesma noite convoquei uma reunião, mas primeiro tentei encontrar-me sozinho com Octaviano.

Descobri-o a ser massageado por dois escravos. Estava estendido de barriga para baixo em cima de uma almofada e uma toalha tapava-lhe as nádegas. Pus uma mão no seu ombro; e a sua pele, que estava quente, estremeceu quando a toquei. E ele se sentou. Disse aos criados que me trouxessem vinho e mandou-os embora.

— Não sei o que dizer.

— A coragem não é permanente — respondi-lhe. — Quando tiveres a minha idade, saberás disso.

Eu chegara junto dele furioso. Mas, ao vê-lo assim tão novo, tão infeliz, tão envergonhado, a ternura que senti por ele quando César ainda era vivo voltou a invadir-me. Abracei-o e senti que ele começava a relaxar...

Mas durante a reunião na minha tenda senti-me nervoso, os olhos a pesarem-me de fadiga, e disse:

— Embora não se possa atribuir a culpa a ninguém, a verdade é que estamos pior do que estávamos essa manhã. Pior, porque precisamos da vitória mais que os nossos inimigos. Eles só terão de saber aguentar as suas posições, e quanto mais se arrastar esta campanha, mais vantagens advirão a seu favor.

Não seriam estas as palavras que os meus homens gostariam de ouvir, mas eles deviam encarar a realidade. E, antes que eu tivesse tempo de dizer alguma coisa mais, um jovem oficial, Salvidieno Rufo, um dos mais competentes capitães de Octaviano, abriu caminho entre os guardas e disse alto que tinha notícias importantes...

— Cássio morreu.

Durante alguns segundos ninguém disse nada nem se mexeu. Ficamos todos atordoados com essa reviravolta da fortuna. Mas todos os presentes se ergueram em seguida e, de pé, gritavam em volta do jovem oficial, pedindo mais pormenores. Levou certo tempo até que fosse restaurada a ordem e ele conseguisse falar. Eu senti uma onda de alívio. Mal podia imaginar as negras perspectivas que se nos apresentavam antes de chegarem àquelas palavras que desanuviaram o ambiente.

— Um prisioneiro que capturamos assegurou-me, ao ser interrogado, que ele se matara com a própria espada — disse o jovem oficial. — E estou convencido de que ele falava verdade. Ao que parece, Cássio julgou que Bruto tinha sido derrotado e que a causa de ambos estava perdida.

Não quis saber a razão por que um homem de Octaviano tinha interrogado um dos meus prisioneiros e limitei-me a dizer:

— Enganei-me, meus senhores. Afinal estamos em melhor situação do que estávamos essa manhã.

E pedi que trouxessem vinho.

Mas a nossa situação ainda era perigosa. Os nossos abastecimentos levavam tempo para chegar. A Bruto bastava-lhe esperar, aguentar-se nas suas posições, porque nós seríamos obrigados ou a atacar, num terreno que nos era desfavorável, ou então a retirar, o que era arriscado.

Durante duas semanas mantivemos o cerco, tentando fazer com que Bruto saísse das suas posições inexpugnáveis. E então, ou porque lhe faltasse a coragem ou porque via os seus oficiais e homens debandarem, cometeu a suprema loucura de nos atacar. E eu gritei de alegria.

Mas à noite chorei de verdade. Já não eram só lágrimas de alívio. Havia também bastas razões para eu chorar. Enquanto as legiões de Octaviano tinham dessa vez mantido as suas posições, as minhas, movimentando-se no flanco que Bruto havia exposto de forma idiota, tinham varrido tudo à sua frente.

A nossa vitória era completa, devastadora e irreversível. O exército dos nossos inimigos deixara de existir.

E Bruto, segundo o exemplo de Cássio, entrou também no mundo das sombras, com a mesma nobreza. Contemplei o seu cadáver e ordenei que fosse coberto com um manto vermelho. Pus de lado a sua maneira de ser, pedante e enfadonha. Esqueci-me da responsabilidade que ele teve na morte do meu irmão Gaio. E lembrei-me apenas do jovem Marco, dos dias em que éramos amigos íntimos. Lembrei-me dele nos jardins do Palatino, a falar das grandes coisas que iria fazer por Roma e da nobreza dos ideais republicanos. E lembrei-me também desses dias descuidados da juventude em que eu o admirava, comparando a sua bondade com a vida desregrada e selvagem que eu levava, bondade essa que ele exprimia de uma forma tão gentil que eu não sentia qualquer ressentimento, mas admiração e desejo de me tornar igual a ele: pelo menos nos meus melhores momentos.

Certa vez, em que eu tinha passado vários dias num perfeito deboche com Clódio e Curião, encontramos Bruto enquanto atacávamos o Fórum, derrubando e destruindo as tendas dos mercadores. E, quando um indivíduo mais robusto começou a protestar, eu me lancei sobre ele com um punhal na mão, mas Bruto deteve-me o braço com a arma, segurou-me e olhou para mim com ar de tal modo reprovador que me afastei, abandonando os amigos para me enfiar em casa. No dia seguinte, ele foi me visitar antes de me levantar da cama e falou-me longamente e com tal ternura e interesse por mim, sem o mínimo sinal de reprovação, mas dizendo-me que eu devia mudar de vida se não quisesse desbaratar os talentos extraordinários que ele julgava que eu possuía, que eu resolvi emendar-me, o que aconteceu, é claro, durante algumas semanas.

— Tu tens dentro de ti todas as qualidades para seres o líder da nossa geração — disse ele na época. — Não existe entre nós honrarias que tu não sejas capaz de alcançar. Eu tenho uma ideia clara quanto ao meu valor e às minhas capacidades, mas sinto-me insignificante ao comparar-me contigo. E o meu amor por Roma é tal que se eu pensasse que era necessário para que tu possas servir a República, dar-te os poderes indispensáveis para tal, eu próprio poria de lado as minhas ambições e retirar-me-ia para a vida privada.

Essas recordações soltaram-se dentro de mim de forma tão incontrolável e terrível como as águas do Tibre, enquanto contemplava o seu cadáver, que tinha uma expressão de paz extrema no rosto macilento; e pus-me a chorar...

E, PASSADOS TANTOS ANOS, MEU AMO NÃO DEIXA DE ME SURPREENDER. Raramente o ouvi falar de Marco Bruto de outra forma que não fosse de troça. Por isso não me admira que muitos tivessem pensado que ele não estava sendo sincero quando na sua alocução fúnebre o descreveu como "o mais nobre de todos os romanos". Mas agora parecia-me verdadeiramente sincero. O seu rosto está pálido ao sentir essa perda e, embora eu tenha a certeza de que, ao lamentar Bruto, é a própria ruína o que ele agora defronta sem disfarces, a sua ternura, no entanto, não deixa de ser verdadeira e ele pensa também na memória de Bruto. A verdade é que nunca o entenderei.

— A última carta que ele me escreveu acho que nunca a viste, Crítias, guardei-a no meu cofre mais secreto, o meu coração. Mas posso recitá-la, porque a sei toda de cor. Enviou-me três dias antes de o seu mundo se desmoronar em Filipos.

Marco Antônio, são os fados malignos o que agora nos tornam inimigos um do outro e estamos amarrados a percursos que nenhum de nós pode já alterar. Mas pensar que as coisas podiam ter sido diferentes causa-me sofrimento.

Ambos sentimos o poder da vontade de César e a influência sedutora do seu encanto.

Mas eu descobri que César se encaminhava no sentido da destruição de tudo o que foi grande e nobre na alma e no espírito de Roma. Penso que não era essa a sua verdadeira intenção. Acho que ele foi conduzido por algum espírito maligno contra o qual não tinha nenhum poder e do qual talvez ele tivesse uma consciência imprecisa.

O que mais me entristece é que tu, um espírito tão magnânimo e generoso, te tenhas deixado escravizar por ele.

Tu podias ter-te unido a Cássio e aos meus outros amigos que, tal como eu, procuraram libertar a República. E, depois do sacrifício de César, sempre pensei continuar a ser teu amigo e restaurar o Estado em concordância contigo.

Mas infelizmente fomos obrigados a nos separar pelo terrível curso dos acontecimentos e agora és tu quem cede ao jovem Octaviano, que possui todas as ambições de César e nenhuma das suas virtudes. Submeteste a ele a tua vontade e acabarás por pagar no fim essa tua loucura.

Ainda não percebeste que o governo de uma única pessoa conduz sempre à destruição da liberdade, coisa a que nenhum homem bom deve ceder a não ser à custa da própria vida?

Oh, Marco Antônio, meu antigo companheiro de juventude, aflijo-me muito por ti, meu irmão.

Pode acontecer de eu morrer na batalha em que agora estamos ambos envolvidos, cada um do seu lado, e comigo morrer também a liberdade. Seria melhor se tu sucumbisses nos campos de Filipos. Mas, se os deuses permitirem que venças, isso significará para ti um fruto amargo, um veneno que te irá corromper e destruir. E nos teus últimos momentos hás-de lembrar-te de Bruto, que te amou e te teria salvado, se acaso quisesses ser salvo.

Não és capaz de entender, meu caro?

A monarquia é um terrível gelo que queima tudo o que é verdadeiramente vital. Sob o governo de uma única pessoa, todos os homens são escravos.

Se eu morrer, escaparei a tal destino. Se tu saíres vencedor, serás esmagado por esse horrível rapaz e pela sua férrea vontade. Tu não és capaz de destruí-lo, porque a tua humanidade será submetida à sua desumanidade...

É ESTRANHO EU NUNCA TER IMAGINADO QUE ELE FOSSE CAPAZ DE TER uma tal visão das coisas.

Filipos foi mais terrível que qualquer das batalhas de César. Não houve antes nenhuma outra em que tantos homens ilustres e de nobres famílias tivessem perecido.

Sob a insistência de Octaviano, com o qual concordei sem muita convicção, o massacre não tinha acabado ali. Aqueles que tinham fugido da Itália para se juntarem a Bruto e Cássio acabariam, muitos deles, executados.

— Por razões de Estado — disse Octaviano —, concordamos que não haveria mais clemência.

E, quando os vencidos foram obrigados a desfilar perante nós, chamavam-me "imperador", mas cobriam Octaviano de insultos. Talvez isso lhe despertasse o furor pelo sangue. Mas eu há muito que me tinha apercebido de que os civis, coisa que no fundo ele não deixava de ser, eram sempre mais entusiastas pelas execuções do que os próprios soldados. Quando Quinto

Ligário, um dos assassinos de César, olhou para o meu colega nos olhos e solicitou honras fúnebres, Octaviano respondeu:

— Os abutres encarregar-se-ão disso.

Um pai e um filho cujos nomes esqueci pediram que pelo menos um deles fosse poupado; então Octaviano disse que decidissem o assunto lançando os dados ao ar. E chegou mesmo a ordenar que a cabeça de Bruto fosse separada do seu cadáver para ser lançada em Roma contra a estátua de César.

Mas eu consegui salvar a vida do mais íntimo amigo de Bruto, Lucílio, que ainda continua comigo.

E outro paradoxo ainda: Octaviano, dominado por uma crueldade desprezível que lhe advinha da consciência da própria covardia na sua primeira batalha (era como se quisesse apagar a memória da sua fuga com rios de sangue), comportava-se de forma desapiedada, como o mais agreste inverno alpino, e implacável como o próprio Sula; mas nas nossas relações privadas voltava a ser o mesmo rapaz encantador. Demonstrava o seu profundo reconhecimento por tudo o que me devia e pedia-me que o perdoasse por não ter estado à altura de poder participar com maior honra nas obrigações militares. E, quando estávamos sós, era como se os receios e tensões que vivera nesses dois anos após a morte de César e que o obrigaram a entrar na vida pública (ou lhe tinham dado a oportunidade de o fazer) se afastassem do seu espírito. E divertia-se, sorria e mostrava-se deliciosamente afetuoso. E tornava bem claro que a nossa determinação de conquistar o mundo seria feita de forma amigável e que estava disposto a fazer tudo o que eu recomendasse.

— Como foste tu quem sempre esteve à frente no comando da batalha, é justo que sejas tu a receber a palma do triunfo — dizia.

Eu não era capaz de lhe responder. A imagem desse rapaz de pé num estrado e decidindo sobre a morte dos outros interpõe-se entre mim e o seu sorriso. Senti que tinha dificuldade em pensar nele como antes, com essa afeição que se ia desvanecendo à medida que ele parecia só estar interessado em destruir-me. Eu não podia pensar mais nele como se ele fosse ainda um "garoto".

IX

Seríamos nós capazes de pôr em ordem a República depois da batalha de Filipos? O meu desejo era esse e pensava que, a menos que Octaviano e eu nos empenhássemos numa guerra até a morte, os dois acabaríamos por manter o acordo que tínhamos estabelecido. E, como as minhas intenções eram boas, confiava nele.

Mas era essencial definir responsabilidades. E voltamos a nos encontrar sozinhos para o efeito. Lépido, esse pobre inútil, fora esquecido. Ele não tinha partilhado da nossa vitória em Filipos e dirigiu-se à Espanha, onde demonstrou ser incapaz de controlar Sexto Pompeu, o qual, na altura, e a partir da sua base na Sicília, dominava o mar Ocidental.

Nós tínhamos duas prioridades. Em primeiro lugar, dispensar aqueles legionários cujo tempo de serviço tinha acabado e, depois de pagarmos o que lhes havíamos prometido, colocá-los nas colônias; só que, infelizmente, como ficou provado, haviam-lhe sido prometidas as melhores quintas na Itália. Em segundo lugar, e de forma a podermos pagar às tropas, era necessário restaurar as finanças das províncias do Oriente, devastadas pela política ruinosa de Cássio, e, ao mesmo tempo, prepararmo-nos para a guerra contra a Partia, que César tinha planeado. Eu me mostrava cético quanto a essa decisão e sempre pensei que ele encarava tal guerra como forma de alcançar glória pessoal, fugindo à tarefa de reformar a República.

Mas a insolência e as incursões dos partos, encorajados pelas nossas divisões internas, faziam com que essa guerra se tornasse necessária e até urgente.

De início, Octaviano evitava encarar a perspectiva de tal guerra, sobretudo numa tal escala. Mas, quando argumentei que ela era necessária e o convenci de que era inevitável, ele se declarou entusiasmado em dirigi-la e em comandar o nosso exército, o que era ridículo.

As legiões, preocupadas com a guerra da Partia e recordadas do desastre sofrido por Marco Crasso doze anos antes, não queriam seguir, numa tão perigosa empresa, um jovem que havia fugido das tropas de Bruto para um esconderijo de aves selvagens. Eu não fui capaz de levantar objeções de forma abrupta. Como devem entender, não estava interessado em magoar o rapaz; e, de qualquer modo, como tinha certeza de que a segurança do Estado e a restauração da paz no mundo romano dependiam da continuação da nossa amizade, tive todo o cuidado em transmitir-lhe delicadamente as minhas reservas.

Mas, finalmente, chegamos a um acordo: Octaviano regressaria à Itália para instalar os veteranos, mas a Itália deveria ser considerada terreno comum sempre que um de nós quisesse recrutar lá novas legiões. A Gália Cisalpina seria incorporada na Itália, como César sempre tencionara fazer. Era uma concessão da minha parte, uma vez que era o procônsul legítimo dessa província. Eu mantive o comando da Gália Comata e da Gália Narbonense; por seu lado, Octaviano ficava com o Ocidente.

— E Lépido? — perguntara Octaviano, pois tínhamos nos esquecido dele.

— Fica com a África.

O Oriente ficava sob a minha responsabilidade. Octaviano encarregar-se-ia de fornecer todos os homens que eu solicitasse para a Guerra da Partia (mas que eventos posteriores levaram depois a adiar).

E o nosso acordo foi passado a escrito.

Em seguida, como Octaviano protestasse que o seu estômago continuava a ser ainda muito delicado para beber vinho, decidimos ir festejar num bordel o nosso acordo. Embora ele se tivesse formalmente casado com a filha de Fúlvia, a minha enteada Cláudia, para selar o nosso pacto celebrado alguns meses antes da batalha de Filipos, achei graça ao fato de ele ter escolhido um rapaz, um efebo de cabelos encaracolados e sorriso encantador, o qual me teria francamente agradado, não fosse eu ter já escolhido uma negra lasciva de seios cobertos de óleos e que brilhavam como a armadura de um centurião. Ela parecia sequiosa de lutar como um centurião e demonstrava um apetite por aquilo que fazia que só por si recomendava o prostíbulo. Ainda hoje me acontece pensar nela. Comprei-a pelas suas habilidades sexuais, mas foi pena que tivesse morrido de febres poucos meses mais tarde.

Passadas duas semanas após o regresso de Octaviano à Itália, recebi uma carta de Fúlvia que alterou o meu estado de espírito complacente.

Às vezes penso que não devia ter-te longe da minha vista. És uma pessoa em quem não se pode confiar. Quando sinto ternura por ti, coisa que tento fazer porque estamos ligados, somos marido e mulher, uma só carne, e também porque sou filha de uma grande família que se orgulha de ter tido já uma dúzia de cônsules, sinto o maior respeito pelos valores do matrimônio, e nesse aspecto penso que isso se deve também ao fato de teres demasiada confiança em ti próprio; tu possuis um caráter nobre que te impede de ver o mau caráter dos outros.

Mas depois, quando me lembro das coisas que fizeste e da forma como me tens tratado, sem o respeito devido à minha ancestralidade e, embora pense só para comigo, sem o mínimo caráter, acho que isso se deve ao fato de seres simplesmente um louco.

Devias estar doido quando assinaste o acordo que me disseram que fizeste com esse safado rapaz que é Octaviano. Talvez não saibas que ele nunca se abeirou da nossa filha. Isso deve dizer-te alguma coisa sobre a espécie de homem que ele é, ou melhor, não é, porque um homem não deve ser assim. Um pervertido horroroso, mas inteligente.

Tão inteligente que levou o meu estúpido marido, Marco Antônio, a cair na armadilha que ele lhe preparou.

Tenho certeza de que ele tentou ficar com as províncias do Oriente e com o comando da guerra contra os partos e que pensaste que seria sensato dissuadi-lo.

Não é verdade?

É inacreditável.

Como pode alguém acreditar que um covarde, mariquinhas — nós soubemos como ele se comportou durante a primeira batalha, e tu devias ouvir o que as minhas costureiras dizem dele —, tenha coragem de comandar uma guerra contra a Partia?

Mas tu não percebes? O que ele sempre quis foi a Itália, e queria-a porque quem controla a Itália controla a República.

E tu lhe deste esse controle de bandeja.

Felizmente o teu irmão Lúcio é este ano cônsul, fico admirada de tu teres tido o bom senso de o colocar nesse lugar, e digo felizmente porque poderei servir-me dele para tratar melhor das coisas do que essa criatura que prefere os rapazes que gostam de menear o traseiro em vez da minha filha. Não que esse Lúcio valha alguma coisa. Sempre imaginei que também ele fosse efeminado, como sabes, mas talvez eu consiga transmitir-lhe alguma energia, sempre que for necessário.

Não sei o que farias tu sem mim, ou onde estarias a estas horas. Mas irei fazer de ti o senhor da República, ainda que não queiras ou não saibas.

ESCREVI TAMBÉM A LÚCIO PARA LHE DIZER, EVIDENTEMENTE, QUE DEVIA cooperar com Octaviano e que não leve muito a sério as loucuras de Fúlvia. Ao que se está a afogar devemos sempre dizer que não se deve preocupar com a água que está a submergi-lo.

A minha desculpa era a de que estava tremendamente ocupado. Os historiadores nunca têm a noção do que custa estar à frente dos negócios de Estado. Governar um império não se limita a dar uma boa varredura nos assuntos da política. Há sempre decisões urgentes que devem ser tomadas diariamente e cada uma delas exige a consideração de outras considerações. Se imagino que algo é conveniente para determinada cidade, isso não significa que o seja para outra... e muita e muita coisa mais. Além disso, as cidades do Oriente estavam à beira da anarquia. Bruto e Cássio tinham-nas ocupado como verdadeiros assaltantes e não como governadores. É certo que podiam sempre invocar a pressão da necessidade. Mas o trabalho de restaurar a ordem e a harmonia era exigente e exaustivo. Eu não tinha tempo para me ocupar também dos assuntos na Itália. Para além de tudo, tinha tomado o encargo de conseguir o dinheiro que era preciso Para dispensar algumas legiões e suportar as que mantínhamos. Isso fazia parte do meu acordo com Octaviano e estava determinado a mantê-lo.

Mas eu estaria assim tão estupidamente cego? Não sabia. Talvez estivesse; e, na minha nova forma de duvidar de mim próprio, penso bem que sim.

Eu não parava em nenhum lado. E algumas cartas que me eram dirigidas, não as recebi. Caso contrário, quem sabe se eu não teria feito o que fiz se tivesse sido avisado?

— Crítias, sinto-me cansado, diz-lhes que me tragam vinho...

Aqui no meu lugar solitário anoitece cedo e eu me entretenho a olhar as águas escuras, as águas turbulentas das memórias amargas e dos vãos lamentos. À noite, aqui, reina o silêncio. As aves marinhas dormem e o rumor da cidade ao longe é tranquilizante.

— Eu já tive uma vida, não é verdade, Crítias? Mas agora a Terra move-se pesadamente, como se não quisesse mais nada comigo e sentisse vergonha de me transportar com ela.Onde estava eu?

— Na guerra de Perúsia, meu senhor. No momento em que vos preparáveis para iniciá-la.

— Mas que posso eu dizer em relação a esse assunto? Não estava lá, estava ocupado a reorganizar os exércitos, a tomar o pulso às cidades, a possuir mulheres e a dar festas no Oriente.

"Perúsia? Está bem, se quero deixar algo escrito sobre a minha vida, tenho de me esforçar por isso."

Octaviano meteu-se em confusões nas suas tentativas de localizar terras para os soldados. Era uma tarefa difícil, mesmo que ele tivesse dado o seu melhor. As coisas na Itália corriam mal. Os que tinham terras receavam perdê-las, os que não tinham pensavam em ficar com algumas. Em todas as cidades da península havia lutas assassinas entre cidadãos e soldados. Chegavam notícias de que os legionários licenciados eram obrigados a fugir porque eram recebidos à pedrada nas terras que lhe haviam sido destinadas.

Mas Octaviano conduziu as coisas pior do que devia. Favoreceu os seus veteranos à custa dos meus. Pegou terrenos confiscados pelo Estado e vendeu-os a alto preço no mercado livre. Alienou distritos. Havia revoltas na Úmbria, na Etrúria e nas antigas terras de Sabina.

Dizia-se que Fúlvia as fomentava e, para vergonha minha, eu sabia que isso era verdade. Mas ela não era a causa principal. A coisa ia mais fundo, e estava ligada ao ressentimento que havia muito vinha fermentando e que tinha origem nas medidas bruscas tomadas por Octaviano.

Mas a verdadeira ofensiva de Fúlvia era contra mim. Ela conhecia o meu caráter. Sabia que eu, ao fazer um acordo com Octaviano, estaria disposto a cumpri-lo. E ela estava disposta a desacreditar esse acordo e, em consequência disso, destruir Octaviano. Eu próprio dificilmente podia criticá-lo pelo fato de agir dessa maneira. Sobretudo, não podia perdoar-lhe o fato de se pôr a dar orientações ao desgraçado do Lúcio. E Fúlvia, quando acha o terreno mole, pressiona-o.

No outono entramos em guerra aberta. E, para se fazer notar, Octaviano separou-se da mulher, que não desejava, Cláudia, e que ele tinha insultado com a sua indiferença. E chamou Salvidieno Rufo, da Espanha, com seis legiões. Lúcio, lento como sempre, imaginou que ele o tinha enganado e ultrapassado e tentou fugir, abrindo caminho para o Norte. Mas demasiado tarde; Salvidieno e Agripa tinham-no impedido. Então retirou-se para Perúsia e preparou-se para aguentar um cerco, na esperança de ser auxiliado por comandos que me eram fiéis. Mas eu não tinha me envolvido no assunto e desconhecia o que estava se passando.

Seja dito que os soldados em Perúsia tinham escrito o meu nome nos projéteis por eles arremessados: era uma forma de persuadir os sitiantes de que faziam a guerra em nome do "Herói de Filipos". O cerco arrastou-se durante todo o inverno da montanha. Falharam todas as hipóteses de ceder e a fome instalou-se entre os sitiados. Fúlvia, ainda mais que Lúcio, exaltava as tropas a esforços heroicos; os que falavam em paz eram açoitados ou mortos. "Uma rendição fácil", dissera alguém. Mas mais tarde houve quem afirmasse que quando dois magistrados da cidade falaram em rendição, Fúlvia os mandou enforcar e os seus corpos foram lançados pelas muralhas. Gostaria de acreditar que tal não tivesse sido verdade.

Por fim, Lúcio atuou como um homem deve atuar e encarou a realidade. Ignorando a minha mulher, meu irmão negociou a rendição da cidade. Fora-lhe prometida clemência. Confiando nessa promessa, submeteu-se, para vir a saber logo a seguir que a clemência se restringia a ele apenas. Depois de o haverem humilhado, mantendo-o numa cela cavada numa rocha. Octaviano, num gesto de desprezo, fê-lo governador da longínqua Espanha.

— Eu sei que é isso o que o meu irmão e vocês desejam — disse ele.

E, ao sair do encontro, com os olhos ensanguentados e a carne a cheirar mal depois de uma tal provação, Lúcio caminhou por entre os corpos dos seus camaradas, como se eles balançassem metidos em cadeias.

E Lúcio nunca mais se recuperou dessa humilhação. As cartas que me escreveu da Espanha eram desconexas, incoerentes, cheias de autorrecriminações e de ódio em relação a Fúlvia e a Octaviano. E foi com dificuldade que eu consegui perceber o que realmente tinha acontecido, ou aquilo que ele pensava que tinha acontecido. Mas eu não tinha dúvidas de que meu irmão ficara destruído por esses meses terríveis e pelas coisas horríveis que se lhes seguiram. Os oficiais que escaparam à carnificina e fugiram da cidade disfarçados, pondo-se a caminho para se juntarem a mim na Grécia, falavam dessas coisas com horror.

Fúlvia foi igualmente poupada, transportada para Roma sob escolta e colocada em custódia entre as virgens vestais.

"Esta punição, se achares que deve ser por toda a vida, é a que lhe convém", escreveu Octaviano. "Ela não é o gênero de mulher que as vestais apreciem e ir-lhe-ão fazer sentir a sua desaprovação. E francamente, irmão, se estivesse no teu lugar, divorciar-me-ia dela. Pela sua conduta, só veio a provar que te era nefasta, sendo evidente que é um obstáculo às nossas tarefas comuns, um obstáculo intransponível."

Ele tinha razão, mas eu, evidentemente, não podia aceitar a sua sugestão. Apesar da linguagem indireta, a carta parecia mais uma ordem. E foi muito a contragosto que arranjei tudo para que Fúlvia viesse se juntar a mim na Grécia.

Mas, quando ela chegou a Atenas, pude verificar que a humilhação sofrida não lhe tinha refreado o temperamento. E ela me acusou de ter me desinteressado dela e dos meus próprios interesses. E começou a intrigar com agentes enviados por Sexto Pompeu, a quem minha mãe se havia dirigido a pedir refúgio, receando o ódio de Octaviano.

Eu aguentei as críticas de Fúlvia com um estoicismo estranho à minha natureza. Talvez me sentisse em certa medida culpado. Provavelmente tinha pena de uma pessoa que tanto odiava o mundo à sua volta.

Eu a deixei em Atenas. E não tive remorso de fazê-lo, porque as suas recriminações eram intoleráveis. Mas sofri quando ela morreu, alguns meses mais tarde. Apesar de todos os seus erros, devidos ao mau temperamento, ela foi a única das minhas esposas que se ligou sinceramente à minha causa e, se a prejudicou, como realmente aconteceu, não o fez por mal.

X

MEU AMO TENTA DIZER A VERDADE, ESTOU CERTO DISSO, MAS ACABA sempre por se desviar dela... Uma das razões deve-se ao fato de os anos imediatamente a seguir a Filipos terem sido os anos da sua glória, e os anos das suas oportunidades também, como tive ocasião de presenciar. Ele tinha alcançado a mais elevada posição no mundo romano e, aos olhos de todos, era, comparado com Octaviano, o mesmo que o Sol comparado com a Lua. E, devido à sua incúria e a uma arrogante negligência, permitiu que o poder lhe fugisse das mãos. Para ele deve ser demasiado doloroso falar disso.

Mas ele pretende usar-me; ou, diria eu, usar estas memórias para tentar instaurar o seu lugar na história e não em algo que, segundo penso, qualquer pessoa irá ler para descobrir a verdade. Por isso ele continua a se esforçar por passar por cima de tudo o que o obriga a sentir vergonha de si próprio.

Eu sei que, para muitos, a ideia de que o meu amo possa sentir vergonha é absurda. Mas isso não é justo. Octaviano, cuja capacidade de perceber o caráter dos outros nunca questionei, afirmou uma vez que sempre notara que Marco Antônio, mesmo nas suas horas de maior magnificência ou especialmente nessas, era um menino de escola fantástico. A observação não é amável, mas o que podemos nós esperar de um inteligente de um sacaninha, se quisermos, como era esse filho da mãe do Octaviano? O que não podemos negar é que há qualquer coisa de verdade nessa afirmação. E não me digam que os meninos de escola, mesmo fantásticos, não conseguem sentir vergonha. Se querem a minha opinião, acho até que eles a sentem mais que os adultos, porque para eles é muito importante saber que são bem aceitos.

Além disso, embora eu diga que nenhum marido se deveria sentir culpado por não ser fiel a uma virago como Fúlvia, a verdade é que Marco Antônio se sentia. Ele sabia muito bem que ela era um horror, mas era o seu horror, e ele se sentia responsável por ela e perante ela. O que tornava as coisas piores é que, enquanto ele gozava de tempos maravilhosos, ela estava sofrendo o horrível cerco a Perúsia. Primeiro, na Capadócia, onde ele tinha uma ligação com uma rapariga verdadeiramente deslumbrante, chamada Gláfira, que, por sua vez, era amante (a maior parte do tempo, mas não exclusivamente) do monarca de Comanos, cujo nome não me recordo. Gláfira era senhora de enormes talentos e de bela figura, a espécie de mulher com quem Marco Antônio se sentia realmente reconfortado. A verdade é que ela se parecia muito com a mãe dele e o excitava e mimava de tal modo que o deixava completamente desarmado. Ele adorava as suas pequenas doses de domesticidade e de brincadeiras e, embora o seu grego fosse horrível, tinha um humor grosseiro, porque tinha começado a vida nas ruas e trabalhado num bordel antes de se tornar amante do rei. Ela era o oposto de Fúlvia e não admirava que ele se divertisse tanto com ela.

Mas depois apareceu Cleópatra. Meu amo sempre negou que tivesse feito amor com ela enquanto César era vivo, embora lhe agradasse ouvi-la dizer que trocaria César por ele. Foi precisamente nesse inverno que eles se tornaram amantes. Ela veio ter com ele em Tarso, na Sicília, onde ele a havia chamado para que ela explicasse a sua conduta durante a guerra de Filipos.

Julgo que hoje todos sabem a história da sua chegada, mas, para aqueles que não a conhecem e para as futuras gerações que tiverem a sorte de ler esta narrativa (e que eu agora escrevo a tremer de receio, ansiedade e maus presságios, ainda que esta palavra possa parecer excessivamente enfatuada), acho que estou em condições de fornecer a minha versão do acontecimento.

Cleópatra levou tempo a responder ao convite que ele lhe fez, muito embora esse convite fosse mais uma ordem. Ninguém ia adivinhar a sua chegada. E é preciso possuir a máxima imaginação teatral e tempo para calcular o efeito que ela provocou.

Ela chegou, subindo o rio Cidno e na embarcação mais magnificente que eu vi na minha vida. A popa do barco vinha coberta de folha de ouro, evidentemente, as velas eram de púrpura e os remos eram de prata. A rainha vinha vestida e enfeitada à maneira da deusa Afrodite, a quem os romanos chamam Vênus, debaixo de um pálio bordado a ouro baço e trabalhado de forma estranha e valiosa. Oito belos rapazes, que se faziam de cupidos, abanavam leques à volta dela, colocados de ambos os lados do coxim onde ela seguia deitada e fazia com os dedos gestos delicados sobre o peito meio descoberto. As suas aias vinham vestidas de nereidas. O odor do incenso queimado soltava-se do barco e quase intoxicava as multidões que se juntavam na praia.

Dizia-se que Afrodite vinha para jantar com Dioniso, o deus tão venerado por Marco Antônio que muitos julgavam ver nele a sua encarnação.

O espetáculo não deixava de ser vulgar, mas tinha a sua grandeza. E era franca e abertamente erótico. O meu amo subiu para a embarcação como um touro no trilho e eu, confesso, deixei-me levar por essa abordagem excitante. (E mais tarde, já noite, quando as figuras gradas se envolviam umas com as outras, tive a sorte de pegar num dos cupidos mascarados, cujos encantos visíveis e óbvios provaram não ser para mim uma decepção.) Também Marco Antônio achou Cleópatra bastante interessante e não era de espantar que estivesse disposto a segui-la para Alexandria.

No entanto, não estava perdido de amores, como se disse em Roma. Ou estava?

Ninguém conhece melhor que eu os seus estados de espírito, os seus caprichos, as suas emoções. E, mesmo assim, não sou capaz de dar resposta a tal pergunta. O meu amo ainda hoje continua a deixar-me perplexo.

Mas uma coisa posso dizer, e quem me ler decidirá por si. Acho que pelo menos houve duas dúzias de mulheres que concederam os seus favores a Marco Antônio (ou ele os concedeu a elas, se assim preferirem), e, se eu as avaliar em termos de beleza, não há dúvida de que Cleópatra ficava numa posição abaixo da média da tabela. Segundo determinado ponto de vista, podemos mesmo considerá-la horrível e ninguém poderá negar que tinha um queixo desproporcionado. E isso tornar-se-á mais evidente com a idade (se acaso chegar a ficar velha): o queixo tornar-se-á cada vez mais pronunciado e aproximar-se-á da ponta do nariz. Era baixa e tinha sido bastante ágil de membros enquanto nova, mas, como gostava de comer e beber como o meu amo, nesta altura já se notava a sua tendência para ficar gorda. Além disso, de manhã, e em plena ressaca, parecia ter muito mais idade; e isso não devia ser agradável de ver para quem acordasse a seu lado.

Em suma. Estava longe de ser uma beleza, nem podia ser de forma alguma comparada à minha querida Citéris, e devo admitir que até Fúlvia era de longe uma mulher mais encantadora.

Mas nada disso interessa. Cleópatra tinha uma bela voz, falava pelo menos oito línguas, mas nenhuma delas corretamente, como era o caso do grego. Mas utilizava a voz como um instrumento musical e o seu sucesso era inegável. É claro que é fácil para uma rainha ou um general obter sucesso quando à sua volta todos estão interessados em demonstrar que reconhecem esse sucesso, mas não há dúvida de que Cleópatra era genuinamente espirituosa, e só lamento não me lembrar agora de nenhum dos seus inteligentes e memoráveis chistes.

O certo é que nesse ponto estava disposta a partilhar tudo da vida do meu amo, e isso é uma coisa tão rara numa mulher que até aqueles que gostam de mulheres acabam por achar asfixiante. Cleópatra gostava de jogar, de beber, de dar festas, de caçar e de passar revista às tropas: e parecia ter tanto prazer em todas essas atividades como tinha (e reputação não lhe faltava) em fazer amor. Gostava de acompanhar meu amo nas suas sortidas pela cidade à noite e o que eles faziam nessas ocasiões será melhor não ficar registrado aqui.

Também é verdade que encorajava meu amo a beber mais do que devia e tem grande parte da responsabilidade pelo seu estado atual. Encorajava-o igualmente em vícios que o minimizavam. Por outro lado, quem pode amar um homem sem tais vícios, ou incapaz de uma tão magnificente autoindulgência?

Mas nessa altura ele não amava ainda Cleópatra com todo o seu ser. O seu interesse por ela, disse-me ele muitas vezes, era antes de mais nada de natureza política. Ele conhecia a importância do Egito e as suas riquezas e estava, tal como César, determinado a fazer da rainha uma aliada. Se isso significava ir para a cama com ela, por que não?

A prova de que ele não estava apaixonado por ela é que, quando foi necessário ir para a Itália, ele foi e não voltou a ver a rainha senão passados quatro anos. Mas isso permitiu aos seus detratores mentirem, afirmando que Cleópatra o tinha enfeitiçado.

Mas havia outra razão que o impedia de falar verdade em relação a esses anos. Não fora Cleópatra quem o tinha enfeitiçado e o tornara seu escravo: fora Octaviano.

Meu amo não é agora capaz de admitir tal coisa, como não o era nessa época, em muitas das suas palavras.

Quando digo que ele estava enfeitiçado pelo jovem Octaviano, não quero com isso afirmar que ele estava interessado em ir para a cama com ele: como já tinha acontecido antes, segundo alguns relatos e como ele se vangloriou mais de uma vez quando estava ou não bêbado. Mas se foi, isso pertencia ao passado.

Ele estava obcecado pelo jovem e acreditava que o acordo que havia feito com ele era a coisa mais importante da sua vida. Era necessário manter a estabilidade no mundo romano, e toda a sua política a partir da batalha de Filipos era dirigida para esse objetivo.

O que fazia sentido, mesmo quando Marco Antônio rejeitava, como rejeitou, as ações levadas a cabo pelo seu irmão Lúcio e pela sua mulher Fúlvia.

Mas, tal como enganou a si próprio ao pensar que a sua relação com a rainha era antes de mais nada política, também se enganou quanto a suas relações com Octaviano.

A verdade é que ele desejava manter uma boa opinião sobre Octaviano. E fez o que pôde para que houvesse entre ambos uma perfeita concórdia. Ele admitia que se envolvia num estado de desespero sempre que pensava que Octaviano poderia trair a sua confiança, o que o deixava doente, e isso acontecia sempre que os dois selavam um novo acordo. Mas acabava sempre por voltar ao seu estado normal.

E isso eu não consigo entender. É provável que o que ainda falta a esta narrativa, se acaso conseguirmos completá-la, possa demonstrar o que eu quero dizer por meio dos comportamentos.

Mas, acreditem em mim, Octaviano era mais importante para meu amo do que qualquer outra pessoa, o que, por extensão, me leva a afirmar convictamente que era Octaviano, e não Cleópatra, o amor da sua vida e também o seu gênio mau.

E, se não me acreditam, leiam o que se segue.

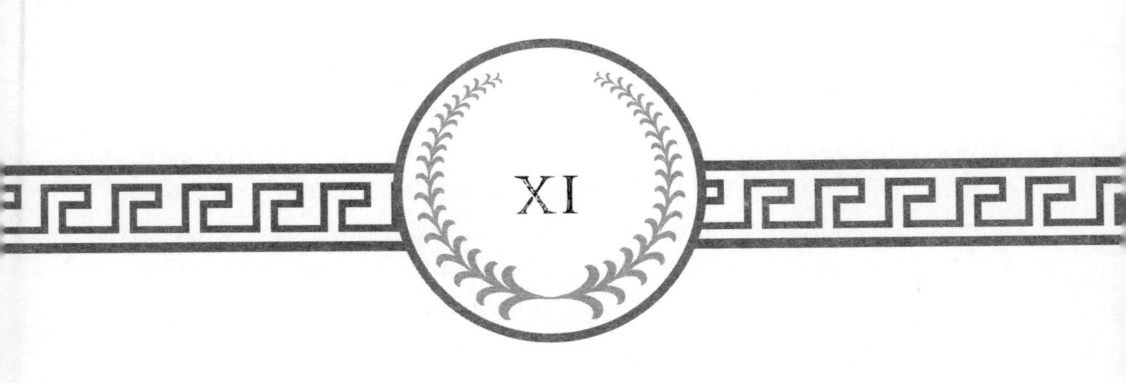

XI

A PESAR DISSO, A POSSIBILIDADE DE SE DESENCADEAR DE NOVO A GUERRA entre meu amo e Octaviano continuava a ser um perigo real. Havia muitíssima gente que, movida por interesses pessoais, estava disposta a fazer tudo para os ver de novo um contra o outro, embora, como já disse, Marco Antônio apenas desejasse manter a sua amizade com Octaviano e este, por seu lado, ainda não estivesse em posição de cortar com o meu amo. Mas é evidente que Octaviano não podia deixar de se sentir chocado pela grande estima que as legiões e os senadores manifestavam em relação a Marco Antônio.

Mas chegou-nos a notícia de que Octaviano se tinha aproveitado da oportunidade resultante da morte súbita de Rufo Galeno, o representante do meu senhor na Gália, para se apoderar dessa rica província e, mais importante ainda, do seu notável exército, para o qual nomeou comandante o seu amigo Salvidieno Rufo. Tudo isso me pareceu confuso e tive certo receio em interpretá-lo como uma manobra de Octaviano. Mas posso jurar que mais confuso ainda e mais temível me parece viver no meio destes tipos de jogos.

Além disso, meu amo viu-se confrontado com uma armada comandada pelo general Domício Aenobarbo, que tinha simpatia pelos assassinos de César, embora tivesse ficado praticamente na sombra durante a conspiração. Na altura não havia sido integrado nas listas dos banidos e teve a sorte de poder escapar com vida. Mas, sendo um homem de recursos consideráveis, tinha conseguido obter por si próprio uma posição e agora comandava uma armada de pelo menos cinquenta navios, que nos barravam o caminho para a Itália.

Meu amo sempre conseguiu dar o seu melhor quando estava perante uma situação de perigo imediato. Desejava evitar uma batalha cujo desfecho era incerto. Navegou ao encontro de Aenobarbo com uma pequena porção de navios, deixando entender claramente que estava disposto a negociar, e não a lutar. E, para provar a sua boa fé, ofereceu-se para se encontrar pessoalmente com Aenobarbo no seu próprio navio. No fundo, colocava a sua vida nas mãos do outro e eu sempre ouvira dizer que Aenobarbo estava interessado em aproveitar essa oportunidade para matar o triúnviro. Mas a sua virtude deve tê-lo impedido de levar adiante o seu intento; ou então foi a admiração que sentia pelo valor de Marco Antônio ou o não acreditar nas suas próprias capacidades. Quem sabe? O coração dos homens, nos momentos de crise, é como um poço fundo, obscuro como uma noite de nevoeiro. Nunca tive paciência para os historiadores que julgam ter certeza das razões porque certas coisas foram feitas ou ficaram por fazer. Os próprios deuses, julgo eu, devem ficar desconcertados com o mistério que rodeia as ações dos homens. Deste modo, como é possível alguém afirmar que consegue ler o pensamento dos outros?

Marco Antônio e Aenobarbo abraçaram-se. Ao ver a situação, ainda imaginei algum punhal escondido. Mas, em vez disso, apenas houve sorrisos, uma conversa franca e algumas gargalhadas. E, enquanto grego, esta forma de agir sempre me intrigou. E embora tenha vivido toda a minha vida na casa de Marco Antônio e haja tido a oportunidade de observar os grandes homens romanos, continuo a manter a minha estranheza quanto à forma como eles se comportam entre si: sendo inimigos, agem como se fossem amigos de longa data. Penso que a razão deste comportamento está na ideia que os romanos têm de que, mesmo sendo entre si inimigos mortais, são também outra coisa: amigos de uma vida inteira. Porque partilham entre si muita coisa. O que quer dizer que não têm apenas amizades pessoais ou relações em comum, mas também as mesmas recordações, frequentando as mesmas escolas e criando os mesmos códigos de vida. E, assim, quando falam uns com os outros, mesmo depois de um longo período de afastamento ou de animosidade, continuam a usar a mesma linguagem; e com isso não me quero referir simplesmente ao fato de falarem todos em latim. É algo mais profundo. Está relacionado com algo e, seja-me permitido inventar tal expressão, a que eu chamo “a classe instituída e dominante” do mundo. E isso significa que, por mais brutais e sangrentos que sejam os conflitos entre eles, a conversa que estabelecem entre si adquire sempre um aspecto musical, único e singular. É certo que esta capacidade para entabular conversa da maneira mais simples não impede um romano de trair outro com o qual parecia momentos antes estar em perfeita harmonia. A verdade é que eles são uma casta à parte do resto da humanidade, sendo por isso que tanto os seus crimes como os seus melhores feitos adquirem uma tal importância.

E, por essa razão, antes de chegarem ao fim da primeira garrafa, eu poderia ser levado a pensar que Marco Antônio e Aenobarbo eram verdadeiros amigos do peito. De qualquer forma, tenho de admitir, ambos reconheciam que estavam em total sintonia. Tinham o mesmo discurso. E, a partir desse dia, no convés da sua galé e sob um sol abrasador, Aenobarbo protestava a mais profunda lealdade a meu amo. Ele existia para servi-lo por anos e anos em absoluta dedicação e não havia ninguém em quem Marco Antônio pudesse ter mais confiança: era um dos poucos por quem ele sentia uma enorme e verdadeira afeição. E isso testemunhava o seu encanto pessoal e a sua grandeza, pois posso jurar que, nesse dia em que Marco Antônio subiu para o seu navio, a intenção de Aenobardo era acabar com ele.

E depois de juntarem as suas frotas, navegaram em direção a Brindes. O que provocou um embaraço momentâneo, porque, no ano anterior, Aenobardo, no papel de pirata a serviço de Pompeu, tinha atacado a cidade, saqueando os seus armazéns e largando fogo aos navios que se encontravam no porto. Agora surgia aliado a Marco Antônio, que o havia banido. Não podemos condenar as autoridades locais por terem ficado perplexas com tal mudança de atitude, tendo erguido uma muralha protetora em torno do porto e mandado fechar todos os portões da cidade, impedindo-nos de entrar. E houve, evidentemente, pessoas que depressa vieram informar meu amo de que tinham sido ordens dadas por Octaviano. Mais tarde se disse que não tinha sido assim e que Octaviano se limitara a protestar, o que, como de costume, levou meu amo a acreditar na lealdade de Octaviano. Mas, até o momento em que voltaram a encontrar-se de novo, o perigo de se reacender a guerra civil pairou sobre as nossas cabeças.

E tal só foi evitado devido à atitude das legiões. Sem chegarem ao ponto de se amotinarem, temor que atua sempre como um obstáculo relativamente ao ímpeto dos generais, deixaram claro que não viam razão para iniciar uma batalha. E não podiam ser obrigados a combater contra aqueles que consideravam seus camaradas e por uma causa cujo sentido não entendiam.

Mas tal atitude funcionou como um alívio tanto para meu amo como para Octaviano. Deu-se início às negociações e os dois acabaram por se encontrar a sós, num pavilhão erguido a meia milha da cidade.

As comitivas ficaram à espera, ansiosas, mas, logo que o sol ultrapassou o seu auge, deu-se a confraternização entre os dois grupos. Os homens encontravam velhos amigos e colegas. O vinho começou a correr. As conversas continuaram durante a tarde e, quando o sol começou a declinar, já era inconcebível o perigo de uma batalha. E o ambiente transformou-se numa reunião festiva.

Lembro-me de que de repente me vi junto de Mecenas, o amigo íntimo de Octaviano. Devo dizer que, embora meu amo nunca tivesse tido uma palavra amável em relação a ele, da minha parte sempre achei Mecenas um ser verdadeiramente encantador. Sentia-me de tal modo à vontade junto dele que me esquecia imediatamente das nossas diferenças sociais e as posições que ambos ocupávamos. E, embora não o dissesse a ninguém, eu não tinha dúvidas de que ele sentia o mesmo em relação a mim. Mecenas adorava a Grécia e a cultura grega e emitia inteligentes apreciações em relação ao teatro. Descobrimos que tínhamos muitas coisas em comum e eu o divertia com as minhas história sobre Cleópatra e a sua corte.

— Isso deve ter provocado uma profunda alteração nas virtudes romanas. E não me admira nada que Marco Antônio tenha descoberto encantos na rainha que nunca encontrara na pobre Fúlvia — dizia ele.

— Pode ter a certeza — dizia eu, piscando-lhe atrevidamente o olho.

Não falo nestas coisas para me gabar, mas porque houve gente desagradável que mais tarde tentou arranjar conflitos entre mim e o meu amo, afirmando que Mecenas me havia recrutado para o espiar.

Nada de mais falso. Talvez eu tenha falado um pouco levianamente, mas estou certo de que nada do que disse pôs em risco os segredos que devia defender. Até custa a acreditar no interesse que ele demonstrou ao ouvir tudo o que eu lhe dizia em relação a Cleópatra. A rainha tinha realmente o condão de provocar a curiosidade em toda a gente. Mas, quanto a Mecenas, o que eu posso dizer é que ele era simplesmente encantador.

— Quando voltares a Roma — disse ele —, como tenho certeza de que desejas fazê-lo, meu caro, quando toda esta confusão se desvanecer, espero que me vás fazer uma visita. Já tenho dito a Octaviano que toda esta frieza entre ele e Marco Antônio não tem razão de existir e acho que ele agora está a dar-me razão. O problema!, e que isto fique só entre nós, entendes?, e por favor não o comentes com ninguém, é que o nosso querido rapaz tem certos ciúmes do teu amo. Sabe que não está ao seu nível quanto a atos da bravura militar e, aos olhos do mundo, sente-se diminuído em relação a ele. Eu já lhe disse que ele, evidentemente, tem outras qualidades notáveis e outras virtudes, mas ele fica na mesma. No fundo, tens de entender que ele admira enormemente Marco Antônio e acredita que tem a maior confiança nele.

Eu reproduzo aqui o que ele disse na íntegra, porque houve muita gente que afirmava que Mecenas queria voltar Octaviano contra o meu senhor, e eu acho que isso contradiz esses rumores.

Foi então que meu amo e Octaviano saíram da tenda. Mecenas apertou-me a mão, fez-me uma festa na cara e disse que voltasse a Roma logo que pudesse para me juntar a eles. Fiquei apoquentado ao ver meu amo a caminhar de maneira insegura, porque, quando isso acontecia, normalmente dava ensejo a que ele recorresse a uma linguagem descuidada e pouco diplomática, que acabava por lamentar mais tarde. E também é sabido o efeito que tem nele o vinho quando está maldisposto ou zangado. Mas, ao que parecia, os meus receios eram infundados, porque ele sorria com o seu jeito mais irresistível e abraçava Octaviano (e eu julguei que o jovem lhe resistia por imaginar que essa podia ser a reação errada), tendo-se em seguida dirigido aos soldados dizendo-lhes que podiam pôr de lado as armas e que "todos bebessem até cair".

— Não vai haver guerra — gritou ele nesse tom grosseiro dos moradores dos bairros mais ordinários para lá do Tibre.

Os soldados festejaram de forma desbragada e se dispersaram (porque antes, quando correu a palavra de que os generais iam sair da tenda, tinham ocupado os seus lugares na formação). E os homens, que nessa manhã tinham receado ter de cortar a cabeça uns aos outros, voltaram a juntar-se alegremente, unindo-se aos velhos amigos e fazendo novas amizades. Embora eu jamais sentisse gosto por essa camaradagem do vinho, na qual os soldados gostavam de mergulhar, tendo, como devem calcular, gostos mais refinados, confesso que me senti tão aliviado com esse desfecho feliz que comecei também a me comportar de forma um tanto desbragada. Só então me dei conta do pavor por que tinha passado.

Tratou-se daquilo que mais tarde se veio a chamar o Pacto de Brindes, que infelizmente prometia, como a maioria dos pactos, muito mais do que concedia. Tratava-se essencialmente de uma nova distribuição de responsabilidades e de poderes sobre o Império. Havia quem dissesse que, a longo prazo, era Octaviano quem ganhava com o que fora decidido e eu penso que tinham razão. Ele ia ter a hipótese de consolidar os seus apoios no Ocidente e até na Itália, embora tivesse ficado estipulado que ambos os generais podiam fazer recrutamentos nessas duas regiões. Quanto ao pobre Lépido, que fora praticamente ignorado, para não dizer esquecido, havia-lhe sido permitido o comando da África embora isso não lhe servisse de muito, e toda a gente, exceto ele próprio, estava convencida de que os seus dias no poder estavam contados.

A verdade é que o meu senhor tinha três razões para não pressionar o seu próprio caso de forma mais evidente.

Em primeiro lugar, sentia-se secretamente envergonhado pela forma como seu irmão Lúcio e a megera da Fúlvia tinham arranjado problemas com Octaviano. Claro que ele sabia que ambos tinham agido julgando defenderem os seus interesses pessoais. Mas isso não fez com que ele se sentisse mais amável para com eles. Pelo contrário, estava profundamente aborrecido.

Em segundo lugar, estava já preocupado em planear a guerra que ele julgava ser indispensável contra a Partia, uma vez que as incursões dos partos nas fronteiras orientais do Império se estavam a tornar intoleráveis. Octaviano entendeu essa preocupação e deixou encantado o meu senhor ao oferecer-lhe "de forma espontânea", como Marco Antônio não se cansava de repetir, cinco das melhores legiões da sua campanha. Claro que Octaviano nunca cumpriu essa promessa, mas Marco Antônio nessa altura ainda confiava nele.

Em terceiro lugar e, na minha opinião, o mais importante, Marco Antônio estava tão feliz por ter a possibilidade de estar de novo em boas relações com Octaviano que estaria sempre de acordo com tudo o que essa terrível criatura lhe sugerisse. É por isso que eu digo que ele estava enfeitiçado por ele. Apesar de toda a sua experiência quanto à iniquidade e à traição dos homens e alguma da experiência desse espertalhão hipócrita que era Octaviano, ele ainda confiava nele. Pensava assim porque aquilo que ele sentia por Octaviano era recíproco.

Para ele, isso foi confirmado quando Octaviano propôs que, para selar o seu novo pacto e demonstrar a sua amizade e a perenidade do referido pacto, Marco Antônio se devia casar com a sua irmã Octávia. Ela tinha enviuvado havia pouco e estava disponível. Julgo que, nos últimos tempos, Octaviano se referira ao fato de "ser obrigado a sacrificar a irmã". O que é um absurdo. Ela estava encantada por ter a sorte de poder casar com o meu amo.

XII

Quando me encontrei com Octaviano em Brindes, tudo o que era essencial já havia sido preparado pelos nossos enviados especiais, Asínio Pólio, da minha parte, e esse efeminado bem cheiroso do Mecenas, da parte dele. E, quando nós dois nos reunimos, eu sabia que já tudo tinha sido ajustado meticulosamente. O que para mim foi um alívio.

Abraçamo-nos. Ele tinha o cheiro de suor jovem e de óleo de amêndoas.

E eu disse:

— Sabes bem que, quando estamos juntos, estamos sempre de acordo. Os problemas só surgem quando estamos longe um do outro e a culpa não é minha nem tua. As pessoas tentam afastar-nos um do outro com mentiras.

— É isso mesmo o que eu penso.

— O melhor era vivermos juntos e tudo passaria a ser um mar de rosas.

— Só que as circunstâncias não permitem tal coisa — disse ele. — Mas eu vou fazer uma sugestão que talvez aches ser a primeira grande coisa a pôr em prática. Gostaria que te casasses com a minha irmã Octávia. Como deves saber, o marido dela, o caro Marcelo, morreu há pouco tempo.

— Casar com a tua irmã? Mas isso é conseguirmos o círculo completo.

Fiquei satisfeito por ver que ele ainda era capaz de corar.

— Mas há uma coisa — disse ele. — Este casamento é um expediente, é óbvio, para cimentarmos a nossa aliança política, mas devo dizer-te que amo a minha irmã.

— Pensaria o pior de ti se não gostasses dela. Disseram-me que ela é tão virtuosa como bonita, como de fato sucede contigo.

Ele riu ao ouvir isso e eu voltei a ver nele o rapaz que tinha conhecido antes da morte de César, sem a máscara que se acostumara a usar para se proteger.

— E o que há mais?

— Há Cleópatra.

— A rainha? Mas por quê?

— Correm rumores de que vocês são amantes.

— Rumores... — disse eu. — Esses velhos rumores. Mas está bem. Admito que tivemos umas brincadeiras. Mas eu penso que nem tu conseguias resistir-lhe se ela chegasse a ti desejosa de que a possuísses. A rainha é um prato demasiado forte, e ainda bem que posso ter uma boa esposa romana para me proteger dela.

— Mas há uma única condição que a minha irmã impõe; é que deixes de te encontrar com a rainha do Egito.

— Condição aceita — disse eu.

— E ESTAVA SENDO SINCERO, CRÍTIAS. NA VERDADE, SENTIA-ME LISONjeado por Octaviano me oferecer a irmã. Houve momentos em que eu... ora, bolas para tudo isso! Mas tenho de te dizer que aquela proposta me fazia sentir novamente um romano. E disse isso a Octaviano.

— DEVES SABER QUE HÁ MOMENTOS EM QUE QUALQUER UM QUE ESTEJA no Oriente se sente tentado a tornar-se nativo — disse eu. — O próprio César sentiu isso. Mas tens de entender que a minha relação com a rainha é antes de mais nada política. Eu preciso do Egito. Roma precisa do Egito.

— Roma precisa do Egito — disse ele. — Mas Roma precisa de Cleópatra? O Egito precisa dela?

— Está bem — disse eu. — Eu próprio tenho procurado saber disso.

E abrimos uma garrafa, embora Octaviano, murmurando qualquer coisa a respeito do seu estômago, se limitasse a beber apenas um copo.

E foi só nessa altura, se bem me recordo, que nós nos lembramos de Lépido.

Tínhamos discutido o caso de Pompeu, que ainda dominava na Sicília Mas decidimos de novo que Pompeu podia esperar.

— Ele não é má pessoa, sabes — disse eu. — E seria sensato uma reconciliação com ele.

— Pelo menos será sensato fingir que queremos essa reconciliação — disse Octaviano.

Viajamos juntos para Roma, num outono dourado. E, à medida que fazíamos o nosso caminho para o Norte, através de campos prósperos e de vinhas carregadas de cachos avermelhados, o aspecto das pessoas dava-nos a entender o profundo e intenso temor que deviam ter sofrido nas últimas semanas. Fiquei a par de muitas profecias sobre desastres e perdas que tinham circulado durante o verão. Não iriam acabar — era a pergunta que permanecia no ar — essas lutas entre concidadãos? Não havia inimigos externos, nem qualquer outra cidade italiana que fosse capaz de destruir Roma; mas a guerra civil tinha trazido mágoa e horror à sociedade civil. Sentia, como nunca, que o terrível peso da responsabilidade pelo bem-estar e prosperidade de Roma recaía nos meus ombros e resolvi que nem palavra nem gesto meus iriam pôr em risco a concórdia que tinha sido restabelecida.

E digo agora de forma solene.

— Escreve-o de forma bem clara, Crítias.

No terrível campo de batalha de Farsália, César, enquanto contemplava os pompeianos massacrados, com o rosto imóvel e cinzento pelo gélido da morte, disse:

— Estes tiveram o que mereciam.

E hoje a morte fixa-me por entre a luz áspera do dia e paira sobre a cama onde me deito sem sono. Mas posso afirmar: essa guerra não foi obra minha.

Mas deixa-me dizer-te também isto. Se eu tivesse de escolher novamente Brindes, seria com o intuito de destruir Octaviano. Porque até o seu amigo íntimo e confidente, Salvidieno Rufo, procônsul da Gália, havia sido criticado porque estava disposto a abandoná-lo para se juntar a mim. Lamento que nessa altura de desapego eu tenha sido informado pelo meu colega da deslealdade do amigo e que, após a minha partida da Itália, meses mais tarde, ele tenha denunciado Salvidieno por traição e mandado executá-lo. Ele era um homem de talento que Roma dificilmente podia dispensar.

O meu casamento com Octávia foi celebrado em Roma, sem a aprovação da mãe da noiva. Aliás, eu nunca tive muita sorte e nunca fui bem aceito pelas mães das minhas mulheres.

Octávia era bela como a aurora. A semelhança com o irmão era ao mesmo tempo impressionante e perturbadora. Aproximou-se de mim, desconfiada e relativamente relutante. Mas não levei muito tempo a superar essa distância, e ela acabou por confessar-me que nunca tivera verdadeira satisfação no seu casamento com Marcelo. Quanto a mim, o que posso dizer é que a ousadia da sua resposta excedeu todas as minhas expectativas. Como acontece com muitas mulheres castas e virtuosas, uma vez despertas, Octávia fazia amor com mais ardor que qualquer profissional.

Era muito dedicada ao irmão e eu respeitava esse sentimento. O que ela mais desejava era que continuássemos amigos, e eu podia provar-lhe que esse era também o meu desejo. Mas chegou a confessar-me a sua perplexidade quanto ao caráter dele.

— Para ele é muito difícil agir de forma espontânea — dizia ela.

A sua pele tinha a lisura das pérolas e os membros eram firmes como o alabastro antes de capitularem ao fogo da paixão.

Roma explodia num fermento excessivo que tinha a ver com o alívio e a alegria. Juntávamo-nos para celebrar um triunfo e, mesmo sem vitórias obtidas no campo de batalha que o justificassem, não havia dúvida de que tínhamos conseguido a maior das vitórias: a razão dominara a paixão e a recompensa era a paz. Ergueram-se estátuas à Concórdia, e mandamos cunhar moeda com o bastão de Hermes, o mensageiro dos deuses, e duas mãos apertadas em sinal de amizade, enquanto o verso apresentava duas cornucópias pousadas num globo. Eu próprio fui nomeado sacerdote do divino Júlio César, e Octaviano consentiu em ser chamado "filho de um deus". Em privado ele censurava tais títulos e eu lhe respondia fazendo-lhe lembrar a minha descendência de Hércules.

Oferecíamos banquetes à nobreza e patrocinávamos festas de rua para o povo; e um jovem poeta (de que nunca ouvira falar) chamado Ílio, aparentemente um protegido de Mecenas, cujo gosto pela tura superava o seu gosto em vestuário, leu-nos um poema em que se dizia que o surgimento da idade de ouro devia ser inaugurado com o nascimento, para breve, de uma criança. Era evidente a referência às esperanças que se depositavam no meu casamento com Octávia, e não deixava de ser um amável cumprimento. Julgo lembrar-me de que recompensei adequadamente o jovem bardo com uma corrente de ouro.

Outros afirmaram que o cometa que tinha surgido depois do assassínio de César era um sinal e uma mensagem dessa nova era, e naturalmente os filósofos pitagóricos e os numerosos astrólogos estavam convencidos de que o mundo estava a entrar numa nova época, mais gloriosa.

Como soldado, nunca perdi muito tempo, como talvez devesse, com tais especulações. Mas hoje acho-as bastantes terríveis em relação a mim.

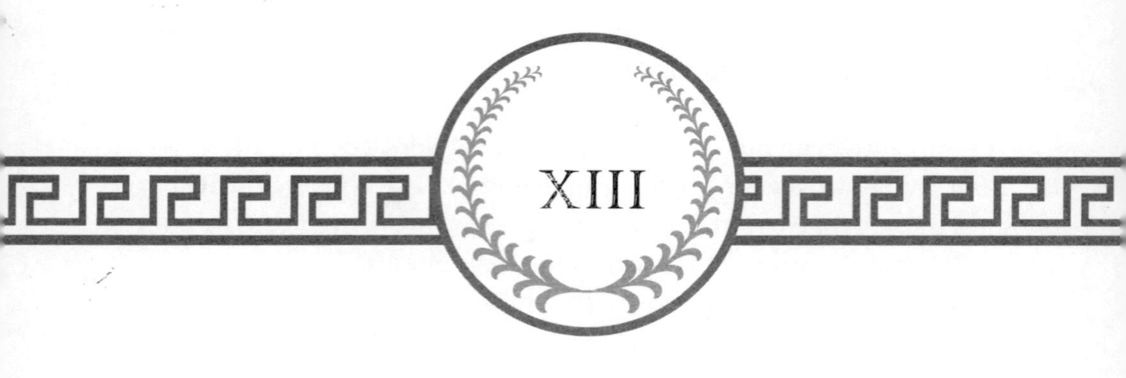

XIII

OCTÁVIA NÃO SABIA SE DEVIA FICAR CHOCADA OU DIVERTIDA QUANDO soube que eu era aclamado como um deus na Ásia.

— Eles acreditam mesmo que tu és a encarnação de Dioniso? — perguntava-me ela, com os seus olhos grandes e inocentes.

— Não sei — disse eu. — Às vezes penso que sim, outras não. Mas agora imagino que há um pouco de verdade em tudo isso. Os orientais são diferentes de nós, romanos. E até os gregos o são. Bem, eles são meio orientais. — (O que quero dizer é tu, Crítias, não faças essa cara de zangado, não estou a insultar-te que eles têm uma forma diferente de entender a realidade.)

— Mas isso me parece evidente — respondeu ela.

— Pensa em Platão — lembrei-me de dizer estupidamente, porque ela certamente não tinha lido uma linha do filósofo. Segundo a minha experiência, não há muitas mulheres que tenham o gosto pela filosofia, e eu não podia exigir que ela fosse diferente. E pensei que, em vez de avançar com tal tema, sobretudo quando a vi olhar para mim daquele jeito, com as suas belas sobrancelhas arqueadas e os lábios vermelhos abertos, que havia outras e melhores coisas a fazer com ela. Mas foi ela que me pediu para continuar. E então eu lhe expliquei a Teoria das Formas de Platão e a noção que ele tinha de que a realidade era algo que estava para lá da nossa experiência imediata, da qual nós tínhamos uma representação expressa em sombras.

Verifiquei que o assunto a interessava e mandei um escravo buscar um exemplar de *A República* e disse-lhe que lesse para ela o mito da caverna.

Por qualquer razão, a leitura tocou-a. Os seus encantadores seios pareceram aumentar. E em seguida afirmou:

— É um texto muito belo e tem certo sentido, mas não o sentido verdadeiro. No entanto, percebo o que tu queres dizer. Eles não pensam que sejas realmente o deus, mas, a seus olhos, surges como a forma que o deus poderia ter se surgisse na Terra. É como se ele existisse dentro de ti. Eles sabem muito bem que tu és Marco Antônio, um general romano, mas acham natural que o deus tenha decidido revelar-se através de ti próprio. Achas que tenho razão?

— É mais ou menos isso — disse eu, beijando-a. — Mas, por outro lado, também lhes convém lisonjear-me. Os orientais dão tudo para bajular as pessoas.

Eu precisava ter cabeça e tempo para me esforçar por compreendê-los. Coisa que muito poucos romanos se têm preocupado em fazer, embora eu sempre imaginasse que Sula tinha tido algumas ideias sobre a forma de pensar dos orientais. Por seu lado, Pompeu ganhou a sua enorme reputação no Oriente, ao atrair para si uma longa clientela de reis, concedendo-lhes a cidadania romana e espalhando favores e privilégios fiscais a muitas cidades. O Oriente o venerava, mas, segundo ouvi dizer, nunca o levou a sério como homem, embora fosse compelido a respeitar o seu poder.

Mas também devo confessar que um século ou mais de ocupação romana poucos benefícios trouxe aos povos submetidos ou a esses reis clientelistas cujo poder se baixava à nossa soberania. Os exércitos romanos tinham devastado as suas terras, os recebedores de impostos tinham exaurido os seus tesouros. Bruto e Cássio, por exemplo, tinham exigido metade do que produzia a Ásia como tributo anual. Mas eu estava decidido a governar de forma diferente.

— Um império não se pode manter suportado apenas pela força bruta. Essa era a lição que gostava de dar a Roma. Nós tínhamos de convencer os gregos e os asiáticos de que não éramos apenas conquistadores larápios e que éramos também sensíveis aos seus próprios interesses. Não bastava demonstrar uma superioridade tolerante. Eu queria também fazer ver que havia boa vontade da nossa parte. Acreditava que, se nós mostrássemos interesse pelos costumes helênicos, pelos seus sentimentos e opiniões, isso seria um sinal de força, e não de fraqueza (como Catão havia pensado, por exemplo, se é que os processos mentais de Catão podem ser dignificados com tal verbo). Uma tal visão das coisas faria muito mais no sentido de reforçar a paz e a concórdia do que qualquer outra atitude. Farei de tudo para demonstrar o meu respeito pelos nativos que tenham riqueza e influência, de forma a assegurar-lhes que estou perante eles como um pastor, e não como um lobo. E virá o dia, como muitas vezes lhes disse, em que os homens de poder das cidades da Ásia irão entrar no Senado romano em pé de igualdade, e não como gente suplicante, sentando-se ao lado dos nobres romanos. E iremos criar — dizia eu — uma nova aristocracia imperial.

E muitos vibravam ao ouvir as minhas palavras.

Era sempre agradável para o homem comum o fato de eu realçar que a minha família descendia de Hércules e dos favores de que eu gozava em relação a Dioniso. Se eles levavam isso a sério e me identificavam com o deus, era coisa que não me desagradava. E devo também confessar que, quando aparecia em frente deles nas grandes cerimônias, com a solenidade de um deus, e era honrado com hinos que me enchiam de orgulho e alegria, me sentia superior a um simples humano. Levava a sério a minha própria divindade, mesmo que uma hora mais tarde, tomando um banho e relaxando os membros, eu fosse obrigado a lembrar-me da minha simples e viril humanidade.

Chegara-me aos ouvidos que Octaviano ridicularizava as minhas alocuções públicas, a ponto de imitar o estilo floreado a que eu costumava recorrer. Até certa medida, percebo a sua atitude, porque eu próprio me ria dos meus discursos. Mas, quando consentia que se recorresse a inscrições do gênero "A Marco Antônio, o maior e o inimitável", eu não estava sendo sensato, mas sucumbindo a uma vaidade tonta. Era uma questão política. Esse Oriente fascinante só sabia entender um dominador que, por sua vez, o fascinasse. E foi o que fiz, proclamando essa grande verdade de que, entre todos os deuses, Dioniso era o único que distribuía prazer e auxílio à pobre humanidade.

Mas é evidente que nem todos os que eu colocava ou assegurava em lugares de poder eram pessoas dignas de admiração. Octávia, por exemplo, odiava Herodes, que eu havia nomeado primeiro tetrarca e depois rei da Judeia. A Judeia, que o Egito reclamava e eu sempre negara a Cleópatra, era a província que mais problemas levantava. Eu não tinha dúvidas de que os judeus eram o povo mais talentoso do mundo. Mas eram também o mais difícil. O que provavelmente era resultado da sua religião. É verdade que todos os povos imaginam que os seus deuses pessoais são os mais poderosos e os mais bondosos e que todos encaram os respectivos deuses com um carinho muito especial. Mas isso é natural e compreensível. E, embora a história demonstre que os deuses são, na maior parte das vezes, indiferentes aos estados e cidades que se acolhem à sua proteção, a verdade geral é a convicção entre os povos de que os deuses que cada um elege como protetores são sempre superiores aos dos outros.

Mas não há nenhum povo que leve tão longe esse princípio como o povo judeu, que insiste em que o deus deles é o único deus verdadeiro e os outros são falsos deuses. E afirmam isso de uma forma que se torna ainda mais ridícula, uma vez que o deus deles é uma simples ideia, sem qualquer representação visível. Nem sequer pronunciam o seu nome e consideram pecado fazer o que fazem os outros povos, que é erguer estátuas em honra das suas divindades. Não admira portanto que as outras nações os desprezem e que, por essa razão, eles se declarem com todo o orgulho o único "povo eleito" dessa divindade anônima. E a certeza da sua posição privilegiada é tal que se tornam rebeldes e arrogantes nas suas relações com os povos que ao longo da história têm sido seus dominadores. E outro elemento dessa sua condição é o de que nunca conseguiram ao longo dos séculos manter-se como nação independente e sempre têm vivido subjugados por outros povos.

E, embora nos seus compromissos políticos sejam normalmente gente ardilosa, traidora e sem princípios, possuem certa virtude obstinada que não posso deixar de admirar. Só muito recentemente me apercebi de que os judeus nunca consentiram em submeter-se de forma direta às leis romanas. Durante bastante tempo tinham-se habituado a ser governados pela hierarquia dos seus sacerdotes, mas esses homens que julgo ocuparem tais cargos de forma hereditária começaram a ser movidos por um arrogante e intratável sentido de nacionalismo. Pompeu tinha confiado a superintendência da província a um alto sacerdote chamado Hircano, cuja conduta veio mais uma vez demonstrar que Pompeu não era um bom avaliador de homens. Lembro-me de Hircano, dos anos em que servi como oficial de cavalaria no exército de Gabínio, e apercebi-me de que ele nunca seria um amigo do povo romano. César tinha tido o bom senso de colocar a vigiá-lo um soldado, sem nascimento nobre, chamado Herodes Antipas, cuja família era oriunda de Idumeia, uma região ao sul do país e que ficava junto à fronteira com o Império Parto. Antipas tinha enviado a César tropas durante a campanha do Egito e podia orgulhar-se de que elas haviam salvado a vida de César em Alexandria. Quando cheguei ao Oriente, decidi confiar nos filhos de Antipas — o velho Herodes Antipas tinha morrido, envenenado pelo partido dos sacerdotes — e especialmente no mais jovem deles, Herodes. É certo que, em determinada altura, Antipas se havia aliado a Cássio; mas, como o jovem Herodes me contou com um sorriso velhaco, que eu achei agradável, Filipo tinha provado que o raciocínio do velho já não era o que devia ser.

Os acontecimentos na Judeia eram imensamente complicados e continuavam a sê-lo.

Mas depressa me vi afastado dos problemas do Oriente. O acordo feito com Sexto Pompeu em Brindes verificou-se pouco consistente e quimérico. Eu havia pensado que a tranquilidade no Ocidente me tinha deixado mão livre para me envolver na guerra contra a Partia. Mas, logo que parti da Itália, ou muito pouco tempo depois, Pompeu, julgando, segundo me disseram, que a minha ausência lhe dava a oportunidade para tal, conduziu as forças de Octaviano da Sardenha e conseguiu bloquear toda a Itália. Houve tumultos em Roma, o povo exigia umas vezes pão, outras vezes, paz. As duas exigências eram afinal apenas uma. A vida de Octaviano estava ameaçada. E ele me escreveu de Roma num estado de agitação pouco habitual nele.

Octávia não me largava, a pedir-me que salvasse o irmão. Não era preciso tanto.

E foram enviados mensageiros e embaixadores. Pompeu, satisfeito por ser tratado de igual para igual, consentiu num encontro em Puteoli. E, para demonstrar a minha confiança nele, convenci Octaviano a concordar com o pedido que lhe fizemos para que o encontro se realizasse na embarcação de Pompeu.

Pedimos a Lépido que viesse da África. E, embora fosse pouco provável que ele pudesse contribuir com algo de importante para as negociações, achei prudente envolvê-lo no caso, mais para evitar que Pompeu o afastasse de nós e formasse uma aliança em separado com ele no caso de o encontro não nos levar a uma solução satisfatória. Eu sabia que Lépido era suscetível à lisonja e, embora fosse descontrolado, as legiões que ele comandava continuavam a ser uma força que devia ser levada em consideração. E, ainda que Octaviano parecesse mais satisfeito se nós o ignorássemos, achei que a sua posição não era a mais sensata; e o meu ponto de vista prevaleceu.

— É uma loucura — protestava Octaviano. — Como podemos ter confiança nele?

E eu disse:

— A confiança somos nós próprios.

— Deixa a retórica para o teatro, Marco Antônio — respondeu-me ele.

— Está bem, meu caro jovem. Mas deixa que te diga duas coisas a respeito de Pompeu. Em primeiro lugar, tenho obrigações para com ele, porque protegeu a minha mãe quando tu e eu infelizmente andávamos desavindos. E isso fará com que ele se sinta à vontade. E, se ele imaginar que eu tenho obrigações para consigo, irá igualmente pensar que confio em si. Jamais chegaremos a um acordo se eu não lhe fizer ver que é isso também o que sinto. Em segundo lugar, e mais importante ainda, ele tem vivido há anos como um proscrito, um inimigo da República. Podes dizer-me que é isso que ele é. Claro que é. Mas não é isso o que ele quer ser. Vendo melhor, ele é um convencional nobre romano e não pode esquecer que na guerra civil com César todos esses a quem esse velho filho da mãe do Cícero chamou os grandes nobres, ele é um dos mais bem-nascidos e do mais elevado nível de todos que estavam do lado do seu pai. O que Pompeu mais deseja, acima de tudo, é ser respeitado e, se nós o tratarmos com amável respeito, acabará por se colocar do nosso lado.

— Muito bem — disse Octaviano. — Mas pode ter a certeza de que nunca estará livre do alcance do punhal dos meus guarda-costas.

Pompeu recebeu-nos com ostentação. Tinha engordado, como acontecera ao pai. Octaviano encarava-o com uma incalculável reserva. Eu o abracei.

— Fica-te bem ser marinheiro — disse eu.

— Acho uma amabilidade da tua parte teres vindo a este encontro, Marco Antônio — respondeu ele, abandonando os leitos macios do Egito.

— Que ideia — disse eu. — Há meses que não sei o que são os leitos macios do Egito. Mudei a minha maneira de ser e agora sou um homem casado e feliz. Esperamos que tu também te modifiques, Sexto.

— Entramos na era da moralidade? — disse ele, rindo. — Vamos ver.

E, depois de termos bebido vinho, ele disse:

— Deixa-me exprimir a minha posição, que é a do meu nobre pai. E deixa-me perguntar-te: sabes por que se opôs ele à ambição de César? Porque ergueram o nobre Bruto e o sábio Cássio as suas espadas contra o ditador?

— Isso é uma velha história — disse Octaviano. — Não é esse assunto que nós viemos aqui ouvir e discutir.

Contudo, Pompeu insistiu.

— Porque eles pensavam que um homem era apenas um homem, e não um rei ou um deus. E foi pela mesma razão que eu, em nome da República, que vocês, como herdeiros de César, tinham reduzido à sujeição e até à servidão, atravessei os mares com a minha armada: para defender os velhos trilhos de Roma e vingar o meu nobre pai, vítima da ingratidão de Roma.

Pompeu tentou demonstrar uma postura nobre nas suas intenções.

— Deixemo-nos disso — voltou a afirmar Octaviano. — Essa República morreu. Todos nós sabemos disso, embora andemos a encher a boca com essa história. Não temos outro remédio, ao ponto a que as coisas chegaram. Mas o teu pai, cuja nobreza não vou pôr em questão, foi o primeiro dos dinastas cuja grandeza veio demonstrar que os velhos métodos já não eram uma maneira prática de governar o Império. Ponhamos de lado essas pretensões e falemos de negócios.

Pompeu olhou para mim com ar de quem não estava interessado naquela forma tão chã de falar e achasse que devíamos continuar a agir como senadores dos velhos tempos, debatendo as matérias pela noite adentro, sem se lembrar de que nos havíamos transformado em pessoas diferentes, movidos pelas circunstâncias.

Mas eu não o encorajei. E, em vez disso, disse:

— Deves ter tido tempo para te inteirar das propostas que os nossos embaixadores te transmitiram.

— Claro que sim — disse ele com ar aborrecido, como alguém a quem tivessem pregado uma peça.

— Garantimos-te o governo da Sicília e da Sardenha — disse Octaviano. — Em troca, irás limpar os mares dos piratas, um dever filial na medida em que o teu augusto pai foi um dos homens que mais se esforçaram por isso em tempos idos; e deves encarregar-te, com a promessa solene que exigimos de ti, de organizar uma frota transportadora do cereal indispensável para a alimentação de Roma e garantir a sua livre circulação no futuro.

— Isso mesmo — disse Lépido, falando pela primeira vez. Normalmente loquaz, tinha ficado envergonhado pela indiferença com que o havíamos tratado.

Pompeu parecia hesitante. Olhou por momentos para o céu, em seguida para o vasto mar, como se estivesse a farejar alguma patifaria. Encarou Octaviano, mas baixou o olhar, perante a fixidez do rapaz.

Então Pompeu voltou-se para mim e disse:

— Vim aqui com a determinação de aceitar a vossa oferta. Mas na vossa presença senti renascerem velhos ressentimentos, esse ódio justificado que eu venho alimentando há muito. Além disso, o teu colega olhou para mim com tal desdém que estive tentado a dizer que podiam ficar com a vossa oferta. Posso confiar em vocês?

— Nós confiamos em ti — disse eu. — Estamos no teu navio, à tua mercê. Portanto, deves confiar em nós.

— Está bem — respondeu ele.

Essa é a versão oficial, e, na realidade, as coisas foram muito semelhantes ao que atrás fica dito, apesar de eu sempre ter pensado que essa conversa nunca passou de uma charada. Mas o meu amo acreditava nela, embora eu tenha certeza de que no caso de Octaviano isso não aconteceu. Para ele, a confiança, ou aquilo que tivesse a sua aparência, não passava de um gesto teatral. O que ele poderia ter feito era limitar-se a não apertar a corda com a qual pretendia asfixiar o próprio Pompeu. E tenho de admitir que a ideia que ele fazia de Pompeu era muito mais arguta que a do meu amo. Octaviano, na minha opinião, era, e é, um rematado cínico. E, como nunca em toda a sua vida respeitou um acordo, também não estava à espera de que Pompeu levasse a sério um compromisso. Mas conseguiu o que queria: o trigo que fazia falta a Roma.

Nessa noite, como toda a gente sabe, ou sabia, como devo dizer — quem pode adivinhar o grau de ignorância de quem vier a ler esta narrativa. Pompeu ofereceu um banquete no convés do seu navio almirante. Era a primeira e feliz ocasião em que podia estar presente, segundo a minha posição privilegiada de elemento da comitiva do meu amo. O leitor poderá pensar, ao ouvi-los falar, que o triunvirato que mandava em Roma era formado pelo meu amo,

Octaviano e Pompeu, e que Lépido, de quem eles pareciam troçar, ficava de fora. É certo que ele fez tudo para isso. Não largou o meu amo com perguntas sobre o Egito, o que significava grande falta de tato, sobretudo na presença de Octaviano, porque todos sabiam que, quando ele se referia ao Egito, só estava, no fundo, pensando em Cleópatra. Talvez ele quisesse provocar uma discussão entre o meu amo e Octaviano da qual pudesse conseguir algum benefício, o desgraçado. Mas meu amo estava demasiado bem-disposto para se sentir provocado. De qualquer modo, o vinho não levou muito tempo a conseguir sobrepor-se à pouca inteligência de que Lépido se podia gabar. E isso confirmou-se com aquilo que eu ouvi: que ele agora se embebedava com frequência e que o álcool o estupidificava e a sua estupidez ficava ainda maior do que aquela com que os deuses infelizmente o haviam dotado.

— Que espécie de animal é o crocodilo, não me sabem dizer?

— Bem, já que queres saber — respondeu-lhe o meu amo —, tem a forma que tem. É tão comprido como largo e tem a altura do próprio peso. Vive do próprio alimento e desloca-se quando quer e deseja.

— Ah, sim? É fantástico. E que cor tem?

— É da cor de crocodilo.

— Da cor de crocodilo? Que estranho!

— Precisamente. E, quando chora, as suas lágrimas são úmidas.

— Que prodígio!

— Estás satisfeito com a descrição? — perguntou Octaviano. — Agora já és capaz de imaginar o bicho?

— Que coisa prodigiosa! — Lépido abanou a cabeça e voltou a beber.

Durante essa conversa, Pompeu manteve-se sentado ao lado do seu almirante Menas, que falava com ele de forma que me pareceu ansiosa, fazendo gestos na direção do navio. Eu estava perto deles e podia ouvir o mais importante da conversa, farejando alguma traição.

Ouvi Pompeu dizer.

— Por que dizes isso? Agiste como achaste melhor e segundo o teu parecer, e com isso prestaste-me um serviço. Mas isso eu não faço.

— Podes tornar-te o senhor do mundo — disse Menas.

— E tu podes fazer isso por mim.

Muitas vezes ponderei aquelas palavras. Suspeitei aquilo que mais tarde foi confirmado por Aenobarbo, a quem Menas, por sua vez, confidenciara, que o almirante queria forçar Pompeu a cortar o cabo que amarrava o barco ao cais, para que este ficasse à deriva, e depois assassinasse meu amo, juntamente com Octaviano e Lépido.

E por que não o fez Pompeu?

Diz-se que ele afirmou que se tratava de uma questão de honra. Que tinha dado a sua palavra e assegurado aos seus hóspedes toda a segurança. Mas há pessoas que não conseguem ter gestos como esses. Tenho certeza de que, se a situação fosse o oposto, Octaviano teria cortado o cabo com as próprias mãos e não deixaria escapar tal oportunidade.

Continuaram a beber. Lépido começou a ficar pálido e depois esverdeado, vomitou, voltou a beber outra taça, bolsou uma série de asneiras, ergueu-se para abraçar Pompeu, cambaleou, caiu e foi levado por um soldado.

— Lépido é um homem forte — disse alguém. — Consegue carregar a terça parte do mundo.

— A terça parte da bebedeira do mundo.

— O mesmo acontece aos outros dois.

— Não com Octaviano, não com o nosso César. É demasiado prudente. Não sei se repararam, mas, de todos os copos que enchia, ele limitava-se a beber um gole e, quando via que ninguém estava a olhar, jogava fora o resto do vinho.

Uma lua cheia, de um amarelo-palha, erguia-se no alto da noite de verão. Soprava uma leve e quente brisa vinda do sul. Houve alguém que se aproximou para colocar grinaldas de flores em volta do pescoço dos generais. Os homens começaram a falar de antigas batalhas, de feitos de armas, de aventuras; a guerra, que durante toda essa manhã tinha pairado, com a sua sombra ameaçadora, por cima de todos, tornava-se agora motivo para evocações sentimentais. Alguns davam gargalhadas, outros contavam anedotas ordinárias e escabrosas, como são sempre as dos soldados. Até o próprio segurança de Octaviano deixara cair a mão do cabo da sua adaga. Um criado de bordo, um efebo de cabelo encaracolado, fez-me uns olhos atrevidos que prometiam prazeres futuros.

O meu amo ergueu-se, gingando, agarrou Pompeu por uma das mãos e Octaviano pela outra e levou-os para a zona aberta do convés. Chamou os músicos para que tocassem algo e, em seguida, os três, abraçados, começaram a dançar. O meu amo erguia os calcanhares, Pompeu acompanhava-o e soltava gritos de alegria exultante. E eu pensei, como sempre, que há algo de imaturo, algo de perpétua adolescência, nestes nobres romanos; algo que nós, gregos, normalmente encaramos com um certo desdém, mas que provavelmente é uma das razões por que hoje são eles, e não nós, os senhores do mundo. Possuem uma vigorosa sensualidade animal, uma tremenda vitalidade que lhes permite penetrar com a maior sinceridade no espírito do momento e esquecer com exuberância a dignidade que à sóbria luz do dia se mostram orgulhosos de exibir. Ao ver meu amo e Pompeu dançando, rodopiando à volta um do outro, sem parar, num círculo ininterrupto, e cada vez mais depressa, transmitindo uma extraordinária despreocupação por si próprios e que sempre pensei ser o segredo do seu sucesso. Conseguem, no meio da vida, manter a capacidade de aproveitar os momentos e de gozá-los. Porque acreditam que estão para além de quaisquer críticas e que podem fazer toda a espécie de loucuras, como rapazes de idade escolar que sabem que o mundo foi criado para seu prazer.

Mas Octaviano não conseguia esquecer-se de si, como acontecia aos outros. Havia uma parte dele, como pude apreciar, que velava pelas distrações com que ele, de forma muito menos franca e descontrolada, procurava acompanhar o meu amo e Pompeu. O seu olhar continuava atento. Claro que partilhava, mudo e reservado como era, essa quebra momentânea de tensão que provocara e animara a dança. Mas ele foi o primeiro a parar, enquanto o meu amo e Pompeu, levados por um frenesi dionisíaco, tão entregues a si próprios pela embriaguez dos seus saltos selvagens, nem repararam que ele deixara de dançar com eles.

Octaviano reparou que eu o observava e sorriu. Em seguida, a lua desapareceu por trás de uma nuvem e o céu ficou escuro. E pouco depois começou a chover.

Octávia pensava que ia conseguir manter meu amo junto dela em Atenas. Ela gostava da cidade e da forma como ele se comportava a seu lado: decente, doméstico e feliz por se entregar a trabalhos intelectuais. Iam ambos ao teatro e ouviam os debates no Liceu, debates esses em que o meu amo gostava de intervir. Embora pouca gente em Roma acreditasse nisso, a verdade é que ele gostava de argumentar sobre questões abstratas como a natureza da justiça, por exemplo.

Além disso, vivendo sem problemas com Octávia, a sua saúde melhorava, e, com ela, o seu temperamento. Não pretendo sugerir que o meu amo fosse até então uma pessoa arrogante. Mas não há dúvida de que era um temperamental, com altos e baixos, umas vezes encantado, outras desencantado com a vida. Mas isso, como eu já tinha reparado, era o que acontecia aos homens que estão habituados a beber demais. A embriaguez perturba a normal maneira de andar; e o hábito de beber faz o mesmo em relação à forma de pensar. Vivendo com Octávia, o meu amo raramente bebia em demasia. E nunca mais que duas canecas de vinho, quantidade que, graças à sua forte constituição, o levava a não ficar descontrolado. Só quando estava com os seus homens de combate, em Roma, ou, infelizmente, mais tarde, quando na companhia da rainha, ele excedia essa medida, o que lhe provocava efeitos lamentáveis.

Houve um acadêmico grego, não me lembro qual, que escreveu um tratado sobre a influência do vinho no intelecto e na alma que deve ser lido, na minha opinião, por todos os jovens bem nascidos, quando chegam à idade adulta. A sedução do vinho é como a das bailarinas, poderosa e corruptora. A partir de certo ponto, um alcoólico só pensa numa coisa: na necessidade de beber mais um copo, e depois outro, sucessivamente. Perde a noção da realidade e vê as coisas em proporções falseadas. A boa conta e medida, que pode proporcionar a felicidade e é uma poderosa ajuda para se alcançar o sucesso, é algo que escapa ao alcoólico. E essa foi a triste experiência do meu amo. Mas, nesses dias felizes em Atenas, ele parecia ter alcançado uma segunda vida dourada. Ninguém podia duvidar de que ele fosse não só o mais magnífico dos homens, mas também o favorito dos deuses, e os seus sucessos ultrapassavam de longe os dos restantes mortais.

Eu costumava ir com ele ao ginásio, onde se exercitava de uma forma que era mais de um grego do que de um romano. Despido e massageado com óleos para a luta romana ou para o levantamento de pesos, só uma espécie de rolo de gordura à volta do ventre deixava perceber que era um homem com mais de quarenta anos. A sua beleza máscula fazia parecer ter metade da idade. Digo isso como confidência de quem é apreciador deste gênero de beleza, embora os meus gostos se inclinassem desde sempre para os efebos, sem formas definidas, um pouco até efeminadas, ao contrário da beleza pujante de um homem maduro e viril. O que, como devem pensar só me tem causado dissabores. Mas devo reconhecer que o meu amo, nesses dias em Atenas, ainda constituía o exemplo supremo da beleza masculina que me foi dado conhecer.

Estou completamente certo de que Octávia o adorava. O que a princípio deve ter sido contra a sua vontade. Ela casara com ele porque o irmão lhe pedira. E julgo que o fizera sem a mínima esperança de ser feliz, apenas por dever, por razões políticas de que tinha perfeita consciência. Embora tivesse uma criança do seu primeiro marido, Caio Marcelo, cônsul no ano anterior ao que César desencadeara a guerra civil ao marchar com as suas tropas atravessando o Rubicão, Octávia tinha fracas recordações desse tímido e distante marido.

Ao verificar a dedicação que eu tinha a meu amo, para ela foi uma felicidade tornar-me seu confidente. O que só abonava quanto à sua inteligência e à sua generosidade. Imagino que tenha pensado que eu devia ter sido catamita de meu amo e havia, evidentemente, muitas pessoas interessadas em lhe dizer isso; mas isso não afetou a sua atitude em relação a mim, nem a forma agradável com que me tratava. A verdade é que ela se apercebia bem da minha incondicional e verdadeira devoção por ele. E teve ainda a feliz ideia de pensar que eu devia ter a obrigação de o conhecer melhor que ela e que podia ajudá-la naquilo que melhor soubesse para lhe ser agradável.

— Faça por diverti-lo — dizia-lhe eu. — O meu amo aborrece-se com facilidade, precisa de risos e de alegria.

— E como fazia Cleópatra para o divertir?

— Esqueça a rainha, que é coisa passada — dizia-lhe eu. — O que possa ter acontecido entre os dois não irá certamente perturbar agora a vossa relação.

— Mas não é verdade que ela o aborreceu ao dar à luz filhos gêmeos?

— É verdade que ela deu à luz filhos gêmeos.

— E ele os perfilhou?

— Sabe bem como ele é. Ele não queria desgostar uma mulher, especialmente uma mulher como a rainha de quem necessitava por razões políticas. Eles podiam ser seus filhos. Não posso dizer que não fosse possível. Tal como seu filho mais velho podia ser filho de César. E deve saber, com certeza, que ela lhe deu o nome de Cesarião. Mas quem pode saber a verdade? O que interessa é que isso pertence ao passado, posso garantir-lhe.

E eu não estava mentindo quando lhe dava essa garantia. Estava totalmente convencido de que o meu amo se tinha libertado completamente das teias de Cleópatra.

— Que gênero de mulher é ela? É realmente bonita?

— Não, não se pode dizer que seja bonita, de maneira nenhuma. Devia ver o queixo que ela tem, comprido e bastante curvo. E estava ficando gorda, porque ela é muito glutona e gosta pouco de fazer exercício, a não ser quando quer dar prazer a um amante.

— Ouvi dizer que é uma perita em exercícios de cama.

— É verdade; mas fico sabendo agora que esse tipo de atividade mantém uma pessoa magra.

Como se deve perceber, eu fazia tudo para que Octávia deixasse de pensar na rainha; coisa que facilmente se podia tornar para ela uma obsessão. E o meu amo gostava de sentir-se livre. Não suportava o ciúme nas mulheres. Isso foi uma das coisas que mais o fizeram desagradar-se de Fúlvia, que ficava com ciúmes de uma pessoa só porque o marido alguma vez tinha sorrido para ela.

Octávia dizia:

— É claro que o adoro e tu sabes disso, Crítias, e adoro também o meu irmão. Nós sempre fomos muito ligados, e mais do que é habitual. A nossa infância teria sido muito infeliz se não tivéssemos um ao outro. E não há nada que eu mais desejasse preservar que a amizade entre os dois.

— Mas há, minha cara ama, pessoas que só desejam que o vosso irmão destrua essa amizade.

— E as que só estão à espera de que o meu marido faça o mesmo — disse ela, sorrindo. — Por exemplo, Ventídio. Espero que tu, Crítias, me digas alguma coisa se por acaso souberes que há alguém que ande dizendo a meu marido coisas ruins sobre o meu irmão. Eu sei que ele confia em ti muitos segredos e estou certa de que tem razões para fazê-lo. Mas deves saber também que o secretismo entre marido e mulher é destrutivo. Tenho certeza de que estás de acordo comigo de que a paz no mundo depende da capacidade constante de o meu marido e o meu irmão trabalharem em harmonia. Que palavra maravilhosa, harmonia, não achas? Por isso te peço que me ajudes.

Eu não podia dizer-lhe que não. Em primeiro lugar, porque Octávia era tão doce comigo que, se eu não fosse como sou e não tivesse a posição que tenho, facilmente me apaixonaria por ela.

Acho que não lhe disse nada sobre Ventídio, pessoa em que ela afirmara não confiar. Isto sobretudo devido às suas maneiras abruptas e ao seu modo brusco de falar que ficaria bem num acampamento, e nunca num salão feminino. Confesso que eu próprio não tinha grandes razões para gostar dele. Tinha certo receio dele, e ele sempre me tratou com desprezo, e não como uma pessoa.

Públio Ventídio ou Ventídio Basso, como alguns o chamavam, talvez sem razão era um homem que tinha adquirido nome na guerra, e nada sabia da vida real; só conhecia a vida da tropa. As suas origens eram obscuras. Alguns diziam que tinha nascido em Áuximo, uma cidade italiana sem importância. Deve haver nessa cidade uma família que tem esse nome, a dos magistrados municipais que incorreram na ira de Pompeu e foram obrigados a deixar a sua cidade natal. Havia quem dissesse que o jovem Ventídio tinha sido feito escravo em criança e trazido em triunfo como cativo por Pompeu Estrabão. O certo é que tanto a sua infância como a sua juventude sempre permaneceram obscuras. Ele nunca falava delas, o que só queria dizer que não haveria nada de notável nas suas origens. Ao que parece, nos primórdios da sua idade adulta tinha servido como simples soldado; o próprio Cícero tinha afirmado que ele tinha sido tratador de animais, mas, como toda a gente sabe, tudo o que Cícero dizia sobre os seus inimigos políticos era suspeito; nunca existiu um mentiroso igual a ele, nem o próprio Octaviano se lhe aproximava nesse aspecto. As únicas informações que temos dele dizem respeito à profissão de Ventídio enquanto contratador do exército, fornecendo muares e outros préstimos a César. A sua eficiência era notável. Foi promovido, lutou nos exércitos de César durante a guerra civil e, depois do assassínio do ditador, ligou-se pessoalmente a meu amo. Foi eficiente na derrota de Décimo Bruto, mas mais tarde falhou no cerco de Perúsia. Mas esta sua falha não foi relevante e meu amo continuou a confiar nele. Por exemplo, nomeou-o comandante do exército enviado para a Síria para controlar a invasão de Pácoro, o príncipe parto; e foi de tal modo bem-sucedido que acabou por ser recompensado com um triunfo uma honra de que um carregador de mulas não era merecedor, dizia-se.

Ventídio pertencia a essa espécie de romanos que os gregos e orientais detestam. Era um bruto que não tinha paciência para nada que não percebesse e estava totalmente convencido de que os romanos eram superiores aos outros povos em tudo. (Apesar de não ser romano, mas apenas italiano.)

Mas era um general corajoso e a sua dedicação a meu amo, absoluta. Reconhecendo isso, meu amo confiava nele da mesma maneira. Mas infelizmente a inteligência de Ventídio só o levava a ser verdadeiramente leal nas questões militares. E não era capaz de entender que a amizade entre meu amo e Octaviano fosse do interesse de todos. Tinha sido um fervoroso admirador de César, mas detestava Octaviano. "Esse rapaz é tão falso", dizia ele, "que é capaz de convencer uma pessoa de que caga pregos torcidos". No fundo, ele não suportava os seus gestos efeminados. E era um dos poucos que acreditavam plenamente que ele havia sido o favorito de César, e nisso talvez tivesse razão. E sabia, como toda a gente, que, durante certo tempo, Octaviano tinha sido amante de Décimo Bruto, a quem o meu amo chamava "Rato", o qual Ventídio também odiava, por que, segundo as suas próprias palavras, era "um degenerado maricas". E, finalmente, o fato de Mecenas ser um dos seus amigos íntimos provocava-lhe vômitos, como ele costumava também dizer. Mas o que tornava tudo isso ainda mais estranho, e, quanto a mim, mais odioso, era a história que se contava sobre ele. Depois do seu triunfo, Ventídio tinha violado um dos jovens príncipes partos que havia capturado antes de o rapaz ser estrangulado na prisão de Mamertina. Pode-se portanto entender a razão por que eu achava que ele era um monstro. Se todos os romanos fossem iguais a ele, então seriam realmente os autênticos animais que os gregos pensam que são.

E Octávia tinha toda a razão ao recear a influência que ele pudesse exercer junto do marido. E não havia dúvidas de que ele acicatava meu amo contra Octaviano, dizendo-lhe constantemente que ele não era de confiança. É certo que tinha razão, sobretudo quando as coisas começaram a correr mal. Curiosamente, meu amo, que não permitia que ninguém dissesse mal de Octaviano, o "seu irmão mais querido", a Ventídio deixava-o dizer o que lhe apetecesse sobre ele.

Mas havia ainda outra coisa que fazia com que ele estivesse nas boas graças de meu amo: era o fato de Ventídio ter um repertório imenso de anedotas obscenas, que vinham provavelmente dos tempos em que fora negociante de mulas. Eram evidentemente graçolas de tal indecência escatológica que podíamos pensar que o homem sofria de alguma doença mental. Meu amo costumava dizer que gostava de falar mal depois de comer porque esse era o único tipo de conversa em que toda a gente podia participar; e, de fato, a maioria dos homens pelam-se por uma anedota porca. Mas Ventídio ultrapassava todas as marcas. E não posso impedir-me de repetir algumas das suas piadas mais escolhidas. Cleópatra, que, por sua vez, tinha um espírito que eu cheguei a comparar ao da Cloaca Máxima, o Grande Cano de Esgoto de Roma, gozava particularmente com uma anedota realmente nojenta sobre a sacerdotisa de Diana em Efeso, onde entravam também duas velas e um burro. Mas, francamente, não consigo repeti-la, nem mesmo para ilustrar a baixa natureza de Ventídio.

E era de esperar que Octávia, tão recatada, graciosa e verdadeiramente elegante, não pudesse aguentar um bruto da espécie de Ventídio.

Eu lhe dizia muitas vezes que pelo menos fingisse tolerá-lo, graças às suas qualidades militares, as únicas que possuía e que o meu amo tanto apreciava. Mas ela não conseguia, o que lhe custou caro mais tarde. E, mesmo que meu amo soubesse que Ventídio estava sendo bajulador ao dizer que os exércitos de Marco Antônio obtinham maiores glórias quando o imperador estava ausente, ele não deixava de aceitar isso como mais um exemplo daquilo que ele gostava de chamar "a honestidade bruta de um velho militar"; e por isso estava sempre pronto a acreditar em Ventídio quando este lhe vinha instilar aos ouvidos frases venenosas em relação a Octávia. Mesmo o homem mais nobre acaba por acreditar em mentiras quando elas lhe são ditas de forma persistente. A razão do meu amo protestava contra a insinuação de que sua mulher defendia mais os interesses do irmão do que os do próprio marido; mas, quando ele começou a ver que os interesses de ambos podiam divergir, foi-lhe mais fácil acreditar nas suspeitas que Ventídio, entre outros, de forma tão diligente alimentava.

E, para azar maior, depressa se tornou evidente que o acordo celebrado com Sexto Pompeu era um acordo frágil. E não se sabia bem a quem imputar a responsabilidade de tal. Octaviano criticava Pompeu, Pompeu criticava Octaviano. Eu mantive as cartas que ambos escreviam a meu amo, todas a protestar contra o mau procedimento um do outro. Francamente, era penoso ler um tal conjunto de mentiras que quase sempre deixavam meu amo perplexo. A verdade é que tanto Pompeu como Octaviano queriam a guerra, e, quando os homens estão nessa disposição, mais parecem veados apanhados numa armadilha ou cadelas no cio.

Octaviano, sem consultar meu amo, mas pedindo-lhe que lhe enviasse barcos e legiões, invadiu a Sicília. E, mais devido à sorte do que a um bom comando, porque ele em campo de batalha nunca deixou de ser um chefe bastante incompetente, Octaviano saiu vitorioso e salvo a tempo por Agripa de dificuldades que ele próprio tinha criado. Pompeu abandonou a ilha, levando consigo apenas três legiões, e durante meses desencadeou uma guerra às cegas, que era um simples ato de banditismo, na Ásia. E foi então que surgiu o dever dos generais do meu amo de o capturarem, o que eles fizeram com sucesso, se o fim não tivesse sido vergonhoso. As coisas passaram-se do seguinte modo: Pompeu, uma vez prisioneiro, foi executado. "Cruel necessidade", disse o meu senhor quando lhe vieram com a notícia. Acho que César devia ter dito as mesmas palavras quando lhe mostraram a cabeça decapitada do grande Pompeu.

E, a somar a isso, vieram mais novidades inquietantes da Sicília. Chegou uma carta de um dos agentes do meu amo, o qual, porque ainda vive e está agora a gozar das boas graças de Octaviano, não menciono aqui. Acho que ele não gostaria que o lembrassem do que escreveu a meu amo sobre o homem que agora serve.

Mas aqui fica:

Pedis-me um relatório sobre o que anda no ar por estas bandas. A minha dificuldade é perceber o que é teatro e o que é realidade.

Deveis saber que, quando Sexto abandonou a ilha, o seu lugar-tenente, Plínio Rufo, continuou na posse de Messina com oito legiões. Sendo ele, como sabeis, um homem sensível, não encontrou razão para continuar a guerra em nome de um general que o havia abandonado. E dispôs-se a render-se.

O vosso colega Lépido, cuja ajuda para derrubar Pompeu tinha sido solicitada por outro colega vosso, ficou satisfeito com isso, porque, sem essa ajuda, a sua natural incapacidade poder-nos-ia ter levado à derrota, escolhendo agora o momento para reivindicar os seus direitos. Acreditando, e com razão, que fora ele quem contribuíra para a vitória, declarou que ele era a única pessoa que podia aceitar a rendição. Octaviano estava ausente em Siracusa, onde ele se dispunha a colher as simpatias dos cidadãos, sacrificando aos deuses locais que, como sabeis, são uma centena deles, o que ia levar o seu tempo.

Lépido estava agora em posição de subjugar Agripa, tendo em conta a sua superioridade, e tomou o comando das oito legiões de Plínio. E, em consequência disso, viu-se a comandar vinte e duas legiões, um exército fantástico, se acaso conseguisse que todas as legiões se lhe mantivessem fiéis. E não havia razão para que isso não acontecesse. Lépido não será grande comandante, todos nós sabemos, mas a sua reputação é sem dúvida superior à de Octaviano.

Mas, praticamente em seguida, acabou por ficar em maus lençóis. E antes de ter unido as suas próprias legiões às que até então tinham servido Pompeu e de estabelecer a ordem e a disciplina no seu novo exército, ordenou, sim, ordenou a Octaviano que abandonasse a Sicília em seu favor.

O que aconteceu em seguida, o que não vos deve surpreender, foi a existência de diversas versões sobre o assunto.

Alguns dizem que Octaviano o que fez foi arrumar as malas e partir.

Não sei. Mas não seria a primeira vez.

Mas, se o fez, depressa mudou de ideia. Chegaram-lhe notícias de que os acampamentos de Lépido estavam desorganizados: alguns homens tinham desertado e outros andavam permanentemente bêbados.

E, tendo isso em conta, Octaviano avaliou as suas possibilidades. Eu não tenho dúvidas de que tudo tinha sido combinado antecipadamente, mas ele fez com que as coisas parecessem espontâneas.

Apresentou-se de manhã cedo no acampamento de Lépido, antes de este ter saído da cama, e, tendo Agripa do seu lado, ordenou aos homens que formassem.

E em seguida dirigiu-lhes a palavra, chamando-os "camaradas romanos", anunciando-lhes que era César.

Este nome ainda possui a sua antiga magia e ele, ao ver o efeito produzido, retirou do peito o escudo e desafiou quem quer que fosse a lutar com ele. (Mas a mão de Agripa nunca largou o punho da sua espada, podeis ter certeza.) Claro que ninguém se atreveu. E o nosso rapazinho fez um discurso sobre eles muito mais convincente que qualquer senador.

E disse o seguinte, que eu soube por alguém que estava presente:

"Recebi do vosso general uma carta a dizer-me que eu partisse da Sicília. Não é uma carta de amigo, embora Lépido não tenha razões para estar contra mim. Por isso me encontro aqui pedindo a vossa opinião. Devo obedecer ao vosso general?

Sabeis bem como os soldados aceitam a ironia, que no fundo é a sua forma de falar favorita. E o nosso rapazinho então excedeu-se. Disse que tinha ficado realmente alarmado quando recebeu a carta, "conhecendo Lépido como eu conheço", o que fez erguer um coro de gargalhadas. "Agripa", disse ele, "está aqui desejoso de fugir e de voltar para Roma. Mas eu", continuou ele, "lembrei-me de duas coisas: o que irá acontecer se Lépido nos perseguir até Roma e nos obrigar a deixar também a cidade? Teremos de nos pôr novamente em fuga, e nunca mais pararemos. Esta é a primeira coisa. A segunda é a seguinte: eu não sei se os soldados de Lépido, homens que obtiveram vitórias gloriosas sob o seu comando, estão de acordo com o seu general. E gostaria de saber se eles estão realmente interessados em ver-me pelas costas. E foi isso que vim aqui perguntar-vos.

E devíeis estar no seu lugar, para ver o que aconteceu. O rapazote conseguiu aquilo que queria. Os homens apertaram-se à sua volta. E ele lhes prometeu quintas, somas em dinheiro, o que podeis imaginar, assegurando-lhes que, se os homens do Tesouro não lhe fornecessem montantes, ele próprio os obteria através dos seus banqueiros. E eles o aplaudiram delirantemente. Era o fim do vosso outro nobre colega Lépido; estava acabado. Agora ficariam só dois: vós e Octaviano. E, a propósito, ele achou bem que Lépido passasse a ser Pontifex Maximul. Foi um gesto decente da parte dele, não estais de acordo? E disse ainda que era por causa do seu respeito pelas formalidades religiosas... "Não me digas tal, não posso acreditar", dirá o meu general, porque estou mesmo a imaginar o ar incrédulo que deve ter aflorado ao vosso rosto ao lerdes isso.

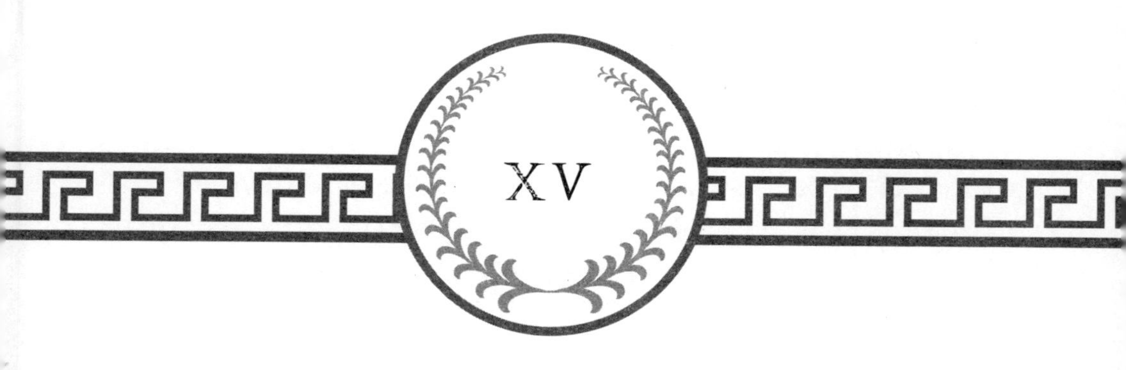

Os historiadores dirão que eu estava acabado como se isso pudesse alguma vez acontecer-me devido à minha negligência em relação a Roma e à Itália e absorvido pelos negócios do Oriente. Mas não serão os historiadores que vão entender o significado ou as exigências do Império. Ocupados com as políticas mesquinhas da cidade e do Senado, não conseguem ver o rochedo onde se apoia a supremacia de Roma. Quantas vezes tenho perguntado a mim mesmo, não é verdade, Crítias? O que sabem de Roma aqueles que só conhecem Roma?

Conseguimos o nosso Império quase por acaso, e não certamente com políticas do Senado. Todos os homens de poder que encontrei na minha vida e alguns até anteriores a mim reconheceram isso. Sula e o Grande Pompeu foram os arquitetos do Império, unindo a Roma, cidades suas clientes que se estendiam pelo enorme deserto para lá da Síria, fazendo eles próprios alianças com reis e príncipes nativos. Mas para lá do Império estende-se a única rival de Roma em poder, a Partia, que sucedeu ao Império da Pérsia e que se estende para além dos limites das conquistas de Alexandre, para a índia fabulosa.

Fiquei a perceber desde jovem, e devido ao estudo daquilo que os professores gregos chamam "geopolítica", que a segurança do Império exigia a submissão da Partia, não a sua sujeição, porque essa ultrapassa-nos, mas a sua submissão à vontade de Roma.

Marco Licínio Crasso, o gordo milionário que formou o primeiro triunvirato com César e Pompeu, devia ter sonhado ser igual aos seus colegas em glória e fama quando se decidiu fazer a guerra na Partia, mas por trás dessa ignóbil ambição havia a consciência de que na Partia, como na velha Cartago, não seria permitido sobreviver sem controle, uma vez que era nossa concorrente, rivalizando com Roma em influência sobre os reinos nossos clientes e que serviam como tampões entre os dois impérios. E o mais importante é a Armênia.

Crasso, como toda a gente sabe, conduziu o seu exército pelo caminho mais curto e direto, tentando atingir o coração do Império Parto. Mas isso exigia que ele atravessasse o deserto, onde a cavalaria estava em vantagem, o que teve como resultado a derrota por ele sofrida em Garras, um nome estranhamente semelhante ao da batalha em que Aníbal destruiu dois exércitos romanos. Crasso foi morto, o seu exército massacrado ou levado para o cativeiro, os interesses de Roma espezinhados e o nosso prestígio arrastado pela lama.

Depois, durante a guerra civil entre César e Pompeu, esses reis que foram criados por Pompeu viraram-se para a Partia à procura de apoios; e continuaram a fazê-lo depois do assassinato de César. Os partos enviaram ajuda a Bruto e a Cássio antes da batalha de Filipos; e esse resoluto pompeiano Quinto Labieno chegou até a servir no exército da Partia com um nome parto.

César tinha planeado uma campanha contra o império rival. Alguns, como Rato Bruto, afirmaram que ele pensara em tal porque se aborrecia em Roma e que isso o distraía do encargo de ter de reordenar a República, coisa que o ultrapassava. Mas eu sei que não era assim. Rato Bruto tinha um ponto de vista míope e que é comum àqueles que não foram confrontados com as exigências e a natureza do nosso Império, àqueles que pensam que a política da nossa classe nobre é a questão central e essencial. César era mais sábio: esse erguia o olhar para o horizonte e conseguia descortinar o amplo espaço que se estendia à sua frente.

O assassinato de César e o que se lhe seguiu tornaram impossível essa guerra necessária. E, enquanto eu estava empenhado em resolver o legado que nos deixara a guerra civil, no ano em que foi assinado o Pacto de Brundísio, os partos invadiram a Síria. Ventídio, meu lugar-tenente, obedecendo fielmente às minhas instruções e seguindo a estratégia que eu lhe aconselhara, conseguiu pô-los em debandada numa campanha que fez com que os nossos exércitos viessem a alcançar a fama perdida.

E isso deu-nos algum tempo para respirar.

As cartas de Octaviano tentavam dissuadir-me. Octávia apoiava-o. Tinham argumentos diferentes dos meus.

Ele defendia que a guerra era prematura; que a Partia, controlada por Ventídio, não apresentava perigo imediato.

E, lendo a sua carta, Aenobarbo disse:

— Octaviano tem medo. Sabe que, quando regressares em triunfo dessa guerra, a tua reputação vai deixar a dele na sombra, como o sol faz à lua.

Ventídio desprezava Octaviano. E assegurava-me que a minha vitória sobre a Partia me iria tornar o único senhor do mundo romano.

— Mas não é isso o que eu quero — respondia-lhe eu.

— Se não fores tu o senhor — replicava —, então vai ser Octaviano. Roma não consegue tolerar dois senhores, como não permite que uma mulher possa ter dois maridos.

Octávia opunha-se à guerra de maneira terna, não tentava lisonjear-me. O que ela receava era que eu fosse derrotado.

— Ninguém a não ser Alexandre — dizia ela — foi bem-sucedido em tão vasta empresa. E, daquilo que tenho lido, sabes como eu gosto de história, o Império Persa era tão decadente nessa altura como é hoje forte a Partia. E, além disso, tens de admitir que, para desencadear uma guerra com sucesso contra esse império, precisas do apoio de todos os reinos que estão sob o domínio do nosso Império, e não existe nenhum desses reis e príncipes em quem tu possas confiar, a não ser Herodes, o que, na minha opinião, é um erro, porque ele era capaz de cortar o pescoço da própria mãe se soubesse que podia com isso alcançar algum proveito; e, além disso, é rei de um pequeno e insignificante Estado. E, sobretudo — e ela se aproximou de mim, estendendo os braços em volta do meu pescoço —, tenho muito medo. Tenho medo de perder-te.

Eu dei uma gargalhada, fiz amor com ela, e sequei-lhe as lágrimas com beijos. E em seguida, deitados um ao lado do outro, a descansar, com os corpos ainda abraçados e os cabelos dela fazendo-me cócegas no rosto, eu disse:

— O teu irmão está de acordo contigo. Por quê?

— Oh, porque ele também te ama — respondeu ela. — Como todos nós.

— Isso não é uma resposta.

— Talvez não seja. Mas deixa-me pensar. Não sei se sabes que nem César conseguiu convencê-lo. Lembro-me de falar com ele quando o nosso tio andava a planear essa guerra contra a Partia, e ele disse que não achava boa ideia tentar alargar mais as fronteiras do Império. "Abocanhamos demais para aquilo que conseguimos engolir e digerir." Foram essas exatamente as suas palavras. É estranho lembrar-me delas agora.

— Mas eu não estou interessado em expandir o Império, estou apenas interessado em manter as suas fronteiras. És capaz de lhe escrever e explicar isso?

— Se ele não acredita em ti quando o dizes, achas que vai acreditar em mim?

— Ele confia em ti.

— E em ti também, certamente.

— Eu acho que acredita quando pensa que esse é também o seu pensamento. Mas há muita gente à sua volta que está interessada em envenená-lo contra mim.

— Sabes bem que ele não é facilmente influenciável.

— Talvez não seja, mas ouve as pessoas, como toda a gente.

— O teu amigo Ventídio anda a ver se te põe contra o meu irmão, eu sei, mas também sei que tu não lhe dás ouvidos.

— Não, mas Ventídio não é tão íntimo meu como Mecenas e Agripa são de Octaviano.

— É verdade que Mecenas é capaz de tudo, eu nunca gostei dele, embora possa ser uma pessoa encantadora, mas Agripa é uma pessoa séria. Disso estou certa.

— Não sei o que faria se tu me faltasses — disse eu.

E estava sendo sincero. Ela era uma mulher muito bela e amava-me.

— Uma pessoa com quem te deves preocupar talvez seja Lívia — disse ela. — Eu não a conheço bem, porque nunca a tinha visto antes de se casar com Octaviano. Parece-me uma mulher difícil.

E era. Por um lado, era — é, devo dizer — uma claudiana. Essa família, que, de uma forma ou de outra, só sabia atrair complicações. Por outro, era fria como uma pedra de gelo. Ninguém era capaz de saber quando ela estava de bom ou de mau humor. Octaviano nunca conseguiu ter um filho dela, o que é estranho, porque ambos provaram ser férteis em anteriores casamentos. Existem várias histórias sobre as suas relações sexuais. Alguns diziam que ele gostava de ser dominado por ela. Esse tipo de coisas: chicote e botas altas. Talvez. Como muitos tímidos, Octaviano sentia prazer com a crueldade. Não esqueço o brilho do seu olhar no dia em que puxou a lista dos proscritos. O simples fato de nomear os homens que iriam ser mortos provocava-lhe um orgasmo.

"Seja como tiver de ser", como o velho Cícero costumava dizer quando lhe perguntavam algo a que ele não sabia responder; mas não há dúvida de que para mim Octaviano tinha algo de subserviente em relação a ela. Todos os relatórios que eu tinha concordavam que ele tinha um medo horrível de poder ofendê-la.

— Ouve — disse eu para Octávia —, difícil como ela é, parece-me fundamental que estabeleças boas relações com ela. Se conseguirmos que ela encare as coisas do mesmo modo que eu, então não restarão dúvidas de que Octaviano me dará o apoio de que eu preciso para avançar com a guerra contra a Partia.

— Queres, portanto, que eu te ajude numa empresa que eu tanto receio, é isso?

— Exatamente — disse eu, e beijei-a novamente, numa confirmação.

— Mas eu nunca irei contrariar-te — disse ela, entregando-se-me novamente.

E foi por essa razão que enviei Octávia de volta para Roma. Por nenhuma outra, apesar dos rumores que correram sobre isso. Eu precisava das legiões que o irmão dela tinha combinado enviar-me e que nunca chegavam. E pensava que ela iria conseguir persuadi-lo a cumprir a sua promessa, ou a persuadir a mulher a persuadi-lo.

Mas as legiões foram-me negadas. E eu me sentia logrado naquilo a que me julgava com direito.

E vi-me obrigado a tentar por outro lado.

Precisava de dinheiro para pagar às tropas auxiliares de Artavasdes, rei da Armênia.

E só havia uma pessoa que me podia ajudar naquilo de que eu necessitava.

Cleópatra.

F ORAM, PORTANTO, RAZÕES DE NATUREZA POLÍTICA QUE FIZERAM QUE meu amo se voltasse para a rainha do Egito, razões de natureza política e também o fato de Octaviano não lhe ter enviado os vinte mil homens que lhe havia prometido.

Foi isso o que eu escrevi, como acabaram de ler, tal como ele me ordenou que fizesse, e eu me vi obrigado a dizer que ele contava a verdade, tal como ele julgava que fosse. Mas eu, confesso, não tenho essa certeza.

Deveis lembrar-vos de que Platão, num dos seus sublimes diálogos (e cujo texto não tenho à mão) em que ele compara a alma a um carro alado, puxado por dois cavalos e conduzido por um cocheiro. Um dos cavalos é pernicioso, selvagem e insubordinado; o outro, amável e obediente. O cocheiro representa a razão; o cavalo insubordinado significa o desejo sexual; o cavalo obediente significa o elemento espiritual do homem. Quando o meu amo me enviou com o seu representante Ponteio Capito a solicitar à rainha que se fosse encontrar com ele em Damasco, tinha certeza de que o cocheiro estava a dar rédea solta ao cavalo selvagem. Infelizmente, é muito fraco e decepcionante esse aparente domínio que a razão julga exercer sobre os nossos impulsos...

A rainha recebeu-nos com frieza. E disse-nos que pensara que o nosso amo já se tinha esquecido dela.

Embora Ponteio, como nobre romano, fosse naturalmente o chefe da nossa delegação, o certo é que ficou sem palavras ao ouvir tais acusações, que aparentemente estava longe de pensar ouvir, ainda que eu, por razões práticas, o tivesse posto ao corrente quanto à natureza do encontro e o houvesse avisado de que a rainha não nos iria receber sem mais nem menos com bons modos.

A aparente rejeição que sofrera por parte de Marco Antônio, após quatro anos do caso que tinha existido entre ambos, tinha-a ferido na sua vaidade e talvez lhe tivesse afetado o coração, que, em minha opinião, era o seu órgão menos vulnerável.

— Magnífica rainha — disse eu, sobrepondo-me ao silencioso e atarantado Ponteio —, meu amo jamais poderia olvidar a vossa beleza, a vossa graça, a vossa ternura; seria o mesmo que olvidar o calor que o sol irradia. E, para ele, todos esses anos de separação têm sido um inverno que nunca mais tem fim.

— Mas eu fui informada de que ele encontrou a felicidade nos braços de outra, que tem a incalculável vantagem sobre mim de ser romana e também irmã do herdeiro de César.

— Magnífica rainha — disse eu, curvando-me de tal forma que quase tocava no mármore do chão e estava disposto, caso fosse adequado, ou assim o julgasse, a ajoelhar-me a seus pés —, mas quem melhor que vós, com o vosso esplendor e a vossa elevação, sabe até que ponto os grandes da Terra são muitas vezes constrangidos pelo dever a sacrificar a felicidade? O que vos posso assegurar é que o casamento de meu amo com a matrona Octávia foi celebrado exclusivamente por exigências políticas.

— Ouvi dizer que ela é muito nova.

— Tão nova que só pode agradar a um rapaz.

— E bela.

— Se o vosso gosto se inclina para o estilo insípido da carne leitosa, nesse caso, é verdade: Octávia é uma mulher bela. Mas os bons julgadores encontram nela uma ausência dessa inteligência que só por si dá beleza à vida...

E foi nesse estilo que a conversa se prolongou. Mais tarde, Ponteio teve a delicadeza de exprimir a sua admiração pelo modo como eu soube conduzir o diálogo.

— Devo dizer que vocês, os gregos, têm na vossa natureza modos tais que faltam a um vulgar romano como eu — disse ele. — A verdade é que conseguiste levá-la com a maior das simplicidades, evitando os piores percalços, e ela acabou por se sentir lisonjeada.

É claro que me senti orgulhoso por essa tarefa verbal de que me encarreguei de levar a cabo, e com direito a tal, pois um homem deve regozijar-se com essas dádivas e talentos com que os deuses o favoreceram, sabendo bem que eles pouco valem se não forem alimentados e exercitados; e, para tal, o que conta é o trabalho pessoal, não a dádiva dos deuses.

Mas ao mesmo tempo senti certa vergonha. Octávia sempre fora amável comigo e eu a respeitava. Tinha por ela uma ternura que devia ser impensável numa pessoa da minha condição. E não duvidava que Marco Antônio era muito mais feliz com este casamento do que com as relações que havia mantido com Cleópatra.

Mas não tinha outro remédio. Eu era um servo de Marco Antônio. É verdade que sentia por ele mais do que é normal sentirem os criados e que ele me encarava com uma ternura que não concedia aos outros. É verdade também que, em certos momentos, ele sempre se prontificou a ouvir os meus conselhos e até a acatá-los. Mas este não era o caso. Se eu tivesse contestado as instruções que dele havia recebido, teria sido tão inútil como tentar fazer com que o curso do Nilo se detivesse com uma palavra minha, ou ordenar às nuvens que não fustigassem a Terra com a chuva. E eu reconheci que tinha agido como um mero advogado; e ninguém vai esperar que um perito em leis fale com honestidade, espera apenas que ele finja que está sendo sincero.

Também não vou imaginar que Cleópatra, à qual, independentemente de todos os seus defeitos, não faltava inteligência, ficasse convencida com o meu discurso. O que interessava é que ela tinha manifestado claramente que estava disposta a ceder. No fundo, também tinha interesse nisso. E, se, nessa altura da sua vida confusa, o meu caro amo estava ele próprio convencido de que não só precisava dela enquanto mulher, mas que necessitava sobretudo do seu apoio, também era evidente que o futuro dela estava indiscutivelmente ligado ao dele. A posição de Cleópatra no Egito sempre fora precária. Aqueles que ainda não tinham esquecido o assassinato de seu irmão, Ptolomeu, com quem ela tinha inicialmente partilhado o trono, os apoiantes do jovem assassinado, agora excluídos dos lugares públicos, das influências, da riqueza, continuavam a sonhar com a vingança. Ela sabia também que Octaviano não era seu amigo e que nunca seria. O fato de ela ser mãe do garoto Cesarião e jurar que ele era filho de César tornava-a suspeita aos olhos de Octaviano, que devia a lealdade das suas legiões ao fato de ele se proclamar herdeiro de César, o seu pai adotivo. E essas razões, só por si, faziam brilhar em volta dele uma aura de glória, que nem mesmo a sua inépcia para a guerra e para o combate podia apagar.

A atmosfera que se respirava na corte do Egito não era agradável. A vida da corte é sempre aborrecida para um grego como eu. Nós apreciamos os jogos livres do intelecto; mas esses prazeres do espírito acabam sempre por ser sufocados no seio das monarquias orientais e entre os seus lacaios. Temos dificuldade em aceitar as cerimônias pomposas que na corte de Cleópatra não passavam de uma simples comédia. E, ainda por cima, para nossa maior humilhação, não podíamos recusar tomar parte nessa enorme farsa que era a monarquia.

Para ser honesto com a rainha que era grega por sangue, ela sabia bem que tudo aquilo era uma farsa, mas uma farsa na qual ela adorava desempenhar o papel de vedeta. E ninguém, tenho certeza, desempenhava com tanto prazer esse papel como ela. Era capaz de assumir em público, quando desejava, uma temível dignidade verdadeiramente impressionante e bastante diferente da sua vida em privado. Usava uma máscara em público e os abjetos e servis egípcios acreditavam que ela era verdadeira. Em consequência disso, Cleópatra nunca recebia bons conselhos, porque ninguém ousava dizer-lhe nada que ela pudesse não gostar de ouvir.

Na última vez que meu amo e Cleópatra tinham estado juntos, eu fizera uma amizade especial com um jovem grego que integrava o seu pessoal e portanto vivia próximo dela. Chamava-se Alexas, um jovem gentil do antigo tipo dórico: louro, olhos azuis, membros lisos. E, apesar de não ser aconselhável criar uma relação íntima, amigável até, com uma pessoa que podia privar com os segredos da rainha, eu não consegui furtar-me aos seus encantos. E as coisas acabaram por acontecer. E de uma forma que nem é necessário acrescentar mais.

Assim, quando deixamos a rainha e Ponteio se dirigia aos banhos — coitada da criatura que conquistasse nesses locais! —, mandei um escravo dizer a Alexas onde me podia encontrar.

E ele veio logo, impaciente e encantador como antes. “E depois?”, perguntará o leitor. Depois afastei-lhe os cabelos da testa quadrada e cremosa e deixei que o meu dedo descesse para pousar por instantes sobre os seus lábios bem delineados.

— Conta — disse ele.

— Conto?

— Sim, conta. — E ele riu-se. — Tenho certeza de que a convenceste.

— Achas que ela queria ser convencida?

— De certo modo, sim. Conheces bem o temperamento dela. Nunca assisti a nada de igual ao que aconteceu no dia em que ela soube que Marco Antônio se casou com Octávia. No início, quando o mensageiro se aproximou e ela viu que ele estava a tremer, ainda pensou que Marco Antônio tinha morrido e começou a gritar, dizendo que as notícias iriam matá-la.

— Hipótese pouco provável.

— Talvez. Mas o amor, sabes bem, esse antigo e insensato amor, ela o sentia.

— De certo modo, sim.

— Mas então o homem disse: "Não, Marco Antônio não morreu, mas tenho ainda qualquer coisa para contar. Ele e César, esse a quem vós chamais Octaviano, são agora mais amigos que nunca".

"'Muito bem', disse ela, um pouco duvidosa, mordiscando o lábio inferior, conheces bem o jeito dela quando se põe a pensar.

"'Mas...', disse o mensageiro.

"'Não estou gostando desse 'mas', guinchou ela. 'O que quer dizer esse 'mas'? Marco Antônio está bem, é amigo de César, está livre, não está cativo.'

"'Mas de certa maneira, está cativo: ele se casou com Octávia.'

"Nessa altura, ela se atirou literalmente ao mensageiro e parecia que queria arrancar-lhe os olhos e arranhar-lhe a cara com as unhas, gritando obscenidades como uma prostituta bêbada, uma coisa nunca vista, chegou mesmo a tentar espetar-lhe uma faca.

"'O que eu devia fazer era mandar amarrar-te com arames, cozer-te em vinagre e dar-te a comer aos crocodilos...', embora eu nunca ouvisse dizer que os crocodilos gostassem de carne envinagrada! E só te digo, eu e o Charmiano conseguimos que ela largasse o desgraçado, caso contrário acabaria por matá-lo. Mas as coisas não acabaram ali. Quando conseguiu acalmar um pouco, o que levou algumas horas, podes crer, mandou-me interrogar de novo o mensageiro, a fim de conseguir dele uma descrição exata de Octávia: se ela era bonita, se era mais alta que ela, se tinha uma voz agradável, e fui obrigado a trazer novamente o homem junto dela, porque não ficara satisfeita com o meu próprio relato. Mas tive primeiro o cuidado de convencer o homem a dizer à rainha que a sua rival era desprovida de encantos físicos, que era anã, resmungona, deselegante ao andar, e afiançar-lhe que Octávia era viúva. Ninguém pode ter ciúmes de uma viúva, não achas?"

— Sim, senhor, disseste mal de Octávia, mas foste sensato ao fazê-lo. Meu pobre Alexas, como consegues tolerar uma mulher tão horrorosa?

Ele virou-se, pôs-se a olhar para o teto e durante muito tempo não disse uma palavra. O silêncio da tarde era quebrado apenas pelo zunir das moscas. E eu fiquei à espera, deixando que o meu olhar percorresse demoradamente o seu perfil.

— Tu não entendes — disse ele. — Talvez nem possas. Porque não gostas dela e também a receias, penso eu. Sei muito bem que ela é terrível e que há momentos em que a detesto profundamente. Mas também é verdade que a adoro. E o mesmo acontece com Charmiano, com Iras e com todos os que vivem à sua volta. Há dias em que lhe rogamos pragas, choramos porque ela nos humilha e trememos com medo de tê-la feito zangar-se conosco. Mas não há nenhum de nós que não esteja disposto a dar a vida por ela. E tu, Crítias, sê honesto, não achas que sentes o mesmo por Marco Antônio?

— Não, não acho — disse eu. — Não existe ninguém no mundo que me levasse a fazer uma coisa dessas. E, em relação a Marco Antônio, só espero poder sobreviver-lhe. É claro que lhe sou fiel e tudo o mais. Mas sacrificar por ele a minha vida? De maneira nenhuma. Nem por ti.

— Nem eu estava à espera disso. Aliás, esse tipo de gesto, não têm importância. São como nós, pessoas insignificantes.

— Não têm importância? — perguntei, colocando a mão entre as suas pernas e sentindo que ele correspondia.

— Não, não têm importância voltou ele a repetir, sem afastar a minha mão. Mas tenho de te dizer ainda outra coisa. A rainha acabará por matar o teu amo se ele tentar novamente abandoná-la.

É claro que eu não estava sendo franco com Alexas. Apesar do prazer que sentia com a sua companhia, não podia esquecer que ele era criado da rainha, como eu era servo do meu amo. E achei por bem sugerir-lhe que a minha lealdade para com o meu senhor era menor do que aquela que realmente sentia e que ele iria informar a rainha disso. E não fiquei surpreendido pelo fato de ela me mandar chamar para um encontro no dia seguinte. Encontrei-a sozinha, mandara sair todos os criados e pareceu-me disposta a entabular comigo uma conversa informal.

Voltou a fazer-me perguntas sobre Octávia, mas eu agora falei de forma mais reservada do que na audiência pública que havia tido juntamente com Ponteio. Fui cauteloso, tendo em conta o relato que o meu querido amiguinho me havia feito das instruções que tinha dado ao infeliz mensageiro. Mas não fui tão longe e não usei as palavras que ele pedira ao mensageiro que usasse. E isso não se devia apenas ao fato de, falando desse modo de Octávia, eu ofenderia a minha consciência; é que, se eu utilizasse um vocabulário igual ao do pobre desgraçado, ela não iria creditar numa única palavra que eu dissesse. Ela conhecia o suficiente de Marco Antônio para saber que ele não era um ator. Devia ter bastantes informações sobre o modo de vida que ele levava com Octávia e sabia bem que ele seria incapaz de disfarçar aborrecimento ou simular alegria quando não sentia nem uma coisa nem outra.

— Acho que Marco Antônio deve ter encontrado o merecido repouso junto dessa senhorita Octávia — disse ela, bebendo vinho em uma taça de ouro.

— Em comparação com Fúlvia... — disse eu.

— E em comparação comigo?

— Não se pode fazer tal comparação.

— Eu não sou repousante, bem sei. — Sorriu e ronronou como uma gata. E, para demonstrar que estava de bom humor, convidou-me a beber. — Eu não sou repousante — voltou ela a dizer. — Aliás, nem quero ser. E ela deve aborrecer o pobre Marco Antônio, tenho certeza disso. Tudo o que ouvi acerca dela me diz que é uma mulher virtuosa. E o mesmo posso entender nas tuas palavras tão calculadas. Mas a virtude é um pouco aborrecida. Pode seduzir Marco Antônio no início, mas, com o tempo, deve ser difícil para ele suportá-la. Ele tem uma alma demasiado grande.

Em seguida, fez-me perguntas sobre a guerra que o meu amo planeava fazer contra a Partia. Eu lhe respondi que não era militar, e não percebia nada de estratégias. Mas ela pôs de lado as minhas objeções.

— Otaviano negou-lhe as tropas de que ele precisa — disse ela. — Por isso ele se lembrou da velha Cleópatra. Mas que obrigação tenho eu de ajudar uma pessoa que me abandonou?

— Excelsa rainha — disse eu —, vós sois demasiado nobre e generosa por natureza para pôr em perigo tão grande empreendimento só porque vos sentis desprezada e ferida. Mas independentemente disso...

— Independentemente disso o quê?

E os seus dedos cravaram-se na pele sedosa do gato preto que ronronava no seu regaço. Os seus olhos brilharam como os do animal. E tive a sensação de que ela era capaz de saltar sem aviso, tal como o gato.

— Não é que me sinta à vontade para falar de alta política convosco, excelsa rainha. Mas posso dizer-vos que meu amo irá marchar em direção à Partia. E fá-lo-á com ou sem a vossa ajuda. Se não o apoiardes e ele sair vitorioso, saberá lembrar-se dos que foram seus amigos quando precisou deles e dos que não foram. Mas se ele fizer a guerra e for derrotado, irá maldizer todos aqueles que declinaram enviar-lhe ajuda e amaldiçoar Octaviano e Cleópatra. E deveis pensar no seguinte: sem os homens e o dinheiro que ele vos pede, o empreendimento de meu amo torna-se perigoso, mais provável a derrota, e pior que a derrota...

Cleópatra retirou a mão de cima do gato e levou-a à boca, premindo-a contra os lábios vermelhos. E os seus olhos negros pareciam perscrutar.

— Octaviano não tem qualquer razão para vos amar, ou ao vosso filho Cesarião— continuei. — E o meu amo balança entre vós e o ressentimento do seu parceiro no comando do Império.

Então ela deu um salto, fazendo com que o gato abandonasse o seu colo. O animal arqueou a espinha e moveu a cauda.

— Quando lhe pedi a Judeia, ele me negou, embora a Judeia fosse uma velha possessão egípcia, e deu-a a Herodes, a quem eu detesto.

— Os judeus são difíceis de dominar. E Herodes é de certo modo um judeu, compreende-os. Pelo menos é isso que ouço dizer o meu amo. Eu acho que ele pensou que iríeis ter na Judeia mais problemas que vantagens. Mas há outros territórios. Eu não os conheço, mas o meu nobre colega de embaixada, não presente, mas que ouso substituir neste assunto, tem uma lista de tudo o que o meu amo tem para vos oferecer.

— O teu nobre colega... — divagou ela. — Territórios... — Ela escarrou para dentro de um alto jarrão de ônix. — Mas qual é o caminho que ele vai seguir em direção à Partia?

— Isso não posso dizer-vos. Mas ouvi-o falar da loucura que foi a campanha de Marco Crasso.

— O caminho certo para a Partia passa pela Armênia. Só que o rei da Armênia não é de confiança.

— Tenho certeza de que ireis dizer isso mesmo ao meu senhor. Mas eu irei avisá-lo e sinto-me honrado pela confiança que depositais em mim.

— Confiança? Se pudesse escolher, mandava açoitar-te em plena praça em frente do mar de Alexandria.

E em seguida, sorriu. Foi o pior momento, porque eu não sabia se, enquanto ela sorria para o quadro (francamente desagradável para mim) que os seus pensamentos formavam na sua cabeça, ela tinha dito aquelas palavras de forma tão descontraída que as havia esquecido a partir do instante em que lhe saíram da boca e passaram a flutuar no ar aquecido dos seus aposentos íntimos, onde havia um cheiro forte de jacintos. E isso era exemplo de uma das suas mais desconcertantes qualidades: dizer o que dissera sobre mim, ao mesmo tempo que avaliava aquilo que não devia dizer em palavras. E em seguida debruçou-se sobre um ramo de jacintos róseos e enfiou o enorme nariz no meio das flores.

— O que te posso dizer é que uma guerra contra a Partia é uma ideia que não me cheira nada bem — disse ela, voltando a sorrir, desta vez convidando-me a entrar no seu jogo. Se me perguntasses qual é para mim a primeira coisa a fazer em matéria de guerra, responder-te-ia: não invadir a Partia. Achas que somos capazes de o levar a não fazer uma coisa dessas?

— Vós, insigne rainha, podereis fazê-lo se…

— Se o quê?

E o sorriso dela transformou-se numa careta.

— Quem sou eu para vos dar conselhos?

Mas ela não ligou ao que eu disse. E lembrei-me de que Alexas me havia contado que ela tinha o costume de fazer perguntas que não exigiam resposta, ou observações praticamente insignificantes, mas que lhe permitiam ganhar tempo para organizar os seus pensamentos.

— Pois bem — disse ela —, enviarei a teu amo uma resposta formal através desse idiota do Ponteio. O teu amo deve saber muito bem que ele é um idiota, e eu presumo que ele quer a minha resposta pessoal, não a do Egito, e que sejas tu a transmiti-la. Só não percebo porque confia ele em ti. Eu não confiaria, tal como não confio em Alexas. Penso que é tão dedicado a mim como tu és a Marco Antônio, mas jamais lhe confiaria um segredo. Os maricas são muito palradores, tenho experiência nisso. E sei também que têm muito medo que lhes façam mal. Eu reparei em ti quando tive a ideia de dizer que te podia mandar açoitar. Mas, se Marco Antônio confia em ti, não tenho outro remédio senão servir-me de ti. Portanto, são estas as duas condições que eu acrescento à minha aceitação oficial de uma aliança e que Ponteio levará para Marco Antônio. Primeira, ele terá de se desembaraçar de Octávia, publicamente, decisivamente, irrevogavelmente. Segunda, terá de aceitar casar comigo. E é tudo, penso eu. E diz-lhe que, se recusar qualquer delas, pode continuar a assobiar melodias com os traques que dá e ficar à espera da minha ajuda.

XVII

ENOBARBO PUNHA-ME DE SOBREAVISO EM RELAÇÃO AO MEU PACTO com a rainha. Ele tinha essa repulsa bem romana por aquilo que ele chamava a intriga oriental.

— Eu não digo que Octaviano não seja uma merda — dizia-me ele repetidas vezes —, mas o que eu digo é que é uma merda romana. E com ele sabemos com o que contamos.

E insistia para que eu mandasse regressar Octávia, refizesse o meu casamento e utilizasse Octávia para aplainar as minhas dificuldades com o irmão.

— Nós não precisamos esmagar a Partia — dizia —, o que precisamos é dar-lhes um bom puxão de orelhas.

Mas devia eu acreditar nele? Estou certo de que os historiadores irão dizer que sim. E durante horas e horas, quando a escuridão caía sobre mim e o sono me abandonava, a não ser que estivesse embriagado, e mesmo nessas ocasiões eu acordava muito antes de amanhecer e tinha de pedir a um escravo que me lesse algumas páginas para evitar que os maus pensamentos me assaltassem a essa hora, via-me a lamentar ter posto de lado os seus conselhos.

Mas o que podia eu fazer?

A mensagem que eu tinha recebido da rainha prometia-me uma glória que estava para lá de qualquer comparação possível. Parecia-me pequena coisa o risco de perder o respeito em Roma quando tinha certeza de que iria trazer para Roma e para o povo romano a vitória e as riquezas numa escala que nem o próprio César nem Pompeu alguma vez tinham conseguido.

Mas, para lá das promessas da rainha, eu tinha duas boas razões para acreditar que a minha boa estrela estava em ascendência.

Em primeiro lugar, Artavasdes, rei da Armênia, tinha-se aliado a mim por meio de um tratado solene e obrigou-se a fornecer-me uma força com cerca de quinze mil homens de cavalaria ligeira. Foi a falta de tropas desse gênero, capazes de desafiar os partos em mobilidade, que tinha levado Crasso ao desastre e tornado a gloriosa vitória de Ventídio menos retumbante.

Em segundo lugar, enquanto eu esperava por Cleópatra em Damasco, veio visitar-me um nobre parto, chamado Moneses, exilado por Fraates, esse covarde senhor do Império. Moneses, um homem de uma rara dignidade e poderoso, um nobre cujas propriedades tinham uma extensão superior à distância que um cavaleiro era capaz de percorrer num dia inteiro, afirmava-me que o que se temia era a hipótese de se retalhar o tecido do Império Parto e que a minha invasão seria como que um sinal de um levantamento generalizado contra Fraates. Moneses, no seu infortúnio e na sua sagacidade, fazia-me lembrar o herói ateniense Temístocles e impressionou-me pela franqueza e pela sua forma aberta de pensar. Mas teve o cuidado de me avisar que não devia aceitar o que me dizia sem primeiro ter a confirmação:

— Sou uma vítima da tirania de Fraates, tenho sede de vingança e o meu ponto de vista pode ser parcial — disse ele. — Portanto, deveis procurar saber se o que vos digo é verdade e não meras conjecturas de um exilado ansioso por vingança.

Eu lhe prometi o governo de três cidades: Larissa, Aretusa e Hierápolis.

Cleópatra chegou e o nosso encontro foi cordial, embora, na privacidade dos nossos aposentos íntimos, ela tivesse reprovado aquilo que dizia ser a minha infidelidade. Como tinha prometido, conferi-lhe o governo de certas províncias da velha Fenícia e também de Chipre e essa parte da Arábia Nabateia que liga o oceano ao Sul.

E celebramos também a cerimônia do casamento. E esse fato provocou reprovação e hostilidades em Roma, fomentadas por amigos de Octaviano que desejavam liquidar-me. Eles não demonstraram ter a mínima ideia do que representava este tipo de união. Eu estava ciente de que tal ato não era reconhecido pela lei romana e que a minha mulher, segundo o código, continuava a ser Octávia, a quem eu não queria insultar exercendo o meu direito ao divórcio, como aconteceu com Octaviano em relação à primeira e à segunda mulher.

Mas no Oriente as leis são diferentes e é natural que um homem importante possua mais de uma mulher, ou mulheres de diferentes categorias. Além disso, como declarei então, a grandeza de Roma surge mais reforçada em dar do que em receber reinos; e é digno de pessoa de alta linhagem e posição alargar e assegurar a sua nobreza deixando príncipes e sucessores nascidos de diferentes rainhas. O meu antepassado Hércules, como é bem conhecido, não confiava na fertilidade de uma única mulher, ou no destino que o limitasse a ter uma única linha de descendência: é preferível alargar de forma mais vasta a hipótese dos seus favores. Por que razão iria eu agir de outra maneira?

Sempre esperei que os meus confrades romanos entendessem que esses sentimentos eram francamente flores de retórica, com os quais eles até se poderiam divertir.

Mas as críticas foram mais fortes quando tomei a decisão de festejar o nascimento dos dois gêmeos que Cleópatra me dera, honrando-os com os nomes de Sol e Lua. As objeções eram absurdas. Era evidente que eu tinha feito isso somente para agradar e lisonjear a rainha.

Mas estava demasiado ocupado para dar ouvidos a tão ridículas suscetibilidades por parte dos meus compatriotas que tinham uma visão curta das coisas que não ia para além dos montes Albanos e cujo horizonte termina na parte oriental da cidade. Eu me encontrava francamente absorvido com as minhas tarefas e experimentando um dos maiores prazeres que o homem pode conhecer. Quero dizer com isso que estava inteiramente empenhado em reunir e organizar um exército poderoso.

Embora me faltassem os vinte mil legionários que Octaviano me tinha prometido, tinha, apesar de tudo, sob as minhas ordens dezesseis legiões, das quais pelo menos metade eram de veteranos. Seis delas tinham sido trazidas do Cáucaso, onde o meu grande general P. Canídio Crasso, um dos meus maiores amigos, tinha estabelecido a fronteira norte do Império. Por meu lado, tinha dez mil militares de cavalaria pesada da Gália e da Espanha, enquanto as forças auxiliares formavam trinta mil unidades, sendo as mais valiosas pertencentes à cavalaria armênia.

— Nunca — disse Aenobarbo —, nunca na história do Império se conseguiu reunir um exército assim tão grandioso.

— E com ele vamos combater o inimigo errado — disse Canídio.

— O que queres dizer com isso?

— O meu general sabe bem o que eu quero dizer.

Evidentemente que sabia, mas não disse nada. O que agora me parece irônico. Durante meses Canídio argumentara, por meio de cartas inflamadas, que a Partia podia esperar, que o meu verdadeiro inimigo era Octaviano e que eu me encontrava em relação a ele como Pompeu estava em relação a César, "ou, se preferirdes, como César em relação a Pompeu"; e que, tal como Sula, eu devia empregar o poderio e as riquezas da Ásia para assegurar a minha proeminência, sozinho, em Roma; e que só então, com todas as forças do Império a seguir-me e "sem inimigos atrás de mim", eu estaria em condições seguras para atacar a Partia.

Eu não tinha a mesma opinião.

E Canídio não estava só. O meu enteado Escribônio Curião — um jovem que se assemelhava no caráter muito mais ao pai, meu amigo de infância e de adolescência, do que à mãe, a exaltada Fúlvia —, dava-me o mesmo gênero de conselhos.

— Não vos esqueçais — dizia ele — que eu conheço Octaviano desde sempre, e especialmente a sua maneira de ser. Andamos na escola juntos e isso me permite uma visão bastante aprofundada do seu caráter. Vejo bem aquilo que nele vos atrai: o seu grande poder de sedução e a sua enorme inteligência. Mas asseguro-vos que tais coisas nele não são para confiar. Com toda a franqueza vos digo, que eu não lhe confiava a mínima coisa que me pertencesse. Lembro-me de uma vez em que um professor estava a criticar o estilo grego de Octaviano, devíamos ter os dois perto de doze anos nessa época. Pois bem, já então Octaviano era tão convencido como vaidoso e incapaz de aceitar esse tipo de críticas. E sabeis o que ele fez? Aproximou-se furtivamente do professor e depois disse que o homem se chegara a ele, o agarrara e o sodomizara; não me recordo dos pormenores. E claro que o professor foi despedido, obrigado a sair das casas que frequentava e condenado a ser açoitado, e foram tantas as vergastadas, que o pobre desgraçado esteve quase à morte e depois foi forçado a sair de Roma. Não sei o que lhe aconteceu. Ele era um bom professor e tinha toda a razão quanto ao estilo grego de Octaviano. E, ainda por cima, não havia uma palavra de verdade na acusação que lhe fizera o desnaturado. É possível que ele, como acontecia com muitos professores, tivesse inclinações para se apaixonar por alguns dos seus alunos, ou pelo menos por favorecê-los. Mas o homem era demasiado tímido para se aventurar a pôr em prática os seus desejos.

Eu sabia isso, porque ele reparara em mim e não em Octávio, e posso assegurar que a única coisa que ele me fez foi agarrar-me a perna uma vez, quando estava a corrigir um trabalho meu. Mas a mim ninguém deu ouvidos, porque o menino Octaviano era muito mais encantador e sedutor. A única coisa que me limitei a fazer ao animalzinho foi pregar-lhe um tremendo susto quando andamos à luta um com o outro. O fulano nunca mais parava de gritar. É por isso que eu penso que estais enganado em confiar nele. As pessoas não mudam, limitam-se a fingir que mudam.

— Mas devem aprender a ser diferentes — respondi, da forma mais fria que pude. Curião era um bom rapaz, sem dúvida, mas irritou-me aquela conversa. E lembrei-me de que ele sempre tinha tido ciúmes de Octaviano. Não admira, poderás tu dizer...

Mas agora, aproveitando o momento em que ele se embrenha nas suas divagações sobre a Guerra da Partia, o que eu posso dizer, não, o melhor é não dizer nada sobre o assunto. Mas a verdade é que nessa altura eu achava Curião loucamente atraente. Ainda por cima, era louco por mulheres. O que o meu amo esquecera fora que numa ocasião posterior Curião havia contado a mesma história esquecendo-se ou nem sequer reparando que eu estava presente e que o meu senhor, voltando a afirmar que as pessoas deviam aprender a se tornar diferentes. Curião abanou a cabeça e disse:

— Não, o que acontece é elas ficarem cada vez mais iguais a si próprias à medida que crescem. — E, quando pronunciou estas palavras e olhou para o meu amo, que tinha os olhos inchados e vermelhos, porque tudo isso se passava numa manhã em que ele não havia ainda se recuperado de uma noite de excessos, e de tal modo excessiva que era obrigado, como eu assistira muitas vezes, a pegar com ambas as mãos na taça de vinho para conseguir levá-la aos lábios, eu vi no seu rosto a expressão de uma profunda e tocante piedade, quando antes só denunciava ódio enquanto falara de Octaviano; e em seguida aproximou-se de meu amo, passou-lhe um braço por cima dos ombros e abraçou-o como a uma criança nos braços amorosos de um pai.

Felizmente o meu amo nunca me pediu para ler com os seus próprios olhos o que ele me dita. Se o fizesse, não gostaria de saber que eu tinha conhecimento de que ele era objeto de uma terna simpatia por parte do seu enteado.

— Distraí-me, e eu não tenho tempo para distrações. Crítias, obriga-me a parar sempre que começo com divagações. — Onde estava eu? Falava da Partia, é isso...

Em Zeugma, no rio Eufrates, separei-me de Cleópatra, que, obedecendo às minhas ordens, regressou ao Egito. Mais tarde disseram que eu adiara o início da campanha por causa das delícias que gozava na companhia da rainha. O que era um absurdo. Não houve qualquer adiamento. Os que andaram espalhando essa mentira eram tão malévolos como ignorantes das exigências que são necessárias para se conseguir pôr em marcha um exército de tais dimensões. E foi nas margens do Eufrates que eu me dirigi às minhas tropas.

— Soldados: estamos aqui reunidos para dar início ao maior cometimento que alguma vez foi levado a cabo pelo exército romano. Nunca, ao longo da história de Roma, se marchou para enfrentar um império tão poderoso como aquele que temos à nossa espera. Houve generais que tentaram esconder das suas tropas a magnitude de tal empresa. Eu não sou um desses generais e vós não sois soldados incapazes de enfrentar a realidade. À nossa frente espreitam-nos perigos enormes. Iremos suportar tremendas necessidades. Irão travar-se batalhas ferozes. Alguns de nós, provavelmente muitos, jamais regressarão e jamais voltarão a ver a Itália.

"Por que esconder de vós tais realidades?

"Nós somos homens corajosos e capazes de encarar a verdade.

"Muitos de vós são veteranos. Haveis lutado a meu lado nas mais grandiosas batalhas. Conquistamo-las. E desta sairemos de novo conquistadores.

"Alguns de vós são jovens, recrutas ainda não experimentados. Mas todos vós estais prestes a enfrentar algo que até agora só haveis imaginado. Confio em vós. Tenho plena certeza de que vos ireis comportar da mesma forma valorosa como os vossos pais gloriosos e os mais remotos antepassados se comportaram em tempos idos.

"E haverá grandes recompensas: ricos despojos e a mais profunda recompensa por se saber que sois homens dignos de respeito. As gerações irão realçar a vossa valentia e maravilhar-se com a atuação de homens capazes de tal coragem e de tal resistência."

Em seguida, passei revista às tropas. Para animar os veteranos, lembrei-lhes das batalhas que tínhamos travado lado a lado. Um tinha servido na Gália; outro tinha lutado em Farsália; e todos se sentiam orgulhosos de partilhar essas recordações comigo. Mas, em relação aos jovens recrutas, a minha conversa era outra e perguntava-lhes se os seus centuriões se haviam preocupado com eles, se tinham sido pagos a tempo e horas, se precisavam de alguma coisa. Fui ao ponto de pedir que me mostrassem as suas mochilas.

Em seguida, detive-me em frente de cada legião e pedi para falar com os oficiais de patente mais elevada. E os que eram chamados convidava-os para ficarem a meu lado e avançava com eles a meu lado, de modo que eles fossem vistos por todos os seus colegas. Esse meu gesto queria demonstrar que tudo tinha sido pensado e avaliado por mim quanto ao bem-estar e à segurança do Império e que, apesar de estar totalmente obcecado com os problemas da Grande Estratégia, ainda tinha tempo para pensar nos pormenores relacionados com a vida dos meus soldados. E dava-lhes a entender que eles estavam em primeiro lugar, que eles eram as minhas verdadeiras preocupações, a minha verdadeira família. E assim instilava neles o amor pela guerra, pela glória e por mim próprio.

E avançamos na direção do rio. A cavalaria tinha-o já atravessado e encontrava-se na outra margem, atenta a qualquer súbito ataque do inimigo, embora os nossos batedores apenas tivessem referido que tinham sido detectadas algumas unidades de cavalaria ligeira. Os nossos engenheiros começaram a trabalhar na construção de pontes suportadas por barcos e através das quais as legiões poderiam atravessar para o outro lado da Mesopotâmia. Mas a travessia só podia ser feita quando chegasse a madrugada.

O arrefecimento noturno dificultava o sono. O escuro nunca foi silencioso. Eu próprio me dirigi aos acampamentos para encorajar as sentinelas e os jovem soldados demasiado excitados a dormir. Todos nós estávamos conscientes dos perigos que nos esperavam na manhã seguinte. Uma sensação de solenidade confundia-se com a expectativa de um dia de glória. Os oficiais vieram dizer-me que havia soldados que repetiam, chorosos, as passagens mais emocionantes do meuW discurso e que o espírito de conquista inflamava a imaginação de todos. E ao romper da alva começou a nossa marcha.

Durante três semanas caminhamos pelas franjas a norte do deserto e depois seguimos pelos contrafortes da Armênia. Os caminhos estavam em pior estado do que aquele que nos tinham prometido. Especialmente, e para meu desespero, as filas de mulas que carregavam o material para fazer o cerco tinham dificuldade em acompanhar o corpo dos exércitos. Vi-me obrigado a destacar duas legiões sob o comando de Ópio Estaciano para protegerem o comboio dos mantimentos, que foi forçado a tomar um caminho mais longo na direção norte. Houve informações inquietantes que afirmavam que Artavasdes parecia relutante em avançar com o auxílio que havia prometido.

Apesar de tudo isso, no meio do verão, tínhamos avançado por volta de quinhentas milhas e alcançamos o nosso primeiro objetivo, Fraaspa, cidade capital da Média Atropatena, um estado vassalo da Partia. Eu havia sido informado por Artavasdes e Moneses de que a fortificação da cidade era deficiente e que não tinha outra hipótese senão capitular. Mas verificou-se que não era assim. Fraaspa tinha sido edificada numa colina e estava rodeada de resistentes muralhas. Se nós tivéssemos conosco as tropas adequadas ao cerco, não teríamos muito trabalho. Mas essas tropas continuavam a caminhar com atraso. Aenobarbo, sempre mais prudente do que aventureiro, aconselhou-me a retirar; Canídio estava de acordo. Mas seria no mínimo ridículo desistir logo ao primeiro percalço. E eu dei ordens para que se abrissem valas e se construíssem diques no sentido de se erguer um cerco prolongado. Mas havia pouca madeira na zona, o que tornava impossível a construção de uma verdadeira força que suportasse o cerco.

Estávamos numa situação semelhante àquela que César tinha enfrentado em Alésia, durante a guerra da Gália contra Vercingétorix: nós, os sitiantes, acabávamos por ser os sitiados, por Fraates ou pelos seus generais, que se tinham aproximado com um vasto exército parto e investiam na direção das nossas tropas. Depois chegou a notícia de que a cavalaria parta se tinha atravessado no caminho de Estaciano, que dirigia o exército de apoio e havia destruído as suas legiões. Este foi o primeiro sinal da traição de Artavasdes, que estava a colaborar com os partos. Se ele se mantivesse leal, esse ataque teria sido repudiado e as nossas tropas de apoio teriam chegado até nós a tempo.

O perigo foi uma coisa que sempre me inspirou, e eu me sentia feliz por ver que a confiança dos soldados em mim era de tal modo forte que não se ia deixar vencer por um percalço que outro exército inferior encararia como uma calamidade. E os meus soldados continuavam a prosseguir o cerco com vigor e determinação. Mas para mim era evidente que a nossa posição não era confortável, mas perigosa. Não só se tornara impossível receber a ajuda que eu esperava como havia também a perspectiva de que em breve iríamos passar fome; porque os abastecimentos que trazíamos conosco estavam praticamente no fim.

No entanto, estava determinado a avançar com a batalha, na expectativa de que, se avançássemos com as nossas tropas de ataque, a cidade acabaria por se render ou, se não fosse esse o caso, teríamos a possibilidade de pôr em prática uma ação de pilhagem em segurança.

E, assim, à cabeça de dez legiões, de três coortes pretorianas pesadamente armadas e de dez unidades de cavalaria espanhola, abri caminho e avancei pelas férteis planícies onde já se havia feito a colheita e guardado o cereal em celeiros. Durante um dia e meio, o exército parto tentou travar os nossos movimentos, mas não deu sinal de estar pronto para a batalha. Até parecia que esperavam por uma oportunidade para caírem sobre nós em movimento.

E, no sentido de enganá-los, dei ordens para que as nossas tendas fossem desarmadas de forma a dar a ideia de que nos dispúnhamos a fugir. E então o exército inimigo aproximou-se e os seus comandantes obrigaram os seus exércitos a fazerem uma formação cada vez mais cerrada. Durante uma hora, caminhamos à frente deles e cada exército tinha os olhos postos no outro. A ida e vinda dos provocadores do outro exército dava a entender que não estavam seguros. Então dei ordem à nossa cavalaria para se voltar e avançar sobre o inimigo. A nossa carga apanhou-os de surpresa de tal modo que eles foram incapazes de usar as suas próprias armas, a não ser para suster o impacto. Por sua vez, os legionários deram também a volta, apanhando o inimigo pela outra ala. E houve um momento em que eu tive a esperança de estar decidida a vitória por nós ansiada. O que teria acontecido se o inimigo fosse um exército romano ou mesmo as tropas da Gália, que estavam habituadas a permanecer nas suas posições e a aguentar a luta. Mas essa não era a forma de lutar dos partos.

Nós, romanos, estamos habituados a lutar no campo de batalha. Tentamos levar o inimigo a lutar em campo aberto, cerrando fileiras ou falanges, e a lutar corpo a corpo até um dos exércitos acabar por ceder. Este é o comportamento dos povos civilizados, tal como ficou demonstrado pela história dos estados gregos e pelas batalhas que Alexandre travou. Mas os partos não combatem dessa maneira: retraem-se quanto podem em relação à batalha final. E nessa campanha pudemos verificar que nunca conseguimos enfrentá-los de forma corajosa, que eles nunca ofereceram resistência, mesmo quando eram superiores a nós na proporção de três ou quatro dos seus homens contra um dos nossos. O seu estilo de combate traduz-se em avançar à vista do inimigo e provocá-lo no sentido de o levar a agir por meio de insultos e outras provocações e atormentar as suas tropas com descargas de flechas. Mas, assim que o inimigo dá início ao combate, os partos põem-se em fuga. Não têm a noção do que seja uma verdadeira guerra; não conseguem entender as virtudes romanas da total obediência, e sobretudo da coragem, do autossacrifício da honra; em suma, tudo aquilo que nós queremos significar com a palavra *virtude.* Contrariamente, não veem nada de desonroso na covardia, na fuga, e no interesse pessoal que permite a um homem dar mais valor à sua vida que a uma vitória.

E o que aconteceu foi que, no início, após o nosso violento ataque, todo o exército parto virou as costas e se pôs em fuga. Nós os perseguimos umas doze milhas para leste e, embora tivéssemos abatido alguns e feito um relativo número de prisioneiros, verificamos que não estávamos em condições de obter a vitória decisiva que eu desejava e sabia ser necessária. E confesso que me senti completamente desorientado.

Nós formávamos um autêntico exército, imbuído do verdadeiro espírito militar, capaz de se manter coeso quando a luta se tornava cada vez mais dura, impermeável a qualquer tipo de receios, obediente aos comandos, resistente pelo treino que tinha devido às privações e ao esforço despendido. O exército que eu levara para combater a Partia era uma força tão firme, garbosa e formidável como os que eu tinha conhecido quando, juntamente com César, havia participado na conquista da Gália; e era ao mesmo tempo tão excelente como aquele com o qual eu venci em Filipos. Não devia haver nenhuma força civilizada que a ele se igualasse. Mas, mesmo assim, ali estávamos nós, há várias semanas de marcha para lá das fronteiras do Império, impotentes, porque o nosso inimigo não parava para lutar e continuava a fugir aos nossos mais violentos e audaciosos ataques. Parece absurdo que esses homens valentes, formando um exército disciplinado e altivo, pudessem ficar desorientados perante um bando de covardes; mas era essa a nossa triste situação. Era essa a realidade que toda a minha energia e bravura se via obrigada a confrontar. A questão de que Roma nunca conseguiria submeter a Partia continuava de pé; e eu começava a recear que assim continuaria para sempre.

Com o inverno à porta, a nossa situação piorava. O medo da fome é o medo maior que qualquer exército pode conhecer. Entretanto, enviei ao imperador da Partia mensageiros oferecendo-lhe a minha retirada em troca daquilo que nos haviam tomado em Garras; assim, eu conseguiria demonstrar que a guerra não tinha sido em vão e que a honra romana tinha sido resgatada. Mas não me chegou às mãos nenhuma resposta. As alternativas que eu tinha eram restritas e só me restava tentar de novo batalhar com o exército parto. E nessa minha obstinação superestimei o meu pensamento quanto às nossas possibilidades. Mas tanto Aenobarbo como Canídio, os generais em quem eu mais confiava, eram contra esse meu objetivo, afirmando que isso seria uma atitude de desespero.

Aenobarbo dizia:

— Há demasiadas coisas a nosso desfavor: a estação do ano, a escassez da comida, a natureza do terreno, completamente estéril e deserto, a natureza do inimigo, que está convencido de que havia ainda tempo para que se processasse a retirada e que nos ia obrigando a afastarmo-nos cada vez mais do nosso ponto de partida...

— Para nos levar ao desastre, evidentemente — acrescentou Canídio.

Mas eu argumentei dizendo que a eminência da batalha podia ainda levar a que o imperador da Partia tivesse alguns receios e, por essa razão, levasse em conta as modestas exigências que eu havia feito, mas Aenobarbo disse:

— Eu penso que, enquanto o território da Partia estiver ocupado, ele não vai atender a nenhuma das nossas propostas. Nesta altura do ano, ele sabe bem das vantagens com que conta em relação a nós.

Então o meu enteado Escribônio falou:

— Podeis ter razão, mas eu não tenho assim tanta certeza. Apesar de tudo o que as manobras do imperador nos queiram dar a entender, acho que é prudente manter a expectativa. Pelo menos será uma forma de salvaguardar a nossa honra. Reparem: se formos obrigados a nos retirar sem conseguirmos recuperar o que nos foi tomado, e esses desgraçados romanos, que continuam a viver sob cativeiro há tantos anos, Octaviano, que tem ciúmes da fama de Marco Antônio, é capaz de fazer crer que esta campanha é um enorme desastre, embora nós saibamos que fizemos coisas que nunca foram tentadas nem conseguidas por nenhum romano antes de nós e que podemos comparar-nos em audácia com Alexandre Magno. Além disso, estou disposto a oferecer-me como voluntário numa embaixada a Fraates. E dessas negociações, que nos podem custar apenas alguns dias de espera, podem resultar conclusões favoráveis.

E assim ficou acordado.

ESCRIBÔNIO FOI ENVIADO A ESTABELECER NEGOCIAÇÕES COM O IMPErador parto. Ninguém, a não ser meu amo, tinha qualquer esperança no sucesso delas. O exército estava nervoso e impaciente. A hipótese da retirada era algo que aterrava os homens; eles achavam que seria melhor continuarem em marcha do que ficar à espera perto de Fraaspa, num lugar que lhes causava repulsa.

O calor fazia-se sentir ao meio-dia. Bandos de corvos faziam círculos no céu por cima do nosso acampamento. Os homens estavam alarmados, olhando as aves de mau agouro, como normalmente são consideradas.

E eu ouvia o meu amo dizer:

— Eu quero paz! Eu preciso de paz! Mas tenho de manter a minha honra!

Durante o dia ele fazia a ronda pelo acampamento e incitava os homens a não se desesperar, falando com eles de glória e de vitória. Porque ele era Marco Antônio, achava que eles continuavam a acreditar nessas palavras enquanto estivessem na sua companhia. Mas, quando ele se afastava, os lamentos continuavam. E falavam dos entes queridos que nunca mais voltariam a ver.

O deserto estendia-se à nossa volta, impiedoso, como o seu silêncio desolador. Os homens diziam que iam morrer ali e o andar pesado da guarda que percorria esse imenso espaço tumular que parecia rodear o acampamento dificilmente conseguia despertar meu amo desse delírio em que ele entrava mal caía o crepúsculo, frio e opressivo. "Que cruéis recordações lhe invadiriam a mente quando se sentava sozinho, a beber copos de vinho que agora já não conseguiam embriagá-lo?", pensava eu. E via-me eu próprio a andar de um lado para o outro, silenciosamente, discretamente, com receio de que ele começasse a falar comigo. Mas a maior parte das noites ele preferia o silêncio.

E eu pensava comigo que o que mais voltas dava na sua mente atormentada era o seguinte: consciente do poder que tinha obtido por si próprio devido aos feitos que lhe haviam conferido uma aura de invencibilidade, sofria agora antecipadamente com o conhecimento do efeito que nele ia causar a sua própria derrota. No passado, em cada encontro que tinha com Octaviano, ele conseguia opor a sua fama militar à autoconfiança, fria e insolente, do rapaz. Sem esse prestígio que as vitórias lhe haviam conferido, teria ele receio de se sentir inferior a Octaviano?

De vez em quando falava, mas as suas palavras eram de tal modo infelizes que eu não me atrevia a repeti-las junto dos seus generais. Talvez fossem uma espécie de solilóquio; ele estava já tão habituado que muitas vezes nem dava por isso.

— Com o primeiro passo dado no sentido da retirada — dizia ele —, iremos abrir caminho a semanas de batalhas diárias, caso o inimigo se atire às nossas canelas como uma alcateia de lobos. É por essa razão que prefiro manter-me inativo, e essa decisão, se de decisão se trata, fareis mal em atribuí-la a mim. É evidente que, segundo uma perspectiva militar, a nossa estada aqui deixou de ter sentido. Não penses — e ao dizer isto olhava para mim como se estivesse a ver-me, e eu via-me incapaz de fugir ao seu olhar toldado de sangue —, não penses, meu caro Crítias, que não tenho a noção do que se está a passar. Mas, e ainda numa perspectiva política, a nossa permanência aqui tem ainda alguma importância. Eu não sou apenas o comandante do exército, sou também o imperador, e para um imperador romano ser aviltado no império dos seus inimigos nada significa. Absolutamente nada. Nos negócios de Estado a retirada é praticamente fatal. Eu aprendi a lição com as asneiras de Pompeu. Nunca se deve admitir que se cometeu um erro, porque, se o fizermos, o mundo inteiro leva a sério o que dizemos e as consequências disso serão terríveis. Admitir um erro é o mesmo que admitir o desprezo. A reputação não é tudo, mas é mais poderosa que seis legiões. Ouvi isto da própria boca de César. Quando cometemos um erro, devemos arcar com ele, evidentemente, até deixar de ser um erro. E ele agarrava-se a estes pensamentos, tentando conservar algumas réstias de esperança, cada vez mais avidamente, porque sabia já, que Artavasdes o tinha atraiçoado e que na retirada através da Armênia (que, nos seus momentos sóbrios, ele sabia ser a melhor estratégia de saída) se tornara a mais perigosa, a partir do momento em que deixara de esperar pelo auxílio do rei e iria encontrar os Armênios dispostos a impedir-lhe a passagem e provavelmente aliados aos partos na sua tentativa de destruir os flancos do exército.

Mas, dia após dia — e como Escribônio não regressava da sua missão, e ele começava a recear também pela sua própria segurança —, apercebia-me de que o seu desespero era cada vez mais lancinante. Tornara-se nítido que Fraates começara a jogar com ele um jogo cruel ao adiar a sua resposta. Mas ele achava que devia manter-se parado até ter conhecimento do pior. E as suas esperanças subiam e desciam de acordo não apenas com a quantidade de vinho que havia na garrafa, mas também com a flutuação dos seus estados de espírito.

— Mas por que se lembrou o nosso general de adotar a mais perigosa das atitudes, ficando à espera de uma resposta? — perguntava Aenobarbo. — Estou espantado com a falta de capacidade que antes tinha em tomar decisões rápidas. Ele está tornando num inferno os nervos e o moral dos nossos homens.

Mas, nesse aspecto, Aenobardo talvez estivesse enganado. E isso porque os militares estavam habituados a ver no meu senhor o rosto da vitória, porque conheciam a sua coragem e a sua capacidade de recuperação. Confiavam no seu gênio e continuavam ainda dispostos a acreditar que ele estava a amadurecer um plano qualquer. E esse era sobretudo o caso dos oficiais de patente baixa, que o viam apenas de manhã, quando ele se esforçava por se mostrar bem disposto.

E mesmo os velhos soldados comentavam: "Ele é muito sabido... continua a ser a velha raposa...". E, naturalmente, ninguém deixava de admirar esse rosto cheio de energia que ele conseguia mostrar quando falava às tropas, e as suas capacidades iam ao ponto de o levar a contar histórias divertidas e de ter um ar radioso e confiante. Poucos, além de mim, sabiam do esforço que tal atitude lhe custava, ou viam as profundas sombras que lhe cobriam o rosto quando ele se retirava da vista dos seus homens.

Reparei no modo como ele prolongava as suas refeições: era como se, por meio da sua entrega aos prazeres da mesa, ainda que as ementas fossem cada vez mais deficientes, ele conseguisse esquecer as suas preocupações. E, em seguida, entorpecido e pesado, tendo o vinho como único conforto, ia sentar-se horas e horas, com as suas faculdades mentais em acentuado declínio e à espera do fim da sua terrível aventura. E eu me lembrei, enquanto observava este herói obstinado a lutar com as terríveis dúvidas que a nossa situação fizera surgir no seu espírito conturbado, que fora aqui que ele, poucos meses depois de se haver colocado nos pináculos da glória, tinha sofrido o pressentimento de que o primeiro passo de recuo iria ser o início da sua ruína; e isso fazia com que ele continuasse a agarrar-se aos grandes feitos e à ilusão de que ainda mantinha a possibilidade de escolher. Ficara preso aos encantos da autocomiseração; mas eu o amava o bastante para obrigá-lo a afastar de si a desilusão e levá-lo a enfrentar a realidade...

XIX

Escribônio Curião regressou para anunciar o fracasso da sua visita ao inimigo. Fraates continuava firme na sua obstinação. E ao mesmo tempo alargava a sua promessa, que no fundo só vinha provar a minha decepção: a de que permitia, a mim e ao meu exército, abandonar os seus territórios sem que sofrêssemos a menor avaria. Eu não acreditava na sua sinceridade. Mas essas promessas depressa correram por todo o acampamento e levantaram o ânimo dos soldados, que pensavam que a sua caminhada de retorno seria fácil e sem perigo. Muitos deles começaram a desleixar a vigilância; outros apenas se preocupavam com o seu espólio pessoal; e chegava a parecer que eu comandava uma caravana, e não um exército. Mas, mesmo assim, foram tomadas algumas medidas para restabelecer a disciplina e começamos a abandonar Fraaspa. Quando chegamos ao topo da colina, deixamos de ver a cidade. Eu detive o meu cavalo e olhei para trás. O que fora o nosso acampamento estava agora em chamas e a cidade ao longe reverberava em tons róseos no fulgor da tarde. As aves predadoras pairavam sobre o terreno que tínhamos ocupado e, em seguida, com um pesado bater de asas, abandonaram o local para fazerem o seu caminho em direção à nossa linha de marcha.

Durante dois dias viajamos sem acidentes; os centuriões foram eficientes em forçar os desgarrados a se manterem ligados ao corpo principal do exército. Deixara de haver a alegria inicial da nossa campanha; os homens caminhavam de cabeça baixa e as canções que entoavam já não eram as baladas rudes dos dias felizes, mas cantigas lamentosas sobre as mulheres que haviam deixado e sobre o lar que talvez não voltassem a ver.

Ao terceiro dia, ao alcançarmos outra montanha para além da qual se estendia um vale onde serpenteava um rio, verifiquei que as margens do rio haviam sido destruídas e, embora não tivesse chovido, as águas tinham inundado o caminho por onde iríamos passar. Este era o primeiro sinal evidente de que os partos não tinham intenção de manter a palavra dada pelo seu imperador, a qual nos permitia sair do país em segurança. E, por essa razão, ordenei aos oficiais que comandavam os flancos que se atrasassem de forma a estarem preparados para lutar e fazer com que o exército em marcha adquirisse a posição de um quadrado. E, ainda que esta disposição do exército tornasse mais lento o nosso avanço e obrigasse a pressões sobre os nossos mantimentos, ela criava uma defesa efetiva contra a possibilidade de um ataque súbito. Durante quatro dias mantivemos permanentes combates com a cavalaria parta, infringindo-lhe algumas perdas, sem contudo deixarmos de avançar na nossa caminhada para o Ocidente. O moral dos homens tinha subido, devido às ações e às precauções que foram tomadas.

Foi então que um dos meus oficiais, Flávio Galo, homem de grande coragem, mas de pouco discernimento, excedeu as ordens recebidas, que eram, evidentemente, a de repelir ataques, e não a de quebrar fileiras e avançar em perseguição do inimigo. Mas Galo, convencido, segundo julgo, de que tinha provocado tais danos no inimigo que se sentia em vantagem para prosseguir no seu ataque, afastou-se do corpo principal do exército. E chegou-me a notícia de que estava cercado. Canídio, que comandava a retaguarda, ou porque não se tivesse dado conta da verdadeira dimensão do perigo, ou porque subestimasse a gravidade da situação, limitou-se a enviar um pequeno destacamento em auxílio de Galo, destacamento esse que acabou também por ficar cercado. E voltou a repetir-se o mesmo erro. Quando soube do sucedido, esporeei o meu cavalo e tomei eu próprio o comando das operações. À frente da terceira legião, dirigi-me ao inimigo, que se encontrava entre nós e as tropas romanas cercadas, e o ímpeto da nossa ofensiva foi tal que conseguimos abrir caminho e resgatar os nossos amigos. Os partos, como era seu costume, dispersaram, dando a entender que tinham perdido a vantagem de que dispunham. E durante toda a campanha eles nunca conseguiram provar que tinham condições para resistir ao assalto organizado das minhas legiões de veteranos.

Mas foi a partir daí que começou a nossa desgraça. Cerca de três mil homens caíram no campo de batalha e o dobro desse número regressou, ferido, para as nossas hostes. O próprio Galo foi trazido em cima dos escudos dos seus fiéis legionários. Vinha de olhos fechados e um fio de sangue corria-lhe da boca. Uma flecha tinha-lhe atravessado o pescoço e os médicos foram incapazes de extraí-la. Eu peguei a sua mão e ele morreu cuspindo sangue.

Nessa tarde percorri o acampamento, visitando os feridos que me foi possível. Fiquei emocionado ao verificar a sua lealdade e ao ver quantos deles estavam mais interessados na minha segurança e na situação do exército do que propriamente nas feridas de que tinham sido vítimas e nas dores que estas lhe provocavam. Um homem, um veterano de Filipos, apertou-me a mão.

— Para mim, o importante é a vossa segurança e que o exército consiga escapar — disse ele.

Chorei ao ouvir essas palavras e as lágrimas caíam-me dos olhos sobre o seu rosto moribundo. E bastaram breves segundos para que tudo terminasse para ele.

No dia seguinte, as primeiras geadas de outono desapareceram antes do amanhecer. O nevoeiro começou a dissipar-se e eu vi do outro lado do vale uma enorme hoste inimiga preparada para a batalha. Os nossos vigias vieram nos dizer que Fraates estava tão confiante na vitória que tinha enviado a sua própria segurança para comandar o ataque; mas ele permanecia ausente, porque nunca arriscava a sua pessoa próximo do campo de batalha ou nele. Isso nos foi dito pelos prisioneiros feitos pelas nossas tropas avançadas.

E senti que era preciso dar uma severa lição ao inimigo para não sermos completamente derrotados durante a nossa marcha. Passei as primeiras horas da manhã a visitar as tropas que os centuriões tinham organizado em parada. Agradeci-lhes os esforços que haviam despendido no dia anterior, gabando-lhes a coragem e afirmando-lhes que eles tinham lutado com tanta coragem que os seus antepassados deviam sentir-se orgulhosos deles.

— A coragem e a grandeza de alma só adquirem importância na adversidade, e não nos tempos prósperos — disse eu. — Não vos posso prometer dias fáceis no futuro próximo: mas firmeza e batalhas sangrentas, trabalhos árduos, longas caminhadas e um supremo desafio à coragem de cada um de nós. Se vocês não fossem soldados romanos, não me seria possível falar-vos com toda esta verdade. Teria de dizer-vos mentiras para vos instilar coragem. Mas vocês são soldados romanos e vejo-me na obrigação de vos dizer a verdade. Se vocês não fossem soldados romanos, o meu dever seria o de dar cabo de mim com a ponta da minha espada. Mas vós sois soldados romanos e posso enfrentar a desgraça com um sorriso e ir de encontro ao perigo com o coração aliviado.

E em seguida ergui os braços e pedi aos deuses que, no caso de deixarem de me bafejar com a fortuna como haviam feito nos meus tempos de vitória, que a desgraça caísse apenas sobre mim, e não sobre o meu exército, que devia sair vitorioso e a salvo daquela prova por que iriam passar naquele vale de trevas.

E os meus homens, depois de me ouvirem, voltaram-se com afinco para os seus postos de batalha com um sorriso nos lábios.

E, ao ver-nos preparados para a batalha, os partos, com maneiras rebuscadas, sopraram em trombetas e soltaram gritos, aturdidos entre o pavor e a fúria, e acabaram por abandonar o campo de batalha. Os seus exércitos, sempre desorganizados, em breve se dissolveram a nossos olhos, mais rapidamente que o próprio nevoeiro. E nós nos sentíamos em condições para recomeçar a nossa retirada.

Mas foi então que se nos deparou um novo perigo, pois tínhamos alcançado uma zona montanhosa e vimo-nos acossados pelo inimigo, instalado nas zonas mais elevadas. Foi então que me passou pela cabeça uma nova forma de defesa. As tropas com armamento mais leve foram cobertas pelos legionários que enfrentavam o inimigo de joelhos no chão e recebiam as flechas protegidos pelos seus escudos. E a zona de retaguarda cobria os homens imediatamente a seguir, igualmente com os seus escudos. Este tipo de defesa, pouco ou nada comum, protegia todos do inimigo, como um telhado inclinado protege uma casa da chuva.

No entanto, enquanto os partos, julgando talvez que os nossos homens caíam de joelhos devido à exaustão, ou vendo que não causavam receio com as suas flechas, aproximaram-se de nós num sistema de ponta de lança, uma vez que a defesa tinha passado ao ataque; e, como sempre acontece no sistema de quadrados fechados, o inimigo sentiu-se desnorteado, e tal era o seu desejo de desaparecer do nosso alcance que acabou por sofrer menos perdas do que aquelas que teria sofrido se porventura tivesse constituído uma força mais disciplinada e corajosa.

Mas, embora essas táticas fossem invariavelmente bem-sucedidas, elas tinham, no entanto, uma consequência infeliz: a nossa marcha ocupava cada vez menos espaço a cada dia que passava e a escassez de mantimentos era cada vez mais assustadora. Mesmo que os campos que iríamos atravessar tivessem trigo para alimentar os homens e forragens para os animais, era impossível enviar homens para adquirir alimentos. E, apesar de ganharmos diariamente uma batalha, a verdade é que a cada dia nos sentíamos cada vez mais enfraquecidos. Era de tal modo escassa a nossa provisão de cereais que muitos estavam reduzidos a procurar no chão raízes e ervas que os alimentassem. Mas algumas dessas ervas eram perigosas porque se eram comidas em cru, podiam privar os homens de memória ou de bom senso.

E muitos deles eram vistos a remexer entre as pedras numa desesperada busca de um antídoto qualquer, embora ninguém soubesse explicar o que podiam eles encontrar. E quase sempre acabavam por sucumbir, sofrendo do estômago e vomitando, a menos que conseguissem encontrar o remédio soberano para o estômago, o vinho; mas, como se encontravam de tal modo enfraquecidos, acabavam por morrer. Menciono aqui esta situação singular para mostrar a resistência que possuía este tão nobre e corajoso exército e realçar a coragem e a dureza daqueles que persistiam no seu dever.

As colinas levavam às montanhas e, com a sua aproximação, surgiu uma renovada esperança de que os partos iriam abandonar a sua perseguição. E, uma vez mais, os prisioneiros capturados pelos nossos postos avançados pareciam confirmar essas expectativas. "Talvez", diziam eles, "alguns dos medos pudessem continuar a nos apoquentar", mas eles só estavam interessados em proteger as fronteiras das suas povoações. O principal corpo do exército tinha-se esforçado o suficiente, e eles sabiam que nunca conseguiriam vencer-nos no campo de batalha. E, à medida que isso era dito, mais o nosso estado de espírito se ia alimentando e revigorava.

E, nessas circunstâncias, parecia ser necessário um debate, para se determinar se os nossos homens deviam submeter-se à aspereza do caminho montanhoso, onde eles não iriam encontrar água, o que os levaria a endurecer em termos de sede e de fome. Não seria mais sensato voltar para trás, para as planícies, e procurar um caminho mais acessível? Os meus conselheiros estavam naturalmente divididos.

Mas a questão ficou definida com a chegada de um desertor parto chamado Mitridates, um primo de Moneses. A princípio suspeitamos dele, a experiência não nos tinha dado qualquer razão para confiar no que dissesse um parto, a menos que ele nos pudesse provar a sua afirmação. Mas, perante a nossa perplexidade, decidi-me a ouvir o que o homem tinha para me dizer e julgar depois a sua credibilidade pela sua maneira de falar. Isso me pareceu honesto e, quando ele me falou de forma franca da sua gratidão pela minha amabilidade em relação ao seu primo, ouvi os conselhos que ele me dava.

E ele me indicou uma cordilheira em direção a sudoeste.

— Para além daquela colina — disse ele — o principal corpo do exército parto espera-vos numa emboscada. No sopé da montanha há uma vasta planície, e eles esperam que as vossas tropas fiquem suficientemente decepcionadas pela informação obtida junto dos prisioneiros, que são, devo-vos dizer, colocados em situação de serem capturados com esse objetivo e que é de vos levar a pensar que é mais seguro trocar os rigores da montanha pelas delícias da planície. Se o vosso exército tomar o caminho da montanha, irá sofrer a sede e ficará exausto, mas se, decepcionados por aquilo que vos transmitiram esses cativos, escolherdes a planície, então o destino de Crasso estará à vossa espera.

Recompensei-o com ouro e convoquei um conselho ao qual informei o que Mitridates me havia dito. Alguns estavam demasiado desanimados para acreditar no homem, mas outros afirmaram que também não tínhamos razões para confiar nas informações dadas pelos cativos. Aenobarbo sugeriu que devíamos torturar alguns deles para ver se eles falariam de outra forma; "desse modo", disse ele, "teríamos a certeza de qual seria o caminho mais sensato". Mas eu estava já determinado a seguir o conselho dado por Mitridates. Como expliquei ao conselho, era impossível a um exército parto que se mantivesse, estendido no chão, à espera de nós, na planície.

— Mesmo que os partos sejam mentirosos — disse eu —, nem todos são idiotas.

E não levei muito tempo a provar que tinha razão. Quando tomamos o caminho da montanha, a nossa retaguarda foi imediatamente perseguida pelo inimigo, fora de si, porque não tínhamos seguido as suas mentiras e escolhido marchar pela planície. A nossa retaguarda, comandada por Canídio, repeliu o ataque, mas o nosso avanço sofreu um atraso significativo e os homens sofriam cada vez mais com a sede. E mais desastres esperavam por nós. O primeiro rio que encontramos era de água salgada e foi com grande dificuldade que os centuriões desviaram os soldados das suas margens. A noite caiu quando nos encontrávamos ainda nas montanhas. E, embora os nossos guias me assegurassem que havia um rio com água fresca algumas milhas adiante, era imprudente avançar com as tropas no meio da escuridão.

Mas dei ordens para um curto repouso e exigi que todos estivessem prontos para recomeçar a marcha aos primeiros alvores. Esperava, desse modo, furtar o nosso exército a um ataque da cavalaria ligeira parta e, ao mesmo tempo, conseguir matar a sede dos nossos homens o mais depressa possível.

Infelizmente era uma noite de nevoeiro cerrado, que ainda se estendia pelas montanhas quando dei ordens para avançar, o que causou alguma confusão. Entre os nossos homens, primeiro, começou a correr o boato de que estávamos perdidos, depois, disse-se que havia partos entre nós, e houve mesmo quem afirmasse que eu tinha sido morto. E foi só nesse momento, durante essa campanha, que os nossos homens entraram em pânico. Os soldados perderam contato uns com os outros e muitos começaram a correr sem saber para onde, alarmados, deixando o acampamento em desordem, e a gritar que havíamos sido traídos, que tudo estava perdido, e que cada um devia salvar-se como pudesse. E foi nessa ocasião que os partos aproveitaram para acossar a nossa retaguarda e, se não fosse a coragem e o bom senso de um centurião do terceiro batalhão que pegou nas nossas insígnias e com elas erguidas avançou para o inimigo gritando que não se importava morrer, já que os seus camaradas de armas tinham abandonado as suas obrigações, tudo estaria perdido. Os outros, ao ouvi-lo, envergonhados ou inspirados pelo seu exemplo, voltaram a formar os pelotões e puseram o inimigo em debandada, mal este se apercebeu da resistência e vigor, características dos romanos, e assim se salvou o dia. Nesse momento, ao tomar conhecimento dos rumores a respeito da minha segurança, tive o cuidado de me mostrar às tropas, cavalgando ao longo das linhas em formação, encorajando os homens com a minha presença e com as minhas palavras. E assim conseguimos restaurar a ordem e avançar até o rio onde os homens conseguiram matar a sede e restaurar-se.

Seis dias passados, noventa milhas mais adiante, caminhando ainda em zonas montanhosas, onde os caminhos eram maus, e sem conseguirmos manter uma marcha regular, alcançamos o rio Araxes que serve de fronteira entre a Média e a Armênia. E, quando pusemos os pés do outro lado do rio, os homens ajoelharam-se e beijaram o chão e abraçaram-se uns aos outros, agradecidos, e aliviados dos perigos enormes por que tinham passado e da mais árdua marcha que alguma vez um exército romano tinha levado a cabo.

A nossa retirada iniciada em Fraaspa tinha durado vinte e sete dias de uma caminhada horrorosa. Havíamos entrado em dezoito batalhas e vencido os partos em todas elas. As nossas perdas eram de vinte mil peões e quatro mil cavaleiros, mais da metade devidas, não a batalhas, mas às carências, às doenças e ao frio agreste das noites passadas na montanha. Tínhamos suportado temperaturas extremas e, no ponto mais alto da nossa marcha, os homens tinham apanhado neve que lhes dava pelos joelhos. Sofrêramos nevascas tão fortes que as mãos dos homens gelavam, agarradas ao cabo das espadas. Os feridos ficavam estendidos no chão, nos seus uniformes molhados, que a noite transformava em mortalhas de gelo; mas, mesmo assim, exceto pela situação a que já me referi, o exército mantinha a sua disciplina e a sua compostura; a sua confiança. Nunca nenhum exército romano tinha conseguido tanto e de forma tão grandiosa.

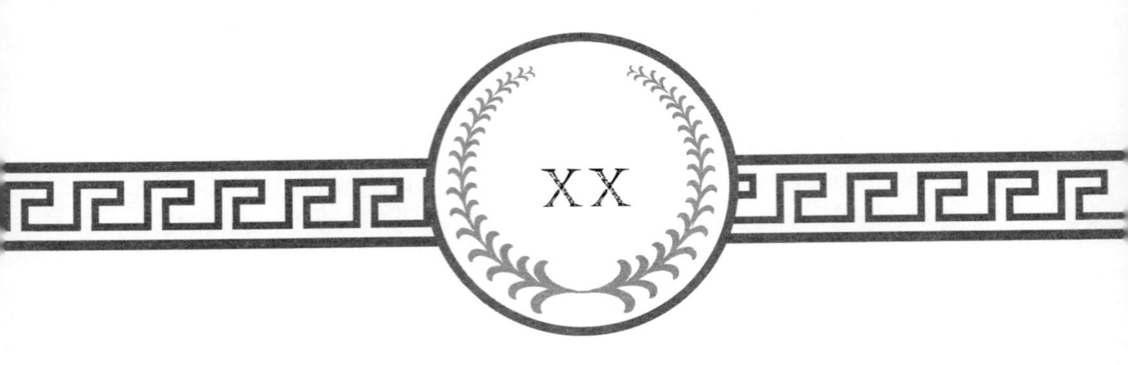

XX

DEVEIS JÁ TER IMAGINADO QUE MEU AMO, AO FAZER ESSE RELATO DE uma campanha tão desastrosa de fato, está a desempenhar um papel. E é verdade: o papel de César. É esse precisamente o tom do seu discurso, e mais precisamente, segundo penso, o relato de Júlio César das suas guerras na Gália. Ou seja: a mesma combinação de uma distância assumida com um egoísmo exacerbado. Tal como César, o meu amo nunca cometeu um erro. E, se algo corria mal, isso se devia ao acaso, e nunca a um mau juízo seu. E, evidentemente, nada corria mal; um desastre, quando é relatado por escrito, passa a ser um triunfo. Ele tinha como objetivo primeiro, como deveis saber, celebrar um triunfo; e, para cúmulo, lembrou-se de fazê-lo em Alexandria, um gesto inovador que poderia ser defendido como a forma de exprimir a ideia que ele tinha de como um império universal, o Império Romano, se devia dar a conhecer ao mundo, mas uma inovação que não deixava de ser como um insulto pela nobreza romana. No fundo, o que ele estava fazendo era dar a Octaviano material incendiário para a guerra de propaganda que este não perdeu tempo a utilizar contra meu amo.

É certo que esse relato da campanha na Partia é evidentemente desonesto. Mas, curiosamente, só há um aspecto nele em que o meu senhor comete uma injustiça, gesto de que César nunca poderá ser acusado. O relato, de certo modo, subestima o heroísmo pessoal de meu amo, embora seja quase sempre a sua simpatia e afabilidade que impedem que o exército se desintegre e se amotine. Houve nessa horrível retirada demasiadas situações em que foi ele próprio que, ao empunhar a espada ou a lança dos seus legionários, se colocou à frente do contra-ataque movido contra o inimigo. E nos vinte e sete dias que durou essa retirada de Fraaspa, ele foi ferido seis vezes.

Meu amo encarava o que tinha acontecido como uma espécie de teste, porque estava convencido de que a Partia teria de ser submetida e que isso iria acontecer na campanha que se seguiria no ano seguinte. Uma vez mais, pediu a Octaviano os vinte mil homens que ele lhe havia prometido. E, uma vez mais, o seu colega no poder encontrou desculpa para não cumprir a promessa. E, para tornar piores as coisas, enviou Octávia para junto do marido, levando consigo apenas um décimo desse número. O que era, sem dúvida alguma, uma provocação.

Iria meu amo a Atenas para se encontrar com Octávia? O assunto foi fortemente debatido. E ele acabou por declarar ser impossível. No seu acampamento, na fronteira da Armênia, estava totalmente ocupado a preparar o seu novo exército. Como poderia abandoná-lo? A minha opinião é a de que ele, tendo consciência de que tinha tratado mal Octávia, se sentia culpado, o que o impedia de ir ter com ela. E, perversamente, preferiu insultá-la, como se por meio de indignidade após indignidade conseguisse justificar a sua cruel atitude inicial. Foi um comportamento ignóbil, que não estava na sua natureza generosa; e, mesmo sabendo disso, ele continuou com a mesma atitude. Não fazia muito sentido, mas não se poderá dizer o mesmo de muita coisa das nossas vidas?

Mas outros, que não souberam entendê-lo como eu, incomodavam-no dando-lhe conselhos, tentando forçá-lo a respeitar a essência do dever, em vez de se deixar levar pelas inclinações, embora os próprios não fizessem o que diziam. Aenobarbo, por exemplo, convencido de que a posição de meu amo em Roma exigia ser consolidada, pressionou-o para que se reconciliasse com Octávia e voltasse a recebê-la como legítima esposa.

— O vosso comportamento até leva a pensar que vos haveis convertido aos hábitos do Levante — dizia Aenobarbo. — Os nossos amigos em Roma estão preocupados. Dizem que há seis anos que vós não estais em Roma, e na Itália, há três. Começam a desconfiar de que vos haveis esquecido já de quem sois. Mas todas essas dúvidas se dissiparão se voltardes a unir-vos a vossa esposa. Se a mandardes de novo para Roma, não só vos declarais inimigo do seu irmão, como também o insultais.

— E um insulto que ele vai utilizar da melhor forma — disse Escribônio Curião.

— Certamente. Porque não há nada melhor para Octaviano do que tornar público que o haveis insultado.

— E que ele vai fazer com que seja um insulto à própria cidade de Roma.

— E o fato de ele me enviar um décimo das tropas a que se obrigara a mandar não é igualmente um insulto? — retrucou meu amo.

E com esta pergunta, os argumentos deixavam de ter significado.

Mas, nisso tudo, qual era o papel de Cleópatra?

Perante isso, decidiu ficar de fora. Escreveu a meu amo dizendo que ele devia decidir do seu futuro próximo sem pensar nela, nas suas necessidades, ou nos filhos de ambos. Tinha sido sempre uma amiga leal para com ele, mas não lhe exigia nada. Achava que ele devia pôr a segurança do Império e da própria posição à frente de qualquer obrigação que supusesse ter em relação a ela.

Mas, infelizmente, essa carta desapareceu. Ela era francamente uma obra-prima. Meu amo não se cansava de gritar admirado pela abnegação e compreensão de Cleópatra. Dizia que se sentia completamente subjugado por um tal comportamento.

O meu caro Alexas, a quem fora confiada a entrega da carta, perguntou qual a resposta que levaria à rainha.

— Diz-lhe, diz-lhe... — disse meu amo, e em seguida desatou a chorar, incapaz de dizer a Alexas o que devia dizer à rainha. Decidiu-se mais tarde que devia pensar-se em rascunhar uma carta e fui eu a pessoa encarregada de fazer o primeiro rascunho...

— O que gostaria ela de ter como resposta? — perguntei eu a Alexas.

— Como posso eu saber, meu caro? — disse ele, olhando para mim com os seus grandes olhos azuis.

— A carta dela é uma completa jogada, não achas? — disse eu.

— Bem, meu caro Crítias...

— Mas tenho de reconhecer que está bem escrita...

— Aqui entre nós, a rainha não está em bons lençóis — disse ele. — E nem é capaz de imaginar que Marco Antônio a abandonou, não lhe passa pela cabeça que ele seja capaz disso. Com o temperamento dela, isso seria o inferno. O que te posso dizer é que me sinto feliz por estar longe dela por algum tempo.

Do laranjal ao longe chegava o cheiro das árvores em flor. Alexas estendeu-se por cima da almofada, com a túnica meio aberta. Estava um pouco bêbado e tinha a fala enrolada. Pelas frinchas dos telhados chegava-nos o murmurar das mulheres. E por fim só se ouvia o sussurrar calmo do vento sobre as árvores.

— Eu a ouvi dizer que o que lhe apetecia era espancar Marco Antônio... — E Alexas fez um vago movimento com a mão. — Ela não tem noção do que pensa, nem do que faz. — E Alexas deixou ficar a mão de dedos finos e compridos em cima da nádega nua. — Mas isso não nos diz respeito, não achas? — acabou por dizer. E os seus lábios abriam-se num convite.

E mais tarde acabaria por dizer:

— Posso ser efeminado, mas agradeço aos deuses o fato de não ser mulher. As mulheres são o inferno.

Mas a verdade é que Cleópatra estava à espera de uma resposta. E eu esbocei uma carta na qual o meu amo não se obrigava a nada e tudo numa linguagem muito floreada, como seria de esperar. Alexas tinha-me ajudado a escrevê-la, sem talvez pensar nisso. Porque me tinha dado a entender a incerteza que dominava o espírito da rainha e sobretudo a sua forte dependência em relação a meu amo.

Expliquei a situação a Aenobarbo, que confiava no meu raciocínio quando coincidia com o dele, porque em regra não podia comigo e desprezava-me até. Chegara mesmo a dizer que não entendia como Marco Antônio, na sua franqueza, suportava uma criatura como eu a seu lado. E chamava-me, mesmo na minha presença, um safardolas disfarçado de menino. Eu me limitava a esboçar um sorriso à laia de agradecimento. E pensava para comigo que era aquilo que os romanos tinham feito de mim. Mas, apesar de me desprezar, a verdade é que Aenobarbo sabia que eu era inteligente. E ele não conseguia acreditar que eu amasse Marco Antônio, porque não lhe passava pela cabeça que uma criatura como eu fosse capaz de amar; mas reconhecia que eu tinha em consideração os interesses do meu amo, sobretudo porque eu não representava nada, nem nunca representaria, segundo o seu ponto de vista; nada nem ninguém a quem ele se sentisse obrigado a agradecer fosse o que fosse. Quando acabei de falar, Aenobarbo disse: "Não me custa nada acreditar no que estás para aí a dizer", e após estas palavras fungou num tom de desdém para consigo próprio, "e é evidente que a rainha não tem a menor ideia do que se passa na cabeça de Marco Antônio em relação a ela, mas não vejo o que isso nos pode interessar".

Eu então expliquei, demonstrando quão indigno eu era ao fazê-lo, mas recorrendo a uma retórica tão capciosa e floreada que me abstenho de repetir aqui, em qualquer caso enfadonha. (A minha experiência me dizia que os nobres romanos como Aenobarbo gostavam de ouvir estes arrazoados servis dos seus inferiores, diminuindo-se a si próprios e julgando as suas opiniões meramente aceitáveis), que só veio reforçar a sua posição no debate sobre o que o meu senhor devia ou não fazer. E isso significava que ele ainda era capaz de dominar a rainha, se ela não tivesse já estabelecido, como nós imaginávamos, uma ascendência completa sobre ele, porque neste caso então já não haveria esperanças.

— Mas se as coisas se arranjassem de modo a que ele estivesse de acordo em receber a senhora Octávia — disse eu —, talvez a sua virtude e o seu encanto, se me é permitido dizê-lo, me levassem a crer que ele poderia restabelecer o seu casamento, para felicidade de todos. Digo isso porque estou ao serviço do meu senhor desde criança.

Aenobarbo mostrou-se desagradado ao ouvir isso e conheço-o o suficiente, e de novo peço desculpa por aquilo que digo, mas ele sempre foi governado por algumas mulheres. E será melhor para todos nós, e especialmente para ele, que essa mulher seja agora Octávia.

Mas reconheço agora que cometera um erro que teve consequências catastróficas. As minhas palavras foram dirigidas ao homem errado. Aenobarbo tinha muitas virtudes, pelo menos era o que se dizia; mas a delicadeza na argumentação não era uma delas. Se eu me tivesse dirigido a Escribônio Curião, que era um homem de extrema simpatia e grande compreensão, tudo teria corrido da melhor forma. Mas Aenobarbo era um desses homens cheios de si e que, segundo a absurda expressão de que os romanos tanto se orgulham quando se querem autovangloriar, gostava de pegar o touro pelos cornos. E, nesse sentido, dirigiu-se a meu amo com a sutileza de uma multidão a ir de encontro à outra. Disse-lhe que era seu dever receber Octávia. E que seria louco se a obrigasse a voltar de novo para Roma. Chegou mesmo a dizer que, se um degenerado maricas como Crítias tinha tido a inteligência para compreender esta verdade, ele não via razão para que meu amo continuasse a comportar-se de maneira tão cega. Em suma, se o rapaz (eu) tinha sido pago por Cleópatra para convencer Marco Antônio a voltar para seu lado, ele não podia ter desempenhado melhor o seu papel. Mas, evidentemente, eu não estava ao serviço de Cleópatra e a detestava. Ele é que era um nobre romano estúpido, com tanto tato e sensibilidade quanto um boi obtuso.

Como fui eu capaz de ter cometido um erro assim é coisa que não consigo explicar. As consequências foram as mais infelizes. Meu amo enviou uma carta bastante rude a Octávia — eu a escrevia com lágrimas nos olhos —, obrigando-a a regressar a Roma, uma vez que não tinha conseguido trazer as tropas de que ele precisava, e parecia que ela demonstrava ter mais consciência dos seus deveres para com o irmão do que as suas maiores obrigações que a ligavam ao próprio marido, obrigações essas que deviam sobrepor-se aos deveres que tinha para com o irmão. Em suma, era uma carta tão estúpida e brutal que eu próprio me senti envergonhado de a escrever.

Curiosamente, Alexas mal se apercebeu do meu papel em toda esta história. Estava completamente dominado pelo alívio de estar longe de Cleópatra e pela alegria que estava a viver e demonstrou-me a sua gratidão, sentimento esse que, segundo ele próprio me assegurava, a própria Cleópatra iria ter também em relação a mim. Teria sido desagradável da minha parte desenganá-lo; e, de qualquer modo, não vi nenhuma razão para negar a mim próprio os prazeres que ele me oferecia.

XXI

No tempo em que o meu amo e Octaviano tinham relações aparentemente amistosas, eles conseguiam falar do caso entre o meu senhor e Cleópatra de forma de certo modo ligeira e descuidada. Uma vez, Octaviano escreveu a meu amo reprovando-lhe a ligação, mas, num tom de franca camaradagem, e meu amo pôde responder-lhe no mesmo tom, algo como isto:

"E o que dizer de ti? Não te estou vendo ser fiel a Lívia, ou estarei eu enganado? Tenho certeza de que não. Não te esqueças, meu menino, que sei muita coisa sobre os teus gostos eróticos, pessoalmente e pela reputação que tens. Estás a imaginar Rato Bruto a vangloriar-se de te ter possuído? Mas nós dois crescemos e orientamo-nos de forma diversa, como sabes. Mas só me posso congratular ou então ter pena de ti, isso só tu saberás se no espaço que medeia entre escrever esta carta e a sua recepção tu ja tiveres ido para a cama com Tertúlia ou Terência ou Rufila ou Sálvia Titisenia, ou uma outra qualquer coleção de belezas. E, em nome do meu antepassado Hércules, o que tenho eu a ver com quem, onde, ou quando ou como tu te deitas a fazer amor? O sexo, meu caro menino, é uma atividade meramente animal e, na medida em que o assunto me diz respeito, a rainha continua a ser um bom pedaço de mulher...

Seria talvez assim o teor dessa carta.

Mas agora as cartas deixaram de ter esse tom jocoso, meu amo bem tentou recuperá-lo mais de uma vez, mas as cópias dessas missivas desapareceram e acabaram por ter um efeito contrário que deixava Octaviano furioso. E, embora ele se tivesse entregado à luxúria, como toda a gente sabe, a verdade é que, sob a influência de Lívia, ele se tinha tornado uma pessoa prudente. Os seus amigos passaram a achá-lo aborrecido, mas, na minha opinião, ele realmente era um hipócrita; e penso que continuava a ter ciúmes do jeito fácil de encarar as coisas e da superioridade descuidada de meu amo.

Quanto a Octávia, senhora por quem eu continuo a manter o maior respeito e admiração, não sei se ela alguma vez teve noção da forma odiosa como foi manipulada pelo irmão. Se Octaviano mantivesse a palavra dada a meu amo, tenho certeza de que meu amo jamais a repudiaria. E penso que Octávia tinha consciência disso, embora nunca o confessasse abertamente. O que digo baseia-se um pouco em boatos, mas eu ouvi dizer que, ao regressar a Roma, ela se encontrou com o irmão apenas em ocasiões formais e nas quais a sua ausência seria pasto de falatório; mas a verdade é que ela nunca mais teve quaisquer contatos privados com o irmão. E é de destacar o seu cuidado em cuidar dos filhos que Marco Antônio tinha do seu casamento com Fúlvia, levando-os para sua casa e tratando deles como se eles fossem seus.

Houve uma época em que os nossos interesses pareciam ter melhor fortuna. Embora meu amo não se sentisse suficientemente forte para se lançar numa segunda expedição contra a Partia, o certo é que continuou na sua marcha pela Armênia e deteve o traidor Artavasdes, transformando esse reino sem leis numa província do Império; Canídio foi nomeado procônsul. Quanto a Artavasdes, foi levado para Alexandria, onde foi apresentado à multidão no triunfo do meu amo, acabando por sofrer em seguida o bem merecido castigo da pena de execução.

Esse triunfo foi de fato imponente, apesar das mentiras que circularam mais tarde em Roma. Meu amo passeou-se vestido num traje feito de ouro e ostentava o bastão de Dioniso. Os cativos foram obrigados a desfilar pela cidade, que nunca tinha visto antes coisa semelhante. Alexas contou-me mais tarde que os cidadãos de Alexandria ficaram de tal modo admirados com o esplendor que lhes era dado ver, que abandonaram o cinismo e o ceticismo que lhes eram habituais — porque os gregos de Alexandria pensavam que já tinham visto tudo e que nada mais poderia surpreendê-los ou impressioná-los — e olhavam para meu amo como se ele fosse a encarnação de um deus. Mas talvez fosse o belo Alexas a querer agradar-me, ou então fosse ele próprio excessivamente ingênuo.

Os cativos foram levados à presença de Cleópatra, sentada num trono de ouro, erguido sobre uma plataforma de prata. Os seus filhos estavam sentados em pequeninos tronos na parte mais baixa do estrado e a imensa multidão gritava e espalhava sobre eles pétalas de flores. Foi referido em Roma que os cativos se recusaram a prestar a obediência habitual à rainha, mas isso não é verdade. Em seguida, por entre o entusiasmo geral, o meu amo pegou Cesarião pela mão e proclamou o filho de César seu auxiliar nos negócios políticos com o Egito, juntamente com a mãe. Isso era algo com que Cleópatra sonhava havia muitos anos, porque existia um velho costume no Egito que permitia que o herdeiro do trono governasse associado ao monarca reinante. Além disso, Cleópatra esperava demonstrar, através deste jogo político, que o seu filho, e não Octaviano, que ela temia e odiava, era o verdadeiro herdeiro de César.

Além do mais, o gesto de meu amo foi particularmente generoso, porque, no fundo, as legiões já haviam demonstrado, pelo seu entusiasmo e em muitas situações ocorridas nos últimos dez anos, que estavam interessadas em aceitá-lo como o verdadeiro herdeiro da glória de César.

E, em seguida, para reforçar o contentamento da rainha e demonstrar a sua própria magnanimidade, meu amo declarou seu jovem filho, Alexandre Hélio, um rapaz de uma beleza surpreendente, rei da Armênia e da Média, e o seu irmão mais novo, Ptolomeu, rei da Fenícia, Síria e Cilicia. Tratava-se obviamente de cargos honoríficos que ninguém ia levar a sério, embora Octaviano mais tarde fizesse alarde disso para recolher benefícios. Mas os rapazes estavam realmente encantadores: Alexandre com a sua vestimenta à maneira dos Medos, com turbante e tiara, e Ptolomeu, aprumado como os sucessores de Alexandre, com um manto comprido, chapins e um turbante que tinha à sua volta um diadema. A própria Cleópatra trazia o vestido sagrado de Ísis, multicolor, o que significava que essa deusa gozava de poderes universais.

Todos sabíamos que aquilo era uma encenação para agradar ao povo e à rainha. E era pena que ninguém pensasse nas repercussões que esse espetáculo simples e deslumbrante podia ter em Roma. É verdade que Aenobarbo tinha sido contra, mas ele era tão antiquado nas suas opiniões que ninguém atribuiu importância às suas palavras. Quanto a mim, fiquei estupefato com Escribônio Curião, que tinha excelentes ideias em relação a muitas coisas e não fazia a mínima ideia de como Octaviano podia usar esse assunto para envenenar a opinião romana. Meu amo devia ter ouvido Curião, em quem tinha razões para confiar e de quem gostava, em parte devido à veneração que mantinha em relação a seu pai, com quem Curião em muitos aspectos se assemelhava.

Disse-se muitas vezes que, a partir deste dia, meu amo passou a ser considerado como alguém que raiava já à loucura e havia perdido todo e qualquer sentido das proporções.

Este é um assunto que eu gostaria de deixar claro.

Em primeiro lugar — e ao contrário de negligenciar as suas relações com Octaviano —, o que ele fez, antes de mais nada, foi concentrar toda a sua capacidade intelectual em recuperar-se dos vexames que havia sofrido. E disto tenho certeza e posso jurar em relação aos fatos, porque participei na redação da sua carta de acusação.

E nessa carta foram destacados cinco pontos principais.

Primeiro: o fato de Octaviano ter faltado à palavra ao não enviar as tropas que havia prometido.

Segundo: o fato de Octaviano se apoderar da Sicília, que estava nas mãos de Sexto Pompeu, e, contrariamente ao que tinha sido combinado, ocupar toda a ilha, ficando inclusive com todos os seus rendimentos, sem os dividir com ele.

Terceiro: o fato de ele nunca ter devolvido os navios que havia pedido a meu amo.

Quarto: o fato de, após haver reduzido o terceiro colega, Lépido, sem consulta, ao estado de mero cidadão, Octaviano ter ficado com as legiões pertencentes a Lépido, bem como as províncias, tesouro e tributos que também deviam ser divididos com meu amo.

Quinto: o fato de Octaviano ter loteado e confiscado terras na Itália a seu favor após terem expirado os prazos a favor dos veteranos de guerra, deixando sem nada os soldados de meu amo, o que abriu nova brecha no que havia sido acordado entre eles.

Cito aqui em pormenor toda a acusação para demonstrar que meu amo continuava na plena posse das suas faculdades intelectuais e atento aos negócios que lhe diziam respeito. Além disso, justificava-se plenamente em todos estes quesitos.

E tal ficou provado pela fraca defesa apresentada por Octaviano.

Em primeiro lugar, ele afirmava que Lépido se mostrara incompetente e que havia resignado a favor de Octaviano. E, com palavras melífluas, dizia-se disposto a partilhar com o seu colega Marco Antônio tudo o que adquirira com a guerra...

— Mas isto vem deitar por terra tudo o que solicitamos — disse Aenobarbo.

— Sabes bem que Octaviano jamais cumpriu o que quer que tenha prometido — disse Curião. — Lembra-te de que fiz a escola com ele e sei de quem estou falando. Ele é tão ganancioso como um arminho.

Por fim, Octaviano, depois de haver declarado que esperava que Marco Antônio fizesse o mesmo com ele em relação à Armênia, teve a insolência de afirmar que os veteranos do meu amo não tinham necessidade de terras na Itália "porque meu amo podia perfeitamente instalá-los na Armênia e na Média".

Como se uma situação fosse comparável à outra.

Apesar do ar insolente e desprezível da carta, ela não dava a entender o que se passou a seguir. E algumas semanas depois veio-nos a notícia de que Octaviano tinha desencadeado no Senado um tremendo ataque contra meu senhor. Acusava-o de imoralidades de toda a espécie, de haver traído o Império de Roma no Oriente em troca dos fétidos favores de uma rainha prostituta do Oriente, de adotar a religião e os trajes orientais e oferecer os territórios ganhos com a atuação heroica das legiões aos bastardos da prostituta.

E em seguida, atuando com rapidez, criou um tal estado de receio na cidade que várias centenas de nobres e cavaleiros, temendo pelas suas vidas, abandonaram Roma para se dirigirem ao acampamento do meu amo. Roma voltava a estar à beira da guerra civil, devido à malícia e à ambição de Octaviano.

ESTA GUERRA NÃO FUI EU QUE A INICIEI OU PROVOQUEI. FOI-ME IMPOSTA. O que eu propus foi que tanto eu como Octaviano resignássemos. O período do Triunvirato, já destruído pelo fato de Octaviano ter expulsado o nosso colega Lépido, estava chegando ao fim. O melhor, afirmei então, era voltarmos às regras tradicionais da República.

Mas a minha sugestão foi ignorada. E o meu colega de dez anos de cargo desencadeou um violento ataque à minha conduta pública e à minha moral privada. Roma podia ser governada por um bêbado crônico, seduzido pelos encantos de uma prostituta oriental? Não, isso era intolerável. Octaviano recorreu a demagogos, alguns desconhecidos, outros homens de bom nascimento, mas de mau caráter, para envenenar o espírito dos senadores, cavaleiros e gente do povo contra mim. Um deles, Marco Valério Messala Corvino, que fora um apoiante de Marco Bruto e o descrevia como "um jovem nobre distinto e de talento", foi prostrar-se em frente de Octaviano para me acusar de extravagâncias e vícios orientais; em resultado disso, foi recompensado com um consulado que a princípio se destinava a mim. Este mesmo Messala já se havia esquecido de que eu lhe poupara a vida quando se rendeu a mim, e não a Octaviano, em quem não confiava, depois da derrota de Bruto.

Como resposta, enviei ao Senado um digno relatório sobre os meus feitos, provando a legalidade dos meus atos e dando a conhecer os acordos que havia feito com Octaviano e que ele não havia respeitado. E, para assegurar que esse relatório era recebido, confiei-o a Domício Aenobarbo e a Caio

Sósio, designados cônsules para o próximo ano. E pensei que até os meus inimigos no Senado deviam ter conhecimento de que a minha conquista da Armênia e a expansão das fronteiras do Império deviam agir em meu favor. Sósio teve uma intervenção poderosa e fez um discurso eloquente em minha defesa. Entretanto, Aenobarbo, sem qualidades oratórias, tentou reunir apoios entre os oradores presentes. E Sósio, julgando que os ventos sopravam agora a nosso favor, fez um segundo discurso, denunciando as infrações de Otaviano aos nossos acordos, e propôs uma moção de censura moderada. A princípio, a legalidade devia prevalecer.

Essa atuação alarmou Octaviano. Sabendo que não tinha razão, agiu de forma a abafar as justas críticas. E, embora deixasse de possuir qualquer posição oficial, uma vez que o Triunvirato havia sido extinto, não perdeu tempo a pôr de pé um exército na Itália, recuperando veteranos já reformados, e esses bandos armados eram mantidos pelos seus apaniguados. Marchou em direção a Roma uma ofensa capital nos dias da legalidade republicana e entrou na Cúria à frente de uma força armada. Colocando-se entre os dois cônsules, cuja autoridade legitimada desafiou, acusou-me de traição. Aterrados e amedrontados, os senadores tiveram um comportamento de mulheres. E não houve um homem que levantasse a voz contra o aventureiro. Então Octaviano demitiu-os, demonstrando por eles o maior desprezo. E ordenou-lhes que se reunissem no dia a nomear por ele quando pudesse provar por forma documental a minha traição.

A situação era grave. Sósio e Aenobarbo reuniram-se entre si, concluíram que as suas vidas corriam perigo e abandonaram a cidade. E a eles seguiram-se mais de três centenas de senadores, alguns velhos republicanos e outros que me eram leais.

Em seguida, Octaviano sem qualquer legalidade que não fosse a sua autoridade pessoal, declarou Sósio e Aenobarbo culpados de deserção. Foi uma grande jogada. Se tivessem ficado, eram homens mortos. Se partissem, eram traidores. Nem mesmo Cícero tinha ousado um tal desprezo pela legalidade quando mandou matar os aliados de Catilina sem julgamento. Foi então que Octaviano designou, sem consulta e por sua alta recriação, dois cônsules, dos quais só um talvez fosse adequado, um primo de Messala. No ano seguinte declarou que queria ficar com o consulado para ele, e Messala seria seu colega.

Eram portanto esses os atos do homem que me acusava de ter violado as leis da República. Através da violência, atual e implícita, ele conseguira assegurar para si próprio o poder sobre Roma e assim dominar a Itália inteira.

Não obstante, eu repeti a minha vontade de resignar aos meus poderes. Como já disse, não desejava recomeçar a guerra. Tinha um exército de trinta legiões, formado por homens experimentados em batalhas, e uma enorme armada. Se eu navegasse na direção da Itália, Octaviano não tinha possibilidades de enfrentar o meu poder. E, além do mais, se eu tivesse comigo os dois cônsules devidamente eleitos, o meu exército era o verdadeiro exército da República. Octaviano possuía apenas a sua própria facção.

E, a acrescentar a isso, a justiça da minha causa iria ser respeitada por todos aqueles que haviam abandonado Roma para se juntarem a mim. O próprio Aenobarbo tinha sido inicialmente um apoiante de Catão. Poderia haver melhor evidência de que era eu que representava a verdade para a República?

XXIII

O ESFORÇO DESPENDIDO A DITAR-ME ESSE ÚLTIMO CAPÍTULO TINHA-O deixado exausto. Já a meio tinha pedido mais vinho, que bebeu rapidamente, e agora permanece sentado, com o olhar vidrado, mas fixo no mar, que ruge, brilhante, a uns cinquenta metros. As aves marítimas grasnam à nossa volta, mas eu duvido que ele as ouça. Os seus pensamentos estão longe, presumo eu.

Agora começou a ressonar. Quando despertar, voltará a beber para esquecer. Não o posso censurar por isso.

Portanto devo ser eu a assumir a continuação da narrativa. Tudo o que ele disse na última passagem é, e não é verdade. Aliás é o que se pode dizer de todos os trabalhos dos historiadores.

Quando Aenobarbo chegou a Efeso, juntamente com Sósio, ambos ficaram desgostosos e preocupados ao verem Cleópatra juntamente com o meu amo. E Aenobarbo insistiu em que a rainha fosse mandada de volta para o Egito. Roma podia desencadear uma guerra contra Cleópatra, mas nunca contra Marco Antônio. Receio que ele tivesse razão. Eu já tinha pensado o mesmo, embora soubesse que a recomendação de Aenobarbo era questionável, pois conhecia o ódio que ele sentia pela rainha.

Mas havia quem não estivesse de acordo, e entre eles pontificava Canídio, cujas opiniões pesavam, porque ele era um perito em combates.

Canídio afirmava que Cleópatra não podia ser facilmente posta de lado. Fora ela quem nos fornecera homens e embarcações. E mais importante ainda, sem a sua ajuda não havia dinheiro para pagar ao exército.

A razão estava do seu lado. Aenobarbo cedeu. E quem ganhou foi, evidentemente, meu amo, que em seguida manifestou o seu ressentimento em relação a Octaviano divorciando-se de Octávia. O que foi um erro crasso. E, enquanto se discutia esse assunto, eu pedi a Alexas que tentasse convencer a própria Cleópatra a aconselhar meu amo a não se precipitar.

— Vê se a convences — dizia-lhe eu — de que ela não tem qualquer interesse que o meu amo provoque Octaviano a ponto de abrir um conflito armado entre os dois ou lhe dê a oportunidade de transformar em arma de propaganda o seu desejo de se divorciar.

— Meu caro — respondeu-me Alexas —, já alguma vez viste as pirâmides?

— Já.

— Então tenta persuadi-las a atravessar as areias do deserto. Com Cleópatra é o mesmo. A rainha odeia e receia Octávia. Há muito que ela espera vê-la humilhada.

E, com esta atitude, meu amo traiu a si próprio. Sempre foi assim com ele: ser traído por quem ele mais confiava.

L. Munácio Planco era um antigo adepto de César. Pertencera ao Estado-maior do ditador. Na época das proscrições tinha provado o seu amor pela República sacrificando de boa vontade o próprio irmão, de quem tinha herdado os bens, através de uma dispensa especial. Um amigo de Lúcio, irmão de meu amo, tinha sido feito seu prisioneiro no cerco de Perúsia, do qual escapara ao assumir o papel de emissário na proposta de tréguas. Mais tarde, meu amo perdoou-lhe e ele colocou-o ao seu serviço. Meu amo, com a generosidade que lhe era própria, fê-lo cônsul na Síria, onde provou ser eficiente, embora se falasse do gosto que tinha em deflorar jovens impúberes, algumas com dez ou nove anos. Ao contrário de Aenobarbo, soubera bajular a rainha e aproveitou os seus favores para enriquecer. Sempre tinha sido alguém que, no mundo da corte, surgia como um homem de sucesso; e tinha um talento especial para cenas de baixa índole. Mas agora a comédia que representava tinha um sabor bastante amargo.

Talvez se sentisse ressentido pela grandeza de meu amo, ou então, como se dizia também, o meu amo tivesse detectado nele atos de peculato, ou então — e essa é a minha opinião —, porque não era capaz de suportar por muito tempo aqueles que descobriam os seus vícios e o criticavam abertamente, Planco abandonou meu amo e foi juntar-se a Octaviano.

Provavelmente sentiu no ar a direção dos ventos que mais lhe convinham. Não sei. Mas sei, no entanto, que essa deserção não foi suficiente para satisfazer essa ratazana que nascera nobre romano. E no seu coração alimentava ainda o forte desejo de trair.

Ao chegar a Roma, a primeira coisa que fez foi tentar uma audiência com Octaviano, que teria demonstrado algum desagrado em recebê-lo. É muito provável que nem o próprio Octaviano tivesse prazer em falar com tal criatura. Mas, se o indivíduo não era bem recebido, o mesmo não se podia dizer das notícias que trazia. Marco Antônio, dissera Planco, tinha depositado as suas últimas vontades no Templo de Vesta. Ele, Planco, sabia o que elas continham, porque fora testemunha; e essas últimas vontades, disse, eram escandalosas.

Tais novidades deram imenso prazer a Octaviano, mas por pouco tempo, porque não sabia qual o uso efetivo que lhes podia dar. E, como pouca coisa nesta narrativa se refere a Roma, devo afirmar que era costume entre os nobres romanos deixar as suas últimas vontades ao cuidado das sacerdotisas virgens que mantinham a chama da deusa Vesta. Esses documentos eram considerados invioláveis! As Vestais tinham o sagrado dever de guardar o seu conteúdo até a morte do testamenteiro. E até esse momento nada podia ser revelado. Qualquer tentativa no sentido de coagir as Vestais a quebrar o selo do testamento era considerada um tremendo sacrilégio. E, embora Planco se declarasse disposto a dizer sob juramento o que continham as últimas vontades de meu amo, Octaviano sabia que a palavra dada por Planco não valia um traque de um espanhol e ficou na dúvida. Estava ansioso por ver o testamento, porque esperava que ele fosse a prova indispensável para inculpar meu amo, como afirmava Planco; mas não tinha coragem de ordenar às Vestais que fizessem algo que elas tinham o dever de manter inviolável. Além disso, como já declarei neste relato, ele receava Lívia, que, pela ausência de maneiras e pela sua avidez pelo poder, era muito limitada e rígida nas suas opiniões e não estaria nada interessada em que ele praticasse um ato de sacrilégio.

Eu sabia que ela lhe havia dito, com toda a severidade, que a nenhum homem era permitido entrar no santuário a cargo das Vestais, tampouco forçá-las a entregar-lhe o que lhes havia sido confiado. E diz-se que, quando ele lhe solicitou que fosse ela a fazê-lo, como mulher, o que a ele estava vedado enquanto homem, ela lhe dera uma bofetada. Pode ser que isso não seja verdade, embora eu gostasse que fosse. O que é certo é que Lívia avisou Octaviano de que, se este teimasse em praticar tal ato sacrílego, o casamento deles ficaria sem efeito. Isso soube de fonte segura por meio de um amigo especial que vivia na casa de Octávia e com quem mantive contatos mesmo depois da rejeição de Octávia por parte do meu amo. E tudo porque Octávia, muito preocupada, revelara os receios de Lívia ao seu cabeleireiro, que, por sua vez, contara a esse meu amigo, por quem estava apaixonado. Por isso não tenho dúvidas de que era mesmo verdade.

E foi então que Octaviano decidiu mandar assaltar o Templo. Mas, ao que parece, com maus resultados. O grupo foi descoberto e os seus participantes mortos, à exceção de um, que foi preso, porque isso interessava. E esse sobrevivente, um jovem grego, ao ser torturado, contou uma história ridícula a que ninguém deu crédito.

Disse que tinha sido recrutado numa taberna por um agente de Marco Antônio. A intenção, ao que parecia, era a de que o assalto fosse atribuído a Octaviano, que devia ter em seu poder um falso testamento, muito prejudicial a Marco Antônio.

Naturalmente, Octaviano poderia ir ler o falso testamento ao Senado, mas Marco Antônio podia aparecer com o verdadeiro, e nesse caso o desacreditado era Octaviano. No fundo, o que se pretendia era que tudo parecesse uma conspiração contra ele.

Mas todo este imbróglio sem sentido foi levado a sério. Acho que se o pobre rapaz tivesse tido ainda tempo, se teria recusado a toda aquela história. Então o Senado requisitou que as Vestais, como medida de segurança da República e do povo romano, quebrassem as convenções (ou seja, infringissem a lei e lhe entregassem o testamento de Marco Antônio que tinham sob sua guarda, para que assim se pudesse determinar se ele tinha matéria injuriosa em relação ao Senado etc., etc.).

Mas o que aconteceu, surpresa das surpresas, foi que, no momento em que as Vestais se vergaram às ordens do Senado, o documento foi colocado, não nas mãos dos senadores, mas nas de Octaviano. Contaram-me que ele ficou na sua posse por um período de quarenta e oito horas antes de o deixar livre para ser lido pelo Senado. Como é de ver, tempo mais que suficiente para que se fizessem alterações no documento.

Parecia, ou foi feito que parecesse, que meu amo declarava que Cesarião devia ser considerado filho de César, aliás bastava olhar para o nariz do rapaz para que não restassem dúvidas, e deixava-lhe substanciais legados e também aos outros filhos de Cleópatra. Em contraste, nada era deixado a Octávia, nem aos outros filhos que meu amo tinha dela e de Fúlvia. Cleópatra era reconhecida como sua esposa, embora a lei romana impedisse um cidadão romano de casar com quem não fosse cidadã romana, coisa que meu amo bem sabia, e portanto quaisquer cerimônias havidas entre ele e a rainha jamais teriam valor legal.

Depois o documento referia-se ao seu funeral. Se meu amo morresse em Roma, afirmava-se nele que o seu corpo devia ser transportado oficialmente para o Fórum e em seguida embarcado para Alexandria, a fim de ser sepultado no mausoléu dos Ptolomeus.

Ao saber-se disso, houve uma enorme agitação, fomentada sobretudo por um tal Calvísio, que não se cansava de lançar aos ouvidos dos senadores as histórias mais estranhas para tentar demonstrar as mais grosseiras relações de meu amo com a rainha. O homem dizia, entre outras coisas, que Marco Antônio tinha abandonado precipitadamente um julgamento a meio de uma intervenção a cargo do orador Fúrnio, só porque alguém dissera que Cleópatra passava naquele momento na rua em liteira. E dizia também que ele tinha oferecido à rainha a grande biblioteca de Pérgamo, que possuía nada menos que duzentos mil volumes. O próprio Calvísio tinha uma vez visto Marco Antônio pisar com o seu o pé de Cleópatra, obviamente como sinal de um futuro encontro.

Essa última acusação era particularmente absurda, tendo em conta que o velho tonto tinha já assistido a contatos públicos entre meu amo e a rainha. Se isso significava praticamente metade daquilo que ele sustentava, que necessidade haveria desses sinais secretos em relação à intimidade entre ambos?

Mas a verdade é que Calvísio tinha sido subornado por Octaviano e era um homem que não se podia levar a sério. No entanto, o seu discurso foi um rastilho para fazer desencadear um rumor cada vez mais violento. E não tardou muito que as mais ridículas e obnóxias histórias passassem a ser moeda corrente em Roma. Mecenas, o amigo de Octaviano, sem a mínima vergonha, declarou que Marco Antônio tinha o costume de passear no convés dos navios com vestimentas egípcias e de participar nos ritos mais abomináveis com a gente mais miserável, ociosa, corrupta e depravada do Vale do Nilo, em honra dos seus horrorosos deuses. Isso, vindo da boca de Mecenas, era pelo menos impensável.

Houve ainda quem se prestasse a afirmar que, quando o meu senhor presidia negócios públicos na presença de reis, tetrarcas e outros dignitários, ele tinha por costume interromper abruptamente as conversações se por acaso lhe vinha chegar às mãos uma carta de amor de Cleópatra, trazida, para piorar as coisas, numa caixa de ônix e cristal.

Tudo isto, e outras inumeráveis afirmações absurdas, serviram para excitar a populaça, como acontece a um bêbado com o vinho. Os rumores mais vis começaram a invadir Roma e naturalmente toda a Itália. Dizia-se, e as pessoas criticavam, que meu amo e Cleópatra tencionavam desembarcar na Itália à frente de um exército mais terrível que o de Aníbal. E, no fim, quando conseguissem ficar vitoriosos, Marco Antônio entregaria Roma a Cleópatra e transferiria a capital do Império para Alexandria. E o seu refrão favorito seria: "Assim posso despachar os meus editos para o Capitólio".

E, se alguém objetava que Marco Antônio sempre fora um fiel servidor da República e poucos se podiam gabar de poder dizer o mesmo e que só um romano lunático era capaz de imaginar uma traição tão degenerada, logo surgia uma reação contrária, vinda de imediato da boca dos espiões de Octaviano, que diziam ainda que Marco Antônio tinha ficado embruxado pela feiticeira do Oriente.

E tudo isso parecia fazer sentido e agudizar o bom senso da multidão desiludida, que saiu para a rua em fúria disposta a incendiar a casa de meu amo, no Aventino. É verdade, até essa casa decorada, com as mais delicadas e esplêndidas pinturas, para as quais eu próprio cheguei a servir de modelo. Lamento sobretudo uma fina pintura em que eu fazia de Paris julgando as três deusas. Infelizmente, essa arte tão preciosa acabou por ser vítima da fúria cega da estupidez!

Ninguém imaginava que Octaviano conseguisse persuadir tão facilmente o Senado a afastar meu amo do seu Império e de lhe retirar o consulado que lhe era devido. Apenas um homem, C. Copônio, que tinha sido um admirador de Pompeu e cuja família tinha mantido uma longa inimizade com a casa de Planco, foi suficientemente corajoso para se opor a esta moção, declarando que, em sua opinião, o testamento fora falsificado e quem acreditasse numa palavra dita por uma criatura como Planco era porque estava necessariamente fora de seu juízo. Mas, por ter tido a ousadia de afirmar essa verdade de forma desassombrada, o homem foi vítima de um assalto de rua às mãos de rufias pagos por Agripa.

Só quando o próprio Agripa, em conluio com o seu pequeno chefe, apareceu no Senado pedindo que meu amo fosse considerado inimigo público é que Octaviano recuou. E é claro que isso obedeceu também a uma estratégia. A sua intenção era dar a entender que a guerra que planeava não ia consistir na renovação das anteriores guerras civis que haviam destruído tantas famílias nobres. Esta guerra era uma guerra dirigida contra Cleópatra. Era ela, dizia Octaviano, o verdadeiro inimigo de Roma, e Marco Antônio, um simples instrumento nas suas mãos.

Mas, mesmo assim, nem tudo estava perdido. E, embora falasse de guerra, Octaviano ainda não estava preparado para ela.

Quando soubemos disso, Aenobarbo, furioso pelos insultos que tinha recebido, e sem deixar de alertar para a forma como a crise se ia avolumando, sugeriu que devíamos invadir imediatamente a Itália.

— Temos de esmagar a víbora já — disse ele —, caso contrário acabaremos por ser vítimas do seu ferrão.

Mas meu amo não estava pelos ajustes. E mesmo numa tal situação, o que ele desejava era a paz, e dizia:

— Jamais consentirei em invadir a Itália e submeter uma vez mais aos horrores da guerra os desgraçados habitantes da minha terra natal, que eu tanto amo.

Que essas palavras devam ser levadas em conta quando se pesar dignamente os prós e os contras.

Mas não podemos duvidar de que a estratégia de Aenobarbo era sensata e eu mesmo tenho agora dificuldade em compreender a relutância de meu amo em levar em consideração o bom senso militar.

Aenobarbo estava fora de si.

— Se eu acreditasse no que diz esse incompetente garoto que se chama Octaviano, então teria de aceitar que Marco Antônio está realmente enfeitiçado.

— Não — disse Curião. — Marco Antônio está apenas enamorado.

O que é a mesma coisa. Quando um general da sua estatura parece rejeitar a única estratégia que o pode salvar, isso só pode significar... nem sei o quê. Que não está no seu perfeito juízo, disso tenho certeza.

Alexas contou-me que a própria Cleópatra pedia a meu amo que se movimentasse e iniciasse a luta contra o seu rival.

— Cleópatra tem um coração de leão — disse ele —, mas, evidentemente, está receosa do que pode acontecer se ele não tomar a iniciativa.

Esta informação veio trazer ao de cima a causa da sua indecisão. Ele sabia que não podia invadir a Itália na companhia de Cleópatra, mas continuava estranhamente relutante em mandá-la de volta para o Egito. Aos olhos do mundo dava mostras de estar apaixonado. Mas eu não era capaz de acreditar em tal e havia pouca gente que o conhecesse melhor que eu. É certo que ele gostava de estar na sua companhia. É certo que muitas noites ela partilhava a cama dele. E isso era mais que suficiente para que a opinião pública falasse. Mas havia dias que eu via no rosto de meu amo um espasmo de desagrado enquanto falava. Se estava efetivamente dependente dela, como nunca tinha estado de outra mulher, nem mesmo de Fúlvia, então ressentia-se dessa sua inferioridade. No entanto, quando se lhe oferecia a oportunidade de se livrar dessa dependência, ele não dava um passo para isso.

Para que a história registre, deixem que diga o seguinte: na minha opinião, o meu amo estava sendo sincero na sua recusa de levar a guerra à Itália. Estava farto das lutas civis. Conhecia os horrores que tinham manchado tantas vezes a Itália. E não acreditava que uma vitória pudesse justificar o seu recomeço.

Certa vez, já noite alta, deitado, meio bêbado no terraço da sua vivenda, com os olhos postos nas distantes montanhas da Grécia, que se abarcavam por cima da negridão do mar e se erguiam como nuvens prenhes de presságios, meu amo murmurou:

— Uma guerra civil nunca resolve nada. A guerra civil é como uma hidra. Cada vitória acarreta novos inimigos e é sempre necessário cortar mais cabeças. Estou farto de imitar o meu antepassado Hércules, de dar cabo dele e continuar a vê-lo à minha frente. Deve haver outra solução.

Talvez o seu coração atormentado ainda não tivesse conseguido entender a profunda animosidade de Octaviano em relação a ele. Ele continuava a manter sentimentos ternos por aquele jovem maldito e que ele, em certos momentos, ainda julgava ser simplesmente um rapaz bonitinho. Não conseguia acreditar que Octaviano estava disposto a acabar com ele.

A prová-lo, apresento aqui uma carta que ele me ditou e enviou a Octaviano:

> Não percebo o teu jogo. O que tens tu contra mim? Não acredito que seja o meu repúdio de Octávia, coisa que nunca teria acontecido se tu tivesses cumprido a tua palavra em relação a mim. E não podes pensar que a rainha seja assim tão importante. O Egito, sim, é importante, é verdade. O Egito é vital para o bem-estar de Roma. E neste ponto só podes estar de acordo comigo. Sem as ricas searas do Egito haverá escassez e fome, inclusive em Roma. E ela governa o Egito. É essa a primeira razão da minha amizade por ela. Foi ela quem me ajudou em termos de homens e dinheiro. A Armênia nunca teria sido acrescentada ao Império se não fosse a sua ajuda, porque, lamento ter de te dizer, tu falhaste ou foste incapaz de me fornecer as legiões que havias prometido enviar-me. Como posso eu deixar de lhe estar grato?
>
> E esta disputa que se criou entre nós não fui eu que a provoquei. E não posso acreditar que tenhas sido tu. As pessoas fartam-se de nos contar mentiras. A disputa foi fomentada por aqueles que não nos querem bem, nem a ti nem a mim, e só pretendem recolher ganhos pessoais.
>
> Vamos nos encontrar novamente, sozinhos, só os dois, e eu tenho certeza de que tudo se resolverá entre nós. Eu ando fora de mim por causa do que me dizem sobre o teu comportamento. No entanto, continuo a ter por ti um sentimento afetuoso.
>
> Vamos, rapaz, marca um ponto de encontro. Sabes que sempre chegamos a acordo quando estivemos juntos. As complicações só surgem quando estamos separados. E tudo por causa das mentiras dos outros.

Sempre a mesma conversa! Meu amo tinha uma natureza demasiado nobre para entender o orgulho, o ciúme e o temperamento ignóbil de Octaviano.

XXIV

NÃO CREIO QUE MEU AMO POSSA CONTINUAR A SUA NARRATIVA. E, TENDO em vista o seu bom nome e reputação, compete a mim prossegui-la.

De início, as notícias que chegavam da Itália davam-nos certa esperança. Os seguidores de meu amo, que tinham conseguido furtar-se ao feitio implacável de Octaviano, diziam que em Roma reinava a confusão. Octaviano iria ser confrontado com um novo motim, que conseguiu apaziguar com a promessa de exorbitantes donativos que não podia cumprir porque os próprios banqueiros tinham dúvidas quanto ao seu sucesso e receavam que ele nunca mais lhes conseguisse pagar os empréstimos que lhe fizessem. E Octaviano foi obrigado a impor novos e tremendos impostos, exigindo um quarto dos rendimentos anuais de todos os cidadãos. As reações foram violentas e os edifícios públicos, onde esses impostos eram recolhidos, foram destruídos em muitos municípios. A resposta de Octaviano foi imediata e brutal; os suspeitos detidos e mortos, uns pela espada dos legionários desejosos de conseguir um pagamento extra que lhes fora prometido, outros simplesmente crucificados. Havia destacamentos do exército que se apossavam de residências privadas ou de pequenas cidades, e só as abandonavam depois de receberem somas avultadas.

Todo esse tipo de opressões era ilegal. Octaviano, instigado por Mecenas, justificava tais ações com razões de "legalidade excepcional".

Chegou-nos depois a notícia de que ele se preparava para obrigar a Itália inteira a jurar-lhe lealdade incondicional e que aquele que quebrasse tal juramento seria condenado por alta traição. Nunca, até então, se ouvira falar em Roma de um tal juramento exigido aos cidadãos romanos. E o povo, aterrado, dirigia-se aos fóruns de todas as cidades do país a prestar um tal juramento que, no fundo, não era mais que uma questão de sobrevivência.

Mas, mesmo assim, nem tudo parecia perdido. A Itália, diziam os homens secretamente, nas tabernas e em lugares privados, não estava contra Marco Antônio. Como podia estar quando fora ele que havia trazido uma glória sem precedentes ao Império e demonstrara tanto amor à República? Quanto a Cleópatra, muitos deles pensavam, corretamente, que a ameaça do domínio da monarquia oriental era remota e quimérica. E que o terror imediato levado a cabo por Octaviano punha de lado quaisquer dúvidas.

Um amigo de meu amo, chamado Gemínio, conseguiu sair de Roma e chegou até nós para dar conta a Marco Antônio da intensa agitação que se estava a mover contra ele. Mas, devido a uma decisão infeliz de Cleópatra, foi determinado que esse homem não passava de um espião, enviado por Octaviano. E ela própria deu ordens ao seu povo para que ele fosse recebido com insultos e tratado com desprezo.

Gemínio, próximo do desespero, veio junto de mim e perguntou-me se eu era capaz de lhe conseguir arranjar uma entrevista com meu amo. Era difícil, mas finalmente acabei por enfiá-lo numa antecâmara e, por meio de uma história qualquer, consegui que meu amo se afastasse de Cleópatra e fosse falar com ele.

Infelizmente, Marco Antônio tinha bebido demasiado na companhia da rainha, que, nessa altura, ou pelo menos nessa ocasião, sabia manter a cabeça fria. E, ao vê-lo aproximar-se dele a cambalear e ao ouvir o seu discurso um tanto patético, Gemínio respondeu de forma lamentavelmente petulante:

— Uma parte de que tenho para vos dizer deve ser-vos comunicada a uma hora mais sóbria, mas o restante pode ser-vos dito independentemente de estardes bêbado ou não. A Itália não está interessada em entrar em guerra contra vós, mas a propaganda de Octaviano fez levantar uma verdadeira onda de receio e ódio contra Cleópatra. A guerra que se planeia é no fundo dirigida diretamente contra ela; e as legiões, não estando interessadas em lutar contra Marco Antônio, farão tudo para destruir Cleópatra. Por isso eu penso que, se mandardes Cleópatra de volta para o Egito, talvez nem chegue a haver guerra, ou então a perspectiva de Octaviano de vos destruir acabará por remeter-se para distâncias difíceis de alcançar, já que as legiões irão lutar contra vós sem ânimo e sem vontade.

Ninguém podia ter dado a meu amo melhor conselho e de forma mais adequada; e na sua fala ninguém descobriu uma palavra contra a rainha.

Mas Cleópatra, desconfiada, tinha seguido meu amo da sala onde tinham estado a beber e escondeu-se atrás de um reposteiro, onde conseguiu ouvir o que Gemínio tinha para dizer, antes mesmo de meu amo ter pronunciado qualquer resposta, e estava ansiosa por poder denunciar de forma desonesta o honesto Gemínio.

— És um porco imundo. Um espião do monstrinho de Roma... enviado para dividir e conquistar... e enfraquecer Marco Antônio, privando-o de metade do seu exército... um monte de merda embrulhado em tecidos de seda... um catamita de Octaviano...

Era esse o estilo da sua intervenção destemperada, cheia de palavrões e digna de uma peixeira do Pireu.

E dizia que Gemínio tinha muita sorte em escapar à tortura, o que ficava a dever ao fato de ter dito o que disse, confessando o seu crime. E, enquanto ela ia falando, Marco Antônio manteve-se calado, de cabeça baixa e as mãos a desenhar pequenos gestos convulsos. No seu íntimo, meu amo sabia que Gemínio falava a verdade, mas não ousava contradizer a rainha. Por fim, deixou sair do peito um lamento profundo, como o touro que espera a última estocada que acabe de vez com ele, e deixou-se cair no mármore do chão, desmaiado ou então dominado pela mais profunda embriaguez. Ou talvez fosse apenas o desejo de se refugiar na perplexidade de um olvido ansiado.

Gemínio virou as costas, e em passadas fortes, desapareceu na noite. Rapidamente, apressei-me a ir atrás dele, procurando saber se ele queria alguma coisa, ou dizer algo mais. Mas ele olhou para mim como se nunca me tivesse visto.

— Estou admirado por ela me ter deixado partir sem me molestar — disse ele.

Meu amo teve semelhante conselho da parte de Aenobarbo, Escribônio Curião e outros.

— Os dragões fixam aqueles que querem devorar com o seu olho que nunca dorme — disse Gemínio. — Marco Antônio é um homem possesso.

Não tenho nada a fazer aqui. Fui enganado pela minha maneira de ver as coisas. Acho que fui enganado pela minha própria teimosia.

E outros começaram também a desertar, algumas vezes por razões triviais. Quinto Délio, que meu amo utilizou com frequência em missões diplomáticas, começou a dizer que Cleópatra planeava assassiná-lo, só porque uma noite se queixou ao jantar de que era obrigado a beber vinho azedo, quando, em Roma, fulanos como Sarmento saboreavam o melhor vinho falerniano. Mas quem ia acreditar em tal absurdo? Esse Sarmento, aliás, era um dos amantes de Octaviano, ou, como os romanos costumam dizer, um dos seus "animaizinhos de estimação".

Délio, como muitos outros, tinha já quebrado a sua lealdade muitas vezes antes. Primeiro fora um pompeiano que se passara para o partido de César, depois fora partidário de Dolabella, em seguida, de Cássio, abandonando-os a ambos quando as coisas começaram a correr mal. Ele nunca perdia; mas a sua deserção deixava sempre marcas importantíssimas. Eu pensava para comigo: "As andorinhas começam a deixar-nos; os primeiros rigores de inverno já se fazem sentir".

Em Roma, Octaviano declarava finalmente que o Triunvirato tinha chegado ao fim. Em contrapartida, e para manter o poder que tinha, o Senado obedientemente confiava-lhe o Império, sem limitações. Octaviano desprezou o antigo título de ditador que estava associado a César e a quem ele continuava a chamar de pai, mas o que ele receava era assumir o estilo do velho ditador porque era opinião de muitos que fora o fato de César assumir a ditadura vitalícia que provocara o seu assassinato. Mas de fato os seus poderes tinham-se tornado superiores àqueles de que César usou e abusou. Com a jactância que lhe era habitual, anunciou que este Império lhe fora confiado não apenas por vontade do Senado, mas espontaneamente, como sinal de confiança, pela Itália inteira.

O que era absurdo, uma vez que a Itália não tinha meios legais para garantir qualquer cargo público; só que nessa altura ninguém tinha coragem de o dizer.

O carro bélico de Marte começava a mover-se segundo a expressão cara aos versejadores romanos.

A guerra fora formalmente declarada contra Cleópatra, a inimiga estrangeira, com toda a pompa e cerimônia dos ritos tradicionais, embora fosse bem possível ter sido Octaviano o inventor das formalidades utilizadas. Não houve uma única referência a meu amo.

Particularmente, fui informado de que Octaviano queria fazer crer que, apesar de deixar de haver uma relação de amizade entre ele e meu amo, os seus desaguisados tinham um cariz meramente pessoal e privado. Nem Roma nem a Itália, dizia ele, tinham o que quer que fosse contra Marco Antônio. Mas, se Marco Antônio, na sua desagregação, não abandonasse Cleópatra, teria de partilhar com ela a destruição que lhe estava destinada.

Eu penso que a maior parte das declarações de guerra estavam em vários aspectos viciadas; nunca antes acontecera tal afronta e desonestidade: os ódios privados transformaram-se em virtudes públicas.

Quando Marco Antônio soube que a guerra fora declarada, a princípio não quis acreditar. Tinha depositado tal confiança em Octaviano que lhe era difícil arrancar pela raiz os últimos laços de afeição e cumplicidade que o ligavam a ele e entender finalmente que o único objetivo de Otaviano era destruí-lo.

— E eu que confiava tanto nele — não se cansava de repetir, para depois se retirar para os seus aposentos e chorar. Houve uma altura em que chamou por mim para eu lhe trazer o soldado encarregado de lhe colocar a armadura.

— Marco Antônio ainda é Marco Antônio — disse. — O cachorro tem de saber o que significa ter despertado o leão.

E, em seguida, ele olhou para o mar, lá fora, e as nuvens cinzentas corriam rente às águas.

— Em Farsalo, ao olhar para os corpos dos pompeianos caídos no campo de batalha, César limitou-se a dizer: "Foram eles que quiseram esta guerra, não eu". E tu, Crítias, se eu for derrotado, faz com que o mundo saiba que esta guerra se ficou a dever a Octaviano, e não a mim.

E afastou-se para que lhe colocassem a armadura.

Nessa noite, Alexas me disse que a rainha tinha recebido a declaração de guerra com um misto de júbilo e de terror, não se sabendo onde acabava um e começava o outro.

E, COMO DE COSTUME, FALOU-SE DE HORRÍVEIS PRODÍGIOS DA NATUREZA. Coisa comum em situações deste gênero. Em Pisauro, uma colônia que meu amo havia criado no Adriático, houve um terremoto. Dizia-se que a cidade inteira e todos os seus habitantes tinham sido engolidos. Depois foi a estátua de meu amo, erguida em Alba e da qual começou a escorrer suor. Quando acabavam de a limpar, o suor voltava a escorrer. É curioso observar que ambas as ocorrências aconteceram em território controlado por Octaviano.

Por outro lado, é verdade que em Patras, na presença de meu amo, o templo do seu antepassado Hércules foi invadido por um raio. Mas dei menos importância a um outro relato em que se afirmava que a estátua de Dioniso, o deus a quem meu amo tinha muitas vezes sido, e com razão, comparado, havia sofrido uma desgraça ainda mais estranha. A estátua que se encontrava em Atenas tinha sido transportada pelos ares por um furacão e levada de Gigantomaquia até o teatro. E o mesmo furacão conseguira derrubar outras estátuas, familiarmente conhecidas como Antônios,[1] enquanto outras se mantiveram nos seus lugares, sem serem afetadas. Essas histórias, apesar de improváveis, foram levadas a sério por muita gente.

Mas devo confessar que Alexas me veio visitar um dia e me contou uma outra história, por cuja autenticidade ele se dispunha a jurar.

— É algo de verdadeiramente alarmante, meu caro — disse ele. — Tu conheces aquele navio da rainha ao qual ela deu o nome de *Antonias.* Ora, ouve

1. Antônio era o nome natural de Marco Antônio. (N. do T.)

o que aconteceu. Algumas andorinhas fizeram ninhos na popa e em seguida vieram outras que as obrigaram a voar, e sabes o que aconteceu? Começaram a comer as crias das primeiras. Os marinheiros juraram que nunca tinham visto uma coisa assim e ficaram em pânico. Tu sabes como os marinheiros são supersticiosos. Um deles, um belo pedaço de homem, começou a tremer de medo. Tens de admitir que a coisa foi terrivelmente ridícula.

— E como é que a rainha reagiu?

— Nem imaginas! Ficou lívida, completamente lívida. E ordenou que o contramestre recebesse quarenta vergastadas, ninguém sabia exatamente o porquê, a não ser para que ela ficasse de melhor humor.

— Tudo isso me parece excessivamente idiota — disse eu.

— E tens razão. Mas deve ter um significado qualquer. Eu de vez em quando estremeço só de pensar nisso. De qualquer modo, penso que vamos sair vencedores, não achas? E, por aquilo que ouvi, não consigo imaginar Octaviano a lutar com o teu general. Conheço bem o gênero de pessoa que ele é, meu caro.

— E sei bem que tens toda a razão — disse eu.

Eu podia sentir-me mais próximo de meu amo se ele se dispusesse a isso. Mas era difícil fazer com que ele prestasse atenção ao que estava realmente se passando. De vez em quando ainda conseguia dominar-se e libertar a sua característica energia. Mas a maior parte das noites eram passadas a beber até tarde, na companhia de Cleópatra e de outros cortesãos e de alguns oficiais mais novos, e normalmente passava as manhãs na cama. Quando se levantava, acordava mesquinho e indolente e parecia completamente incapaz de reunir as forças necessárias para a guerra que estava prestes a desencadear-se.

Meu amo tinha quase quinhentos navios armados, dotados de oito ou dez formações de remadores. Parece impressionante, mas a realidade era outra. Poucos navios estavam equipados como devia ser e alguns deles possuíam menos de metade do equipamento adequado. E os respectivos oficiais, em vez de ocuparem o tempo treinando, eram obrigados a percorrer a Grécia a recrutando homens nas aldeias para irem trabalhar nas galés. Eram poucos os que não se mostravam relutantes e de baixa qualidade. Alguns eram mendigos ou vagabundos, outros, simples condutores de muares; outros eram agricultores em decadência e muitos deles praticamente uns garotos. Aenobarbo dizia que para ele eram a pior escumalha à superfície da Terra.

— Os únicos que se alistaram livremente — dizia ele — são bêbados à procura de vinho grátis.

E mesmo assim foi impossível equipar as embarcações com pessoal suficiente.

As deficiências da nossa armada davam razão ao argumento defendido por Aenobarbo, Sósio e Escribônio Curião de que meu amo não tinha condições para uma batalha naval e só nos restaria pormo-nos ao largo, fugindo da base de Patras, no golfo de Corinto, e alcançarmos a Grécia continental, ou mesmo a Macedônia, e dessa forma obrigar Octaviano a marchar contra Marco Antônio, mas em terreno difícil, onde os mantimentos eram escassos. "Assim", diziam eles, "conseguireis cansá-lo antes de a batalha se dar. Além disso, e como nos encontramos praticamente numa posição defensiva, poderemos recorrer às vantagens que uma guerra defensiva nos oferece e lutar quando estivermos praticamente certos da vitória." E eu não duvido de que, se o raciocínio do meu amo não estivesse toldado, se ele estivesse no pleno uso das suas qualidades de senhor absoluto de si próprio, como acontecia nas batalhas anteriores, teria adotado este plano, seria ele o primeiro a concebê-lo, independentemente do conselho de tantos dos seus comandantes seniores.

Mas ele estava incapaz de agir por si próprio e nem era já o homem que tinha sido. Quando Cleópatra soube do que estava sendo discutido em conselho, dirigiu-se imediatamente a Marco Antônio e perguntou-lhe se ele tencionava abandoná-la e abandonar o Egito ao seu destino.

— Deves seguir o teu próprio caminho — disse ela —, fazer a tua guerra como melhor entenderes. Embora eu seja descendente do grande Ptolomeu, o mais bravo e mais admirado general de Alexandre, não posso reclamar para mim a qualidade de gênio militar. Sou apenas uma pobre e fraca mulher que arriscou tudo por amor a ti. Se vais partir para a Grécia, vais deixar livre o mar a Octaviano. Vais entregar-lhe o Egito, porque não haverá nada que possa salvar o meu pobre reino da sua fúria. Serei apenas uma rainha de nome, privada de território, de bens e de honra. Mas tu deves fazer aquilo que achares melhor. Tu és o general, eu sou apenas uma mulher que te ama. No entanto, sou bem capaz de perceber que, se renunciares ao mar, vais ficar privado dos meus navios carregados de cereal com os quais, segundo entendi, e desculpa se estou enganada, contavas alimentar o teu exército.

Este último argumento era bastante forte, mas não tanto como a expressão dramática dos seus olhos marejados de lágrimas, dos seus lábios trêmulos, da sua palidez estudada. E, quando ela se lançou a seus pés, agarrando-se aos seus tornozelos, pedindo-lhe que não a deixasse e abandonando-se aos maiores insultos de Octaviano porque não devia, dizia ela, acompanhá-lo para a Macedônia, já que o seu dever era regressar ao seu Egito indefeso, o que podia fazer o desgraçado? O que podia fazer, fosse quem fosse que estivesse na sua situação?

Mas posso perfeitamente imaginar o que ele fez: que foi erguê-la docemente, beijar-lhe os olhos, limpando-lhe as lágrimas, conseguindo que nos seus lábios se desenhasse um sorriso, e dizer-lhe que não fosse tolinha...

— Como posso eu abandonar-te, minha gatinha? — disse ele. — Como podes tu imaginar-me capaz de tal crueldade?

As mulheres jamais precisarão recorrer à lógica enquanto forem capazes de verter lágrimas.

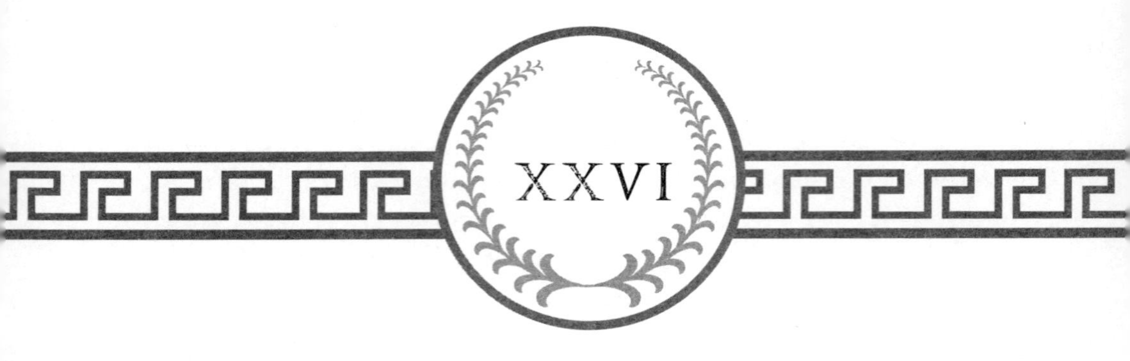

COMO DEVEM JÁ TER PERCEBIDO, NUNCA FUI MUITO VERSADO NO ESTUDO da guerra. Embora tivesse vivido, pela força das coisas, no meio de acampamentos e batalhas, nunca na minha vida peguei em armas. O meu temperamento não é o do guerreiro. O meu prazer são as artes e os excelentes trabalhos manuais; as coisas belas para mim são muito mais admiráveis que os atos de carnificina. Nem sequer sou desse tipo de homossexuais que sente prazer em abraçar a soldadesca rude. As minhas preferências vão para os jovens delicados, bonitos e francamente efeminados. E, para dizer a verdade, sinto-me muito mais à vontade na companhia de raparigas divertidas do que no meio de gente guerreira e agressiva. Por essa razão, embora receasse Cleópatra, e contra muitas outras casas de meu amo, eu preferia a atmosfera da sua corte. Agora estava transformado num cronista de guerra. O que não deixava de ser ridículo.

Já tive oportunidade de rever os argumentos a favor da campanha italiana. O que posso acrescentar é que meu amo se opunha a tal estratégia por uma outra razão, independentemente do seu desinteresse em avançar com uma guerra na península da Itália: é que o percurso pela costa adriática oferecia demasiados perigos, dada a escassez de portos naturais. Mas os que defendiam o plano italiano, acreditavam que essa dificuldade podia ser ultrapassada, não deixando no entanto de a levar em conta, como eles próprios eram obrigados a admitir.

Mas era tarde para pensar nisso. A oportunidade não tinha sido aproveitada e agora éramos obrigados a ficar na Grécia e esperar pelo ataque de Octaviano.

Quando chegou a primavera, meu amo transferiu-se dos aquartelamentos no golfo de Corinto e foi instalar-se em Áccio, na zona sul do golfo de Ambrácia.

E o próprio Aenobarbo, embora continuasse a lamentar a forma como a guerra estava sendo encarada, admitia que tinha sido uma boa decisão ancorar naquela zona, desde que se conseguisse manter abertas as rotas que nos ligavam aos apoios do Egito. Barcos e homens ficariam estacionados a partir de Corfu, no Norte até Metona, o ponto mais meridional do Peloponeso e que controlava as rotas marítimas para o Egito. E, para maior segurança, foram estabelecidas algumas guarnições em Creta. Todavia, o grosso do exército de terra — perto de dezenove legiões, quinze mil auxiliares fornecidos pela Ásia e doze mil unidades de cavalaria, muitas delas formadas por veteranos das guerras da Partia e da Armênia — estava acampado nas praias do Sul do istmo que se abre para o golfo. Meu amo assegurava a toda a gente que a nossa posição era inexpugnável e, "como todos sabemos, o rapaz Octaviano não é um comandante militar". O que era verdade; mas Aenobarbo fazia-lhe lembrar que a capacidade estratégica e tática de Marco Agripa não era de se desprezar. Aenobarbo estava igualmente preocupado quanto à capacidade de algumas das nossas legiões. E não se cansava de chamar a atenção para as consequências de meu amo ter deixado havia vários anos de recrutar na Itália.

Mas o meu amo riu e respondeu-lhe:

— Não sejas tão curto de vistas. Nas terras altas da Ilíria e da Ásia nasceram homens fortes e de coração intrépido. Não esqueças que muitas das nossas tropas são descendentes dos soldados de César, estabelecidos nas colônias de fronteira. Saberão bater-se com a maior bravura, acredita.

— E também morrer, acho — resmungou Aenobarbo, nada convencido.

O que Cleópatra tinha dito a Marco Antônio era inconsistente e contraditório. Antes havia sugerido a meu amo que lutasse contra Octaviano com todas as suas forças; agora pedia-lhe que ficasse numa posição defensiva, porque, acima de tudo, o que ela pretendia era proteger o Egito.

— Enquanto o Egito se mantiver inviolado — disse ela —, a vitória será sempre nossa. Está nas vossas mãos providenciar para que a prodigalidade do meu reino seja eficaz na guerra.

Alexas contou-me que ela, em privado, continuava inflexível.

— É forte como um leão — disse ele —, mas está aterrada. Ela invoca o nome do seu grande antepassado, o general de Alexandre, mas tem consciência da sua ignorância nas coisas da guerra e, como qualquer mulher, receia a derrota. Além disso, o desprezo que ela manifesta publicamente por Octaviano só demonstra o receio que tem dele. No fundo acabou por acreditar que ele era o verdadeiro herdeiro de César. E, embora tivesse seduzido César, como sabes, sempre receou a sua natureza cruel e imprevisível.

— Achas que ela ama verdadeiramente o meu amo?

— Acho que Cleópatra só ama Cleópatra — respondeu-me.

O estado de espírito de meu amo mudava de um momento para o outro e o que ele pensava variava conforme o vento. Havia dias em que parecia estar em seu perfeito juízo, na sua forma mais autêntica, quando se movimentava entre os soldados com uma palavra de apreço, de encorajamento ou repreensão aqui, ou um gracejo alegre e faceiro acolá. Nessas manhãs caminhava com a segurança magnífica de um deus. O sol brilhava nos seus cabelos de ouro e ele trazia no corpo a armadura de batalha, que lhe dava aquele ar especialmente arrogante. E, enquanto ele passava revista às tropas, os soldados sentiam-se acarinhados e encorajados pela sua presença. Normalmente era acompanhado pelo filho mais velho, Antilo, agora já com treze anos; um garoto de uma beleza extraordinária e modos elegantes, como o pai quando era novo, e sem qualquer semelhança, devo dizer, com a maneira de ser da mãe, Fúlvia. As tropas ficavam maravilhadas e satisfeitas por vê-lo no acampamento. E diziam que Marco Antônio nunca teria trazido consigo o filho adorado se não estivesse certo da vitória. Quando o meu amo apresentou o filho às tropas, foi certamente para que elas pensassem que ele era o seu verdadeiro herdeiro. E até a própria Cleópatra, embora ciumenta de tudo o que ligava Marco Antônio a Roma e, consequentemente, o afastava dela, não deixava de falar dos méritos do rapaz e sentia prazer na sua companhia; e esta sua atitude, demonstrada de forma aberta e franca, só servia para enfatizar as deficiências de seu filho Cesarião, que, devido talvez à sua paternidade tão posta em causa e que lhe devia pesar na mente, tinha modos furtivos e pouco simpáticos, tímido na presença das tropas, facilmente compreensíveis se pensarmos nos receios que teria em relação ao seu futuro. Tudo isso eu sabia por intermédio de Alexas, que conhecia bem o rapaz e tinha piedade dele, embora acrescentasse também que o "achava um tanto efeminado e tristonho".

As nossas posições não pareciam augurar nada de bom. A nossa sorte só poderia surgir se houvesse um erro grosseiro por parte do inimigo, ou se algum desastre interferisse na armada de Octaviano. Tal como as coisas estavam, a esperança era nula; porque meu amo, dominado pela imobilidade e pelo vício da indecisão, estranho à sua natureza, não era capaz de avançar um passo consistente. O que me deixava alarmado. Eu nunca o vira incapaz de tomar uma decisão e o mesmo acontecia com os seus generais.

Quando chegou a primavera, a guerra virou-se contra nós. Agripa ocupou o porto de Metona, no extremo sul do Peloponeso, e conseguiu interceptar a nossa linha de fornecimentos que vinha do Egito. Então Octaviano entusiasmou-se a ponto de fazer movimentar o seu exército através do Adriático para se vir instalar no Epiro, caminhando para o sul com uma velocidade pouco habitual, talvez na esperança de conseguir apanhar meu amo desprevenido. De fato, estávamos desprevenidos e pouco preparados, mas, ao saber da força do nosso exército, e consciente de que Marco Antônio era quem comandava, toda essa coragem repentina de Octaviano desapareceu, acabando por desistir da batalha que ele próprio parecia ter desejado provocar. Em vez disso acampou num alto a norte do golfo de Ambrácia que dominava o caminho que levava ao norte da Grécia.

Mas seguiu-se o pior. Agripa, que possuía a inteligência estratégica que controlava a campanha, porque ele tinha, como meu amo reconhecia, o sentido apurado das questões de guerra de que Octaviano era totalmente desprovido, tomou a ilha de Leucádia e, a seguir, Corfu, Patras e Corinto, de forma a cortar as ligações com o Egito. A estratégia que a rainha tinha imposto a Marco Antônio, fosse pelos seus argumentos ou pelos seus encantos, demonstrava assim inflexível. Tornava-se necessário enviar tropas para a Beócia a fim de recuperar as provisões que nós imaginávamos estarem em segurança nas suas ligações com o Egito.

Aenobarbo estava zangado com meu amo. Tínhamos sido apanhados numa ratoeira, dizia ele, e isso devido à letargia do general e à sua submissão a uma mulher. E, infelizmente, havia muito de verdade naquilo que ele dizia. Uma tentativa para obrigar Octaviano a lutar falhou. Em seguida, houve duas incursões no sentido de lhe cortar o fornecimento de água. Mas nós acabamos por ficar cercados, numa região inóspita, e o verão trouxe consigo as doenças. A água inquinada que éramos obrigados a consumir levou muitos soldados a sofrer de disenteria. A malária abundava. Todos os dias era preciso enterrar corpos. Cleópatra não ousava mostrar-se às tropas romanas, a quem acusavam por estarem a sofrer tal situação.

No entanto, meu amo passeava-se ousadamente por entre os seus homens e, apesar dos seus problemas íntimos, conseguia mostrar um domínio que era bem recebido e encorajava os soldados a aguentarem o sofrimento sem se queixar. Mas eu conhecia as suas dificuldades pessoais.

Eu via que ele agora recuava em relação a Cleópatra, que, reconhecia agora, era a causa principal da situação em que se encontrava. Aenobarbo, que durante muito tempo se havia recusado a falar com a rainha, ou designá-la sequer pelo seu título, tentava convencer Marco Antônio a abandoná-la aos seus inimigos e a fazer a melhor paz que lhe fosse possível.

— Por enquanto, e não interessa saber o porquê, a verdade é que as legiões de Octaviano continuam a não querer enfrentar-vos. Conhecem bem as vitórias que haveis obtido com os vossos exércitos. Muitos deles serviram sob as vossas ordens. Admiram-vos e não confiam em Octaviano. E como ele declarou ser esta guerra apenas contra essa mulher, a única forma de escapar desta embrulhada em que ela nos meteu é entregá-la a Octaviano e depois negociar. Porque eu acho que estais disposto a salvaguardar a vossa própria situação e conseguir afastar o nosso exército desta armadilha; caso contrário tudo acabará num desastre total.

— Se eu não conhecesse a coragem que tornou possível que me falasses desse modo — respondeu meu amo — e se não percebesse que foi a tua amizade que permitiu que me falasses de forma tão rude e com tão pouco respeito pelos meus sentimentos, a minha reação teria sido bem violenta. Dizes que esta guerra é contra a rainha. Mas estás enganado, meu amigo. Ela é um simples pretexto. Eu é que sou o motivo. Custa-me aceitar que esse rapaz, Octaviano, por quem eu sempre mantive respeito e os mais ternos sentimentos, seja de tal modo traiçoeiro, a ponto de estar determinado na minha destruição. Mas não posso mais esconder de mim próprio essa verdade tão dolorosa. Se seguisse o teu conselho e entregasse a rainha ao nosso inimigo, perderia com isso a minha honra e não salvaria nem a minha vida nem o nosso exército. Octaviano, que continua ainda a encarar-me com certo respeito não isento de receio, iria concluir que Marco Antônio já não é mais Marco Antônio e desprezar-me-ia. Não, Aenobarbo, eu estou amarrado a uma estaca, como um urso detido, devo enfrentar esta batalha até o fim. Mas não me vou deixar levar pelo desespero. Tenho experiência bastante das voltas que a fortuna pode dar numa batalha. Sei que nenhuma batalha está perdida a não ser quando no campo de guerra estão já espalhados os corpos dos mortos. Marco Antônio é ainda Marco Antônio e a minha vontade continua indomável.

Aenobarbo suspirou e virou a cara. A partir desse momento a esperança morrera no seu coração. Quando Marco Antônio lhe pediu que não desesperasse e partilhasse com ele outra garrafa a recordar velhos tempos "porque nos momentos atuais é o único prazer que nos resta", ele suspirou e, ao suspirar, concordou com meu amo. Mas eu reparei que, enquanto iam bebendo e à medida que a noite avançava, ele ficava cada vez mais sombrio, o seu rosto se tornava carregado, acabando por cair num silêncio melancólico.

Pouco tempo depois recebemos mais más notícias. O meu amo, talvez porque tivesse sentido que repudiara a proposta de paz de Aenobarbo de forma demasiado abrupta, enviou dois emissários, M. Júnio Silano e Q. Délio, a Octaviano para saber se era possível um encontro entre os dois generais no sentido de se estabelecerem negociações. Eu sei que este era o principal objetivo dessa missão, porque corriam rumores de que meu amo estava disposto a seguir na íntegra o conselho dado por Aenobarbo. E, embora ele pudesse ter tido a sensatez de o fazer, já que os argumentos eram bons, apesar de vergonhosos, não foi esse o caso. Mas era evidente a triste condição moral de muitos dos seus amigos e a verdade é que Aenobarbo falara por todos eles, e não apenas em seu nome — foi o que o levou a pensar que talvez ainda houvesse uma forma qualquer que evitasse uma guerra mais aberta. E só isso. Posso dizê-lo com toda a confiança, porque fui eu quem rascunhou as instruções que Silano e Délio iriam levar consigo.

Em vão. Mal eles chegaram ao acampamento de Octaviano, desertaram. Alguém do seu séquito, e que corajosamente exigiu o direito de regressar ao nosso acampamento, afirmou que Délio fora visto a devorar um prato de carne de porco com feijão e a dizer a Octaviano que não havia comida assim no lugar de onde viera. E não havia dúvida de que o conhecimento desse relato teve um efeito mais horrível no moral das tropas do meu amo do que o fato de Octaviano ter agido com uma aparente generosidade, aliás nada característica da sua natureza cruel, ao permitir que esse homem, cujo nome infelizmente esqueci, regressasse ao nosso acampamento.

Dois dias depois, meu amo procurou quebrar a situação de bloqueio em que nos encontrávamos. Ordenou a um dos seus aliados, Amintas, rei da Galácia, um homem que devia não só o seu posto como também a sua própria vida à clemência de meu amo, que forçasse as linhas de Octaviano, comandando duas mil unidades de cavalaria. Era uma decisão que se tornava urgente, porque meu amo não tinha dúvidas de que o traidor Délio revelara tudo o que sabia sobre os nossos planos e projetos, e, pior ainda, devia ter posto a nu a nossa situação. Mas Amintas, também ele um traidor, levou os seus homens diretamente para o acampamento de Octaviano e negociou a rendição dos postos avançados. Era evidente que esse ignóbil indivíduo queria assegurar a coroa do seu reino. E Octaviano, como por várias vezes assumira de forma clara, não era homem a quem a traição preocupasse.

É regra em política, as partes serem destruídas por dissensões internas e deserções. É impossível manter unidade de objetivos quando se sentem à nossa volta incertezas, rivalidades, fraquezas e inimizades, e vemos despontar o descontentamento e a covardia. E até os melhores perdem as suas convicções e a paixão e a energia passam a ter um papel desastroso porque se dirigem, de forma mais violenta contra os próprios colegas do que contra os inimigos declarados. E, se isso é verdade dentro das facções políticas, não deixa de ser de forma mais intensa dentro de um exército. Embora eu não seja militar, vi, li e ouvi o bastante sobre a guerra para saber uma coisa: a vitória ou a derrota são antes de tudo determinadas pelo moral das tropas. É difícil pedir a um homem, mesmo ao soldado mais insensível e estúpido, que morra por uma causa; e duplamente difícil, quando ele sente que a causa está perdida, que os seus chefes já não acreditam nela e ele vê a traição despontar como uma erva daninha por toda a parte.

Eu estava jogando *micatio* com o jovem Antilo. E ainda não era manhã. Ele despertara-me porque, segundo dizia, tinha tido um pesadelo terrível.

— Havia sangue por toda a parte — disse —, um rio de sangue que corria na minha direção. Tinham trazido para junto de mim um galo sem cabeça, eu senti que me obrigavam a enterrar a cabeça nesse rio de sangue e a cabeça do galo enfiou-se na minha boca e eu me sentia sufocar. Foi então que despertei. Olha para mim, ainda estou coberto de suor. O que quer isso dizer, Crítias?

Eu não consegui responder-lhe. A nítida implicação do seu sonho era algo que parecia bastante distinto do seu próprio mal desperto. E eu me levantei do meu colchão, abracei-o, para impedir que ele continuasse a tremer e pensei em qualquer coisa que o pudesse distrair. O jogo do *micatio* é naturalmente simples, uma distração agradável, e o que o rapaz precisava era ser distraído. E começamos a tentar adivinhar o número de dedos que escondíamos. Isso foi o bastante para que o tom rosado do seu rosto voltasse de novo a cobrir as suas faces abatidas. E em pouco tempo tinha-me ganhado uma considerável quantidade de dinheiro. Não que isso fosse importante. A moeda que era utilizada para pagar às tropas, que meu amo tinha roubado enquanto cônsul e na qual se podia ver Cleópatra retratada como uma deusa, era francamente de baixo valor, adulterada com metal de má qualidade.

— Por que está Octaviano interessado em destruir meu pai? — perguntou Antilo.

— Porque se sente inferior a ele. O meu amo e teu pai o inferioriza — respondi.

— Não acho que isso seja uma razão aceitável — replicou o rapaz.

— Talvez. Mas se viveres o bastante, chegarás a conhecer a mesquinhez dos homens.

— Achas que o meu pai é mesquinho?

— Não — disse eu. Mas não acrescentei: é apenas fraco e louco no seu desvario.

Mas fomos interrompidos por uma pancada forte na porta. Uma expressão de ansiedade voltou a percorrer o rosto do rapaz, que puxou a túnica para se tapar. Levantei-me e fui ver quem estava batendo. Era um centurião que logo reconheci; um veterano da guerra contra a Partia e que tinha sido condecorado por bravura. Olhou para mim, de mau humor, e perguntou pelo general.

— Está ainda dormindo — disse eu. — Ainda não é manhã. Posso receber eu a mensagem?

— Não — disse ele. — É melhor acordá-lo. É urgente.

E foi assim que soubemos que Aenobarbo tinha seguido o exemplo de Silano e Délio e desertara para o inimigo.

Ao que parece, fugira num pequeno barco, aproveitando o luar da noite, levando consigo apenas dois dos seus homens de confiança.

O meu amo tinha ainda os olhos carregados de sono, deu um beijo de raspão nos cabelos de Antilo, arrotou e disse:

— Más notícias. Não havia necessidade de me acordar. Diziam-me isso depois.

O centurião perguntou se ele queria que ordenasse uma perseguição a Aenobarbo.

— Ele não deve estar longe — disse. — O barco em que viaja é um barco muito pequeno.

— Perseguição? De maneira nenhuma. — Lançou um olhar para lá do acampamento na direção do mar, ainda cinzento, mas já a mostrar uns tons rosados. — Talvez ele tenha uma amante no acampamento de Octaviano e decidiu ir juntar-se a ela. Crítias, dá dinheiro a este centurião. Antilo, meu filho, lamento que me vejas tal como eu sou, a autoridade parece começar a esboroar-se à minha volta...

Suor que lhe escorre da estátua, pensei.

— Ainda não há muito — disse ele, falando para o rapaz, mas no fundo falando mais para si próprio —, os reis saltavam às minhas ordens, rápidos como rapazes à caça de ratos. Mas agora? Enfim, pobre Aenobarbo, não sou o primeiro a ser abandonado. Mas continuo a ser ainda Marco Antônio. Crítias, convoca os meus conselheiros para esta tarde.

— Quereis que convoque também a rainha, senhor?

— A rainha não precisa ser convocada.

Os historiadores irão chamar depois a este dia o dia da reunião funesta. Para mim, que secretariei o conselho, foi apenas pungente, cruel e caótico; impossível de manter em coerência um minuto que fosse, como vim mais tarde a dar-me conta. Toda a gente falava ao mesmo tempo, interrompendo-se uns aos outros, sem qualquer respeito pela ordem. Meu amo estava deitado ao fundo da mesa, de costas voltadas para o acampamento e para o mar, com uma garrafa de vinho na mão direita. O rosto estava já intumescido e a voz saía-lhe pastosa. No rosto da rainha pude ler uma terrível satisfação: Marco Antônio era agora total e verdadeiramente seu. Deixara de haver qualquer forma de ele poder abandoná-la. Mas, ao mesmo tempo, algo de tenebroso lhe perpassava pelo rosto e o lábio tremia-lhe, ansioso. Ao apoderar-se dessa maneira de meu amo, Cleópatra temia igualmente ter assinado a sentença da sua própria morte e ainda não se habituara a tal ideia.

Finalmente, Canídio deu um murro na mesa para conseguir silêncio e disse:

— O tempo de espera passou. Dia após dia, vamos ficando mais fracos. Dia após dia, há cada vez mais deserções. Dia após dia, o cerco aperta-se mais à nossa volta. Dia após dia, a derrota parece cada vez mais certa. É preciso agir e já. Só existem duas saídas para nós, se acaso não morrermos nesta nojenta armadilha. Ou nós conseguimos furar o bloqueio com a nossa armada, uma aventura perigosa, porque os nossos navios estão em péssimas condições e Agripa provou ser um almirante competente. Mas, se formos bem-sucedidos nessa nossa aventura, seremos obrigados a retirar-nos para o refúgio do Egito. Mas aviso-os de que Octaviano seguirá na nossa pegada, e o desejo de regressar a casa será para ele uma vantagem. É escasso o tempo de que dispomos e as perspectivas de vitória, bastante pobres. Em alternativa, podemos fugir para a Trácia ou a para a Macedônia. Aí temos aliados. O rei dos Getas prometeu-nos reforços. Octaviano ver-se-á obrigado a perseguir-nos e, ao fazê-lo, ser-lhe-á difícil manter contatos com a armada de que depende em termos de abastecimento. Com o tempo, talvez possamos arrastá-lo atrás de nós até conseguirmos cercá-lo segundo as nossas conveniências. Não será nenhum mal abandonar o mar a favor de Octaviano, porque os seus navios, sob o comando de Agripa, provaram as suas possibilidades nas águas da Sicília, mas será uma vergonha desperdiçar a vantagem que um general da vossa grandeza, a comandar tropas veteranas, pode ainda esperar ao enfrentar em terra o inimigo. Seria uma loucura arrastar as legiões para uma situação duvidosa. Por mim, sou a favor da guerra por terra.

Canídio podia ter esperado por outro dia em que o meu senhor estivesse sóbrio e na plena posse do seu juízo e das suas capacidades de decisão. Porque, se ouviu o que ele disse, era evidente que não percebera o que ele tinha dito. De vez em quando, meu amo deixava escapar um ruído surdo e por duas vezes murmurou o nome de Aenobarbo. E nessas ocasiões levou à boca a garrafa de vinho. A mão tremia-lhe quando voltava a pousá-la sobre a mesa.

Ao ver a situação, passei uma nota para as mãos de Escribônio Curião, que eu sabia ainda dedicado a meu amo e que olhava para ele com um ar de profunda piedade. Nessa nota eu sugeria que ele devia pedir que o debate fosse adiado para o dia seguinte, alegando uma razão qualquer. Mas, antes que ele pudesse falar, Cleópatra interrompeu:

— Pois bem — disse ela —, segue este conselho, um conselho de um romano. Os romanos abandonam-te todos os dias, ao passo que o Egito te permanece fiel. Mas segue este conselho romano, abandona o Egito e deixa-me à mercê de César, porque posso ler nos teus olhos romanos que eu sou a única causa dos teus infortúnios. Navega para a Macedônia e deixas o Egito a quem? A esse rapaz Octaviano, de olhar de víbora? Arrisquei tudo por ti, partilhei tudo quanto tinha contigo, confiei plenamente em ti. Mas agora é tempo de agires como achares melhor.

Depois de dizer isto, Cleópatra cobriu o rosto com a manga do vestido e, após um profundo gemido, abandonou a reunião, deixando os generais e os outros presentes embaraçados. Meu amo bebeu mais vinho e fechou os olhos.

Nessa noite, ou na noite seguinte, chamou-me porque queria ditar umas cartas. Encontrei-o deitado num colchão e a ser massageado por um núbio. Os dedos negros faziam deslizar os óleos pelos músculos do meu amo e, à medida que premiam aquele corpo inchado, eu conseguia ver as marcas de antigas feridas. Fiquei à espera que ele acabasse por mandar embora o núbio, se erguesse da cama, um pouco gordo mas ainda magnífico e estendesse os braços para um escravo para que lhe vestisse um roupão. Depois mandou embora os escravos, encheu duas canecas de vinho e estendeu-me uma.

— Não há cartas para escrever — disse. — Não há coisas para resolver.

— Como pode acontecer uma coisa dessas, senhor?

— Ninguém se preocupa mais com o que eu faço. E tu, Crítias, por que continuas aqui?

— Para onde devo ir, senhor?

— Para onde foram os outros. Tens aqui ouro. Pega-o e vai fazer as pazes com Octaviano.

— Ele não está interessado em mim; nem eu nele. Estais a confundir-me, senhor. Eu sou Crítias, criado na vossa casa, dedicado ao vosso serviço. Não sou um nobre romano.

— É isso que tu dizes? Então a honra vai para a cama com gente muito estranha.

Ele bebeu o vinho num trago, pegou a garrafa e voltou a encher o copo.

— São muito poucos aqueles com quem eu me tenho aberto francamente — disse. — Talvez Curião e poucos mais. Se eu morrer na batalha que deve ser travada, toma conta de Antilo e leva-o para junto de Octávia. Ela cuidará dele. Se isso for impossível, procura um refúgio distante para ele. Talvez algures na Grécia. Tu não és um homem para andar pelas cavernas da montanha, penso eu, mas que seja um lugar que tu achares melhor.

— Farei o que puder, senhor: mas sempre vos ouvi dizer que a batalha nunca está perdida enquanto não se abandonar a luta, e muitas coisas estranhas podem acontecer na guerra.

— Aconteceram já coisas muito estranhas — disse ele; e a sua voz cansada era a de um homem que tinha viajado muitos quilômetros por lugares desertos. — Há seis meses, comandava um exército dos melhores que tive. Hoje caminho pelo acampamento e vejo que os homens me evitam, os murmúrios cessam quando dão por mim e alguns deles chegam a virar-me as costas. Esta tarde, um soldado dirigiu-se a mim de maneira atrevida:

"'Não luteis no mar', disse ele, 'não confieis na madeira podre. Deixai isso para os egípcios e fenícios, deixai-os brincar aos patos, se é disso que eles gostam. Mas esta minha espada serviu-vos em trinta batalhas, estes pés atravessaram convosco as areias da Média e as montanhas geladas da Armênia. Estas feridas', disse ele, mostrando-as a mim, 'foram conseguidas ao vosso serviço. Deixai-nos lutar em terra, passo a passo, e nós mostraremos ao inimigo os homens que somos.'"

— Foi um discurso nobre e corajoso — disse eu. — Verdadeiramente comovedor.

— Comovedor? Mas os seus companheiros não apreciaram e nem um gritou: "Belas palavras, Públio". Em vez disso, voltaram a cabeça, ou baixaram-na e tentaram evitar-me o olhar. Canídio tem razão. Devemos partir para a Macedônia e vamos encontrar-nos lá com César.

Nunca antes o ouvira chamar Octaviano pelo nome que ele tinha usurpado. E não gostei que o tivesse feito.

— Só que não podemos fazê-lo. O exército não vai pôr-se em movimento. A partir de hoje fiquei sabendo que não vai lutar mais, que não irá permanecer no campo de batalha, nem nada. Nada a não ser fugir, desertar, desintegrar-se. Deixou de haver exército, o que há é apenas um conjunto de homens. E, como tal, não pode haver escolha. Tenho de seguir o caminho decidido pela rainha. E os homens vão dizer que é ela quem manda em mim, não é verdade, Crítias?

— Acho que sim, meu amo.

— Mas não é assim. É a necessidade que me arrasta pelo nariz e me obriga a isso. Há seis meses... alguma vez te embebedaste, Crítias? Nunca te vi bêbado, és um rapaz ajuizado, Crítias. Mas eu não tenho outra hipótese. E para mim é sempre bem-vindo o olvido que me traz o vinho. Cuida de Antilo, como te pedi. Parece tão estranho que sejas tu a única pessoa em quem eu posso confiar...

Era um cumprimento desesperado, com um ar um pouco desdenhoso, mas para mim era um tesouro, era ainda um tesouro. E depois, meu amo disse:

— E ainda outra coisa. Descobre onde está Curião. Ainda posso confiar nele, penso eu. Diz-lhe que procure os bens e coisas valiosas de Aenobarbo e que envie tudo para o acampamento de Octaviano. Se ele se foi embora num barco minúsculo, deve ter deixado para trás os valores que possuía.

Cleópatra ganhara. Ou pelos argumentos que apresentou na reunião ou por formas de persuasão privada. Como Alexas me fizera notar, "nenhum dos generais favoráveis à opção Macedônia tinha ido para a cama com Marco Antônio".

E foi assim que recorremos aos navios, deixando Canídio encarregado do exército por terra. Durante três dias, o mar esteve demasiado bravo para permitir a partida. Eu tenho um medo horrível de enjoar. Mas depois o vento acalmou e acabou por desaparecer. E durante mais um dia não houve hipótese de nos movimentarmos. Era como se, no ponto mais crítico em que era necessário tomar uma decisão, os comandantes tentassem evitar os perigos da guerra.

Ao quinto dia, e ainda antes de o amanhecer tocar o mar com os seus dedos rosados, meu amo serviu-se de um pequeno barco e andou de navio em navio, e, quando subia a bordo de cada um deles, encorajava os homens, incitando-os a manter o domínio sobre as capacidades dos seus barcos, de forma a poderem lutar no mar de maneira tão firme como se lutassem em terra. Disse-se mais tarde que faltava a meu amo a energia que normalmente despertava nele a proximidade de uma batalha. A sua expressão era severa; as frases curtas e um pouco abruptas. Apesar de tudo, sentia-se encorajado pela determinação de marinheiros e soldados e pela confiança que as suas visitas lhes inspiravam.

Era seu objetivo que os pilotos se deviam manter firmes como se estivessem ancorados e esperar os ataques dos navios mais ligeiros de Octaviano. E pensava que era uma decisão sensata porque, na luta entre as duas armadas, as dificuldades eram mais acentuadas nas zonas onde era possível maior movimentação.

Mas sucedeu que só começou a soprar uma leve brisa já perto do meio-dia e o mar começou a agitar-se, levando os nossos navios involuntariamente em direção ao inimigo. Como não tinha sido dada nenhuma ordem, o ataque foi feito sem energia. Passado pouco tempo, os nossos barcos estavam rodeados pelos navios ligeiros de Agripa, que tinham uma capacidade de manobra muito maior e não recearam aproximar-se de nós o máximo possível, porque tinham noção do peso das nossas embarcações e do poder de embate das suas enormes proas. E, por esse motivo, a luta, segundo me parecia, assemelhava-se mais a um cerco em terra do que a uma batalha travada no mar. O inimigo atacava-nos com armamento leve, com flechas curtas e lanças incendiadas, enquanto os nossos homens, tendo a seu favor a sua posição mais alta devido ao maior calado dos nossos navios, o que, no contexto desta estranha batalha, fazia com que eles parecessem altas torres de uma cidade sitiada, respondiam de forma semelhante, também com setas curtas, lançadas das catapultas sobre o inimigo.

A confusão era enorme, e confesso que o meu medo era tal que me vi obrigado a cobrir a cabeça com uma manta, o que me impedia de saber como estava decorrendo a batalha. Mas, quando me apercebi de que as coisas continuavam na mesma e ainda não tinha sido ferido, senti vergonha de mim próprio. E, ao olhar a confusão que se desenrolava à minha volta, comecei a sentir-me espectador de um estranho e fascinante drama teatral.

Como ouvi dizer por diversas vezes a meu amo, ninguém é realmente capaz de entender o que se passa durante uma batalha, a não ser aquilo que acontece à sua volta. Não há a possibilidade de se ter a noção das dimensões do combate, e é esse o motivo por que as batalhas são perdidas sem razões aparentes, ou então ganhas contra as expectativas mais desanimadoras. Uma reação imediata pode encorajar ou provocar receio e pôr em movimento um processo imperceptível que encoraja uns e leva outros a fugir. E esta forma descontrolada pode levar a alterações do estado das coisas, alterações essas que os agentes de tais mudanças não têm nenhum conhecimento.

Tudo se mantinha portanto na incerteza, na confusão, e não se descortinavam vantagens nem para um nem para outro lado da contenda. Mas em determinado momento ergueu-se uma enorme movimentação de fúria e terror, vinda dos soldados que se encontravam no convés do nosso navio. Seguindo os seus olhares, vi com um horror assombrado os barcos egípcios, com o pavilhão de Cleópatra desfraldado no da dianteira, içarem as velas e movimentarem-se com a velocidade que lhes era permitida e que era considerável, porque o vento estava agora do seu lado e enfunava-lhes as velas, enquanto os seus remadores davam tudo por tudo, abandonando a batalha, numa fuga precipitada.

A razão deste procedimento nunca foi apurada. Em minha opinião, não se tratou de traição, como alguns pensaram na época e manifestaram entre brados furiosos, mas antes de um súbito pânico que se apossara da rainha.

Quando meu amo viu a fuga da rainha, ele, que até então tinha dado mostras do seu antigo vigor ao organizar a batalha que não parecia por enquanto perdida, deu ordens para alterar o curso das coisas e, seguido por cerca de quarenta barcos da ala direita, pôs-se a perseguir a rainha.

Eu estava perplexo. Para mim, ignorante nestas matérias, achava que tínhamos aguentado as nossas posições, e se Cleópatra tinha dirigido os seus barcos na direção do inimigo em vez de encabeçar o movimento no sentido oposto, era porque a empresa tinha acabado em sucesso e o dia era nosso.

Era como se a sua fuga fosse algo de impossível, e a nossa, inevitável.

Mais tarde disse-se que tudo o que se passou correspondia a um plano estratégico para tentar evitar um desastre; e assim a batalha não seria considerada uma derrota, mas uma vitória; desde que se conseguisse alcançar tal objetivo.

Mas eu soube pela expressão do rosto de meu amo, quando ele se sentou na proa do nosso navio e viu as velas de Cleópatra a navegar à frente dele, que essa explicação era falsa.

É certo que tudo podia terminar nesse dia, se nos mantivéssemos nas nossas posições e continuássemos a lutar até o fim. Mas, atuando de forma diversa e mudando o rumo das coisas, meu amo poderia sempre dizer que o que ele queria era salvar a rainha e os seus tesouros e levar consigo uma centena dos nossos barcos e mais de vinte mil dos nossos veteranos que tinham combatido a bordo. Nós tínhamos perdido pelo menos vinte embarcações e cinco mil homens; mas tínhamo-nos colocado numa posição na qual podíamos ainda ter esperanças de ganhar a guerra

Ao fim da tarde, havíamos alcançado o barco onde se transportava a rainha. Foi posta a navegar uma pequena embarcação, e meu amo, juntamente com os seus conselheiros e elementos íntimos da sua casa pessoal, foi transportado para o navio de Cleópatra.

Meu amo dirigiu-se imediatamente para os aposentos da rainha e aí ficou até o anoitecer. O que se passou entre os dois não é do conhecimento de ninguém. Cleópatra pôs a circular a sua versão, que na altura me foi relatada por Alexas; mas era uma versão tão inverossímil que não vejo necessidade de repeti-la aqui.

O que é inquestionável é que, quando meu amo regressou ao convés, ele se sentou na proa da embarcação, depois de se agasalhar, e aí permaneceu, silencioso, recusando-se a falar com quem quer que fosse durante uma noite sem dormir. Recusou o vinho e tinha no rosto uma cor marmórea. Alguns disseram que ele chorou, mas eu não lhe vi nenhuma lágrima, e acho que o que ele sentia estava para além das lágrimas.

Além disso, e durante os três dias de que precisamos para chegar ao porto de Tênaro, na ponta sul mais extrema do Peloponeso, meu amo recusou-se a ver Cleópatra, que se mantinha na sua cabine, zangada ou cheia de medo, e também ela declinou qualquer comida ou bebida. E a maior parte do tempo, meu amo se manteve sentado, sem se mexer; e quais teriam sido os seus pensamentos durante esses dias e noites é coisa que não me aventuro a imaginar. E tenho certeza de que ninguém estava interessado em fazê-lo.

Mas, em Tênaro, meu amo deu mostras de querer movimentar-se, talvez porque lhe fosse impossível manter-se por mais tempo nessa espécie de limbo, nessa viagem marítima durante a qual lhe fora impossível agir ou tomar decisões. Mas a terra firme levou-o a encarar novamente a realidade. E, enquanto esperávamos por alguns remanescentes da batalha para se juntarem a nós, meu amo abandonou esse estado de espírito desolador em que havia mergulhado e, por momentos, voltou a ser ele próprio.

Mas as notícias que lhe chegaram a seguir voltaram a ser catastróficas. Canídio tinha ficado a comandar o exército de terra com ordens para se retirar para a Macedônia logo que a batalha naval chegasse ao fim, ou então, se isso lhe parecesse correto, dirigir-se à Ásia ou à Síria. Mas os soldados, quando viram a batalha perdida e se sentiram abandonados, como lhes parecia, por Marco Antônio, recusaram-se a obedecer ao comando de Canídio. Estavam convencidos de que Octaviano iria receber bem a sua rendição, porque pensavam que ele não tinha estômago para batalhas e que, para evitar mais problemas, iria recompensá-los generosamente e só os oficiais seriam condenados à morte. E não tiveram os mínimos escrúpulos em dar a entender as suas intenções de se renderem. Canídio e poucos dos seus oficiais seniores, ao terem conhecimento da disposição das suas tropas, fugiram durante a noite e caminharam para o sul para informar meu amo do que havia acontecido.

No entanto, e com a sua velha e habitual generosidade, meu amo procurou satisfazer todos os desejos dos seus homens, em cumprimento do seu juramento de lealdade, dando-lhes bens do seu tesouro que lhes assegurassem o futuro e uma passagem para Corinto onde podiam negociar os termos da sua rendição a Octaviano ou então partir, se isso pretendessem, para terras remotas e bárbaras.

E nunca, pode-se dizer, um general derrotado recompensou com tamanha magnanimidade os seus seguidores. E foi nessa sua decisão que ele melhor demonstrou a sua grandeza de alma.

XXVIII

QUANDO CHEGAMOS AO EGITO, MEU AMO RECUSOU-SE A ACOMPANHAR Cleópatra ao palácio real; e, em vez disso, foi instalar-se numa casa para além de Paros. Disse à rainha que precisava se isolar para poder dedicar as suas energias a reorganizar a recuperação das suas fortunas.

— Se continuar na tua companhia — disse ele — receio que os teus encantos me distraiam dessa tarefa necessária.

Claro que esta não era a verdadeira razão para o seu afastamento; nem a própria Cleópatra acreditava nisso. Alexas, com quem eu mantinha contatos íntimos — porque, entre outras coisas, os seus próprios temores e depressões eram de tal maneira terríveis que só na minha companhia e na minha cama ele conseguia experimentar algum prazer —, contou-me que a rainha atravessava momentos de agonia de autocomiseração e suspeitas receosas quanto à conduta de meu amo. Ela tinha certeza de que ele planeava descobrir a maneira de se salvar à custa dela, pois não conseguia esquecer que Octaviano tinha convocado a Itália inteira para lhe declarar guerra, e não a Marco Antônio. Eu tentei, dentro do possível, desfazer este mal-entendido. Mas como não morria de amores por Cleópatra e reconhecia que ela era o gênio mau do meu amo, achava boa ideia não continuarem juntos. Além disso, tinha vagas suspeitas de que ela, ao duvidar dos intuitos de meu amo, procurava agora aproximações junto de Octaviano, a ponto de lhe oferecer a rendição do seu amante para tentar salvar o seu reino. E Alexas não conseguia convencer-me de que eu não tinha razão. E disse-lhe:

— Meu caro, eu conheço Octaviano. Há anos que estudo a sua personalidade. E uma coisa te digo, sobre a qual tenho certeza: ele pode prometer tudo o que lhe apetecer e lhe convier, mas também é capaz de quebrar essa promessa com um simples estalar de dedos. Diz à rainha, e da forma que achares mais conveniente, que, se ela trair meu amo pensando que assim consegue salvar a sua vida e o seu reino, está simplesmente a apressar a sua própria derrota.

— Eu não consigo dizer-lhe coisa nenhuma — disse ele. — Ela não quer ouvir nada que possa aborrecê-la.

— E é por isso que estamos nesta confusão.

Alguns dias mais tarde instalamo-nos, um pouco às ocultas, na casa a que meu amo começou por chamar o seu Timônio, em honra desse cético e misantropo Timão de Atenas, que afirmava que a "experiência lhe ensinara a grande sabedoria de desprezar a humanidade". Foi então que chegou Canídio com novidades que provocaram maiores desgostos.

O exército, que tinha ficado no nosso acampamento quando embarcamos nos nossos navios de guerra, de início recusou-se a acreditar que meu amo estava em situação de voltar a comandá-los. O que eles queriam era voltar a ver meu amo e durante dias recusaram-se a ouvir as propostas dos legionários de Octaviano, que insistiam em afirmar que ele tinha desertado. Mas, como ele não aparecia, começavam a questionar a situação em que se encontravam e a ficar desesperados. Estavam tão falhos de confiança e tão desiludidos, disse Canídio que, quando ele, de acordo com o plano imaginado por Marco Antônio, deu ordens para prepararem a retirada para a Macedônia, eles se recusaram abertamente a obedecer-lhe. E o que começou por ser um motim relativamente passivo, em breve se transformou em algo de violento, e Canídio deu-se conta de que a sua vida corria perigo. E decidiu abandonar o acampamento às escondidas à noite, e foi com grande dificuldade que conseguiu chegar a Alexandria.

E quando Canídio, exausto, pediu permissão para ir descansar e lhe foi concedida, meu amo voltou-se para mim e disse:

— Pareces espantado, Crítias. O que achas tu que eu devia fazer? Felicitá-lo ou puni-lo pela infelicidade de ter agido da mesma maneira que eu? Por mim, sinto-me feliz por ter tão nobre companheiro na desgraça.

Foi pouco tempo depois de isso acontecer que ele começou a ditar-me a narrativa que venho fazendo e cujas circunstâncias me levaram a chegar a tão infelizes conclusões.

Durante muitos dias e semanas, meu amo mostrou-se incapaz de agir. Ele tentava ditar-me algumas coisas, às vezes a continuação desta narrativa, outras vezes cartas urgentes e angustiadas para aqueles que ele esperava poderem ainda ajudá-lo. Mas essa esperança era cada vez mais tênue, embora a linguagem das referidas cartas continuasse a ser enérgica, pelo menos no sentido de que ele julgava poder influenciar os seus destinatários. Mas eu, ao escrevê-las, tinha perfeita noção de que esses apelos eram inúteis. A aura de autoridade tinha abandonado Marco Antônio, e mesmo os homens virtuosos — virtuosos porque tal se consideravam, ou virtuosos porque assim eram considerados pelos outros —, não encontravam razões para responderem aos seus pedidos. Muitos desses homens a quem essas solicitações eram dirigidas, eram homens incapazes de defender uma causa que não fosse a que eles julgavam ser de seu interesse pessoal. O meu amo era um homem em declínio, um sol que declinava, e eles olhavam agora para o novo Febo que era Octaviano. E as notícias que recebíamos eram más. O nosso partido tinha-se desintegrado. Um exemplo apenas dava para entender o que muitos pensavam. Herodes da Judeia era um dos que deviam tudo aos favores do meu amo, sem os quais nunca passaria de um verme. Se havia reis e príncipes do Oriente que deviam tudo o que eram a meu amo, Herodes era um deles. Mas ele, logo que soube do desastre em Áccio, preparou-se imediatamente para colocar ao dispor de Octaviano as suas legiões.

O meu amo limitava-se a receber as más notícias com um gesto de mão aparentemente desinteressado.

— Herodes? — dizia ele com ironia. — Se os romanos me abandonaram, não era um judeu que iria continuar a ser-me leal.

Mas Cleópatra, que sabia entender a falta de escrúpulos de Herodes muito melhor que meu amo, acreditava que ele não estava definitivamente perdido para a nossa causa. E nesse sentido decidiu enviar uma embaixada a Herodes que levava consigo valores, e com a promessa de riquezas ainda maiores, se ele continuasse a apoiar o homem a quem tudo devia, se ele formasse uma aliança com o Egito. Eu quando soube que ela tinha escolhido o meu querido Alexas para dirigir a embaixada, devido aos seus encantos e sabendo ela que Herodes era um depravado notório, pedi-lhe, em lágrimas, para tentar encontrar uma forma de se furtar a uma tarefa tão perigosa quanto ineficaz. Mas não havia nada que ele pudesse fazer senão obedecer à rainha, que não teria embaraço em mandá-lo matar se ele tivesse a presunção de lhe desobedecer. E Alexas cumpriu o seu dever e tudo aconteceu como eu esperava. Herodes recebeu-o com palavras amáveis, aceitou os presentes, tentou seduzi-lo e, saciando a sua luxúria, possuiu Alexas e, em seguida, acorrentou-o, enviando-o depois a Octaviano como prova de dedicação à sua causa. Eu nunca mais vi o meu amigo e penso que acabaram por matá-lo da forma mais cruel.

Meu amo, ignorante das diligências de Cleópatra para tentar manter Herodes do seu lado — e eu não via razão para iludi-lo com falsas esperanças ao pô-lo a corrente daquilo que Alexas representava para mim —, afundava-se num desespero cada vez maior. Durante dias e dias, o seu único alívio foi o vinho. Eu não podia criticá-lo, embora não apreciasse o seu comportamento. Durante anos, Marco Antônio tinha recorrido ao vinho para, de certo modo, melhor apreciar a situação que tinha de enfrentar; daí a sua exuberância. Mas agora Marco Antônio bebia para se atordoar e encontrar no álcool um alívio para o seu sofrimento. Havia muitos dias em que ele começava a beber logo ao fim do dia, mas, como continuava acordado pela noite adentro, acabava por não pregar o olho e ficar desperto até o amanhecer. Às vezes chamava-me, procurando em mim apoio por meio de palavras de conforto e eu pude aperceber-me de que o seu espírito não conseguia já encontrar conforto em nada.

Normalmente, à tarde, quando se apoiava numa simples almofada de tecido vermelho de Chipre, punha-se a olhar para o mar e a imaginar exércitos e armadas. Essa era a hora da esperança sem freio. Eram requisitadas legiões vindas de províncias distantes, reformulavam-se alianças, concebidas cartas urgentes a generais que, havia muito, tinham deixado de comandar os postos para onde eram enviadas. E, durante esse curto período de tempo, a esperança renascia e, com ela, a sua determinação. Havia ocasiões em que solicitava que lhe trouxessem a sua armadura e pedia que o vestissem como um imperador, coisa que ele, por breves instantes, acreditava ser. Em seguida, dava ordens para que se reunisse o conselho, ou então fazia planos para visitar Cleópatra e continuar a resistir a Octaviano.

— O Egito — dizia ele — é uma importantíssima praça-forte, da qual não seremos facilmente desalojados. Quando o jovem Octaviano se aperceber da força das nossas defesas, estará certamente disposto a negociar. Sabes, Crítias, quando eu me encontrava com Octaviano, descobria sempre afinidades entre nós, era como se o amor que entre nós existia conseguisse reflorir de novo.

Eu via nesses arroubos de esperança, nos quais não havia nada a não ser uma decepção disfarçada, uma profunda dor que tentava mascarar-se de forte resistência. Mas não podia fazer outra coisa a não ser alimentar tais fantasias. Tinha certeza de que não havia ação possível que pudesse salvá-lo e que nenhuma ação era preferível à lassidão na qual ele, pouco a pouco, se ia afundando.

Mas, tal como o carro de Febo se movimentava no zênite, também o orgulho o abandonava, e ele voltava à autocomiseração. E pouco do seu sentido de nobreza lhe restava para poupar Cleópatra às suas críticas. E, embora ele soubesse no seu íntimo que tinha sido ela quem o destruíra, e fosse o que fosse que ele sentisse por ela, essa mistura de amor e de luxúria, fora ela a causa principal da sua ruína; meu amo não era capaz de admitir tal coisa, ou aceitar que essa paixão o tornara um homem diferente do antigo Marco Antônio. E, nas raras ocasiões em que falava da rainha, continuava a bater na tecla de que sempre informara Octaviano, na correspondência que com ele trocava, de que a sua aliança com Cleópatra era baseada no seu entendimento das realidades políticas. E nessas alturas, mesmo abatido pela falta de autoestima, conseguia defender a ideia de que continuava a ser um ser racional, controlado, sobre a influência benéfica dos deuses e a dominar o seu próprio destino. Acho que isso lhe trazia certo conforto; porque é muito difícil a um homem ser capaz de reconhecer os vícios que o destruíram.

E passava muito do seu tempo crepuscular a falar de Octaviano; e o que mais perplexidade lhe causava era a traição do jovem.

— Eu nunca lhe dei motivos para me recear — repetia ele incessantemente. — Nunca lhe faltei com a minha palavra ou reneguei um acordo que tivéssemos feito os dois. Sempre o tratei de igual para igual, em termos de autoridade e de poder, e sempre imaginei que os dois juntos estávamos a trabalhar para conseguir manter um Império Romano sem fronteiras. Por que este seu comportamento contra mim?

E era então que as lágrimas lhe afloravam aos olhos quando comparava as suas antigas glórias com os tempos presentes; e o seu olhar continuava fixo no oceano vasto e impiedoso até chegar a noite.

Nesses dias, costumava passar também muito do meu tempo com o jovem Antilo, que eu tentava furtar ao desvario do pai. Mas o rapaz era demasiado inteligente para se deixar comover. Percebia que era a sua própria vida que estava em perigo. E mais de uma vez lamentara o fato de ter deixado Roma e não ter ficado na casa de Octávia, pois sabia que podia confiar nela para protegê-lo. E falava também com azedume de seu pai ao abandonar Octávia, porque tinha noção de que fora a sua rejeição em favor da rainha que havia precipitado o desastre. Eu tentei dar-lhe a entender que, independentemente do curso seguido por meu amo, Octaviano estaria sempre determinado a destruí-lo. Mas ele me respondia dizendo que Octávia nunca iria permitir que o irmão atacasse o marido se ele sempre tivesse provado que lhe tinha sido fiel. E, quanto a isso, eu não podia dizer nada porque no fundo achava que o rapaz tinha razão.

Mas, mesmo assim, Antilo amava o pai e estava sempre disposto a fazer fosse o que fosse que estivesse ao seu alcance para ajudá-lo na situação difícil em que se encontrasse.

MAS MEU AMO ACABAVA SEMPRE POR RECOMPOR-SE E DIZIA:

— Já que tudo está perdido, vamos agir como se fôssemos ganhar tudo de novo. Marco Antônio é outra vez Marco Antônio.

Mas ele já não era o mesmo, de forma alguma. Uns dias acordava numa agitação sem tino, dominado pela autocomiseração, os cabelos grisalhos e desalinhados, o rosto molhado em lágrimas, os olhos raiados de sangue. Outros levantava-se vigoroso, ia até os banhos e regressava fresco, com ótimo aspecto e a voz e o olhar decididos.

— Crítias — dizia-me ele —, sempre foste paciente com o meu estado de espírito insuportável; mas agora vais ter direito a um final glorioso para as memórias que tens vindo a compilar. E, se os deuses me favorecerem uma vez mais, verás que tenho para te ditar novos e esplêndidos capítulos.

E, ao dizer isso, vestia-se de púrpura, pedia que lhe trouxessem um carro que o transportasse à casa de Cleópatra e à sua corte. Porque, segundo me parecia, tinha resolvido demonstrar ao mundo que, no fim dos seus dias, deveria ficar lembrado pelos seus momentos gloriosos, e nunca pela traição ou pela derrota. Queria deixar para a posteridade um nome que o mundo devia admirar e ser considerado "como um verdadeiro homem".

E, embora esta jactância me tocasse de forma mais dolorosa que o seu estado depressivo, porque compreendia o que isso exigia ao seu espírito fatigado, era com certo prazer que lhe retribuía com um sorriso a sua tentativa de rejuvenescimento e lhe dava a entender que continuava a confiar no seu gênio e na estrela que sempre o havia guiado.

No entanto, acho que ninguém vai pensar que era erro meu, ou irá pensar o pior de mim, se confessar que, a partir de determinado ponto, comecei a fazer planos para fugir do Egito quando tudo tivesse terminado, levando comigo todos os documentos referentes à carreira do meu amo, como se esse espólio fosse por direito meu ou pelo menos pudesse mantê-lo bem guardado.

Foi enviado recado à rainha para que esperasse meu amo e, quando ele entrou no palácio, foi dar com ela sentada no trono real numa grande galeria que dava para o mar. Com esse estilo gracioso com que ela assumia a realeza, Cleópatra levantou-se para recebê-lo. Abraçaram-se na presença de todos, houve algumas lágrimas, alguns bonitos discursos e, em seguida, retiraram-se ambos para os aposentos dela.

Quando voltaram à galeria, meu amo anunciou que, a partir daquele momento, a sua velha sociedade de "Seres Vivos Inimitáveis" passaria a chamar-se "Companheiros na Morte Gloriosa"; porque, disse ele:

— Uma vez que estamos condenados, que nos deixem partir com a nossa magnificência original; caso contrário, por que não enfrentarmos a morte olhando-a de frente, sem medo nem pressentimentos?

E em seguida encarou as pessoas presentes com um sorriso que só os deuses conseguem oferecer; e toda a gente sentiu que ele tinha regressado para junto deles, tinha regressado à vida, com o esplendor de um Dioniso.

Nessa noite ofereceram um grandioso banquete e os festejos prolongaram-se por sete dias.

Para o fim, alguns já se sentiam exaustos, mas todos eles pareciam sentir-se aliviados dos medos que os vinham perseguindo desde Áccio, porque Marco Antônio tinha feito soar uma espécie de trombeta de indomável rebeldia. Foi então que chegou a notícia de que Octaviano, depois de ter conduzido o seu exército pela rota da Síria e da Judeia, onde Herodes se lhe prostrou aos pés e o abasteceu do muito de que ele precisava, havia capturado o porto de Pelúsio, o mais a leste do Egito, que se rendeu tão facilmente que logo se aventou que tinha havido traição. Alguns sugeriram que Cleópatra tinha dado ordens ao comandante da guarnição para se entregar sem luta, porque esperava que, se abandonasse meu amo, ainda podia negociar uma paz separada com Octaviano.

Não posso afirmar que isso tenha sido verdade, porque, quando perdi o meu caro Alexas, deixei de ter acesso ao pensamento secreto da rainha ou dos seus conselheiros.

Mas que ela tinha essa esperança, disso não me restam dúvidas. Ela avaliou ou tinha avaliado meu amo, por um lado, e avaliado o seu reino e a sua vida, por outro; e, claro, não evitou em pôr em primeiro lugar o seu reinado e a sua vida. Mas continuava a amar meu amo à sua maneira, tanto quanto ela podia amar alguém. Mas, acima de tudo, amava a si própria.

O próprio Marco Antônio, devo dizê-lo, tinha-a aconselhado a abandoná-lo, de forma que ela pudesse ainda negociar com Octaviano. E isso significa muito quanto à grandeza do seu amor e da sua nobreza. E chegou mesmo a escrever a Octaviano a oferecer-se para se retirar para Atenas a fim de viver ali como um cidadão comum. "Desse modo poderás evitar os perigos incertos da batalha", dizia ele na carta, "porque, se tu sabes quando a guerra começa, só os deuses podem determinar quando e como acaba."

Tudo isso era retórica, evidentemente, e nunca me passou pela cabeça que ele pudesse ter qualquer hipótese de fazer com que Octaviano mudasse de ideias. Em minha opinião, ele sabia muito bem que a superioridade em homens e recursos era o que decidiria a batalha; e não ia pôr de lado essa vantagem. Além disso, com a sua inata desconfiança, não ia acreditar que meu amo teria algum interesse em viver como um simples cidadão ou que os outros o deixassem fazer tal coisa. Mas agora Octaviano era um cão de fila cujos dentes se tinham cravado na garganta do inimigo.

E é preciso dizer também que Octaviano, com a sua prudência habitual, não ia rejeitar de imediato as propostas de meu amo. E, nesse sentido, enviou um embaixador à rainha; e fê-lo porque, mesmo convicto de sair vitorioso e com razão, no seu íntimo mantinha-se consciente da sua inferioridade em relação a Marco Antônio e receava que a sorte da batalha pudesse vir a demonstrar essa inferioridade e que as coisas se voltassem contra ele. E não há maior testemunho da grandeza de meu amo do que essa hesitação por parte do inimigo nessa altura, quando tudo afiançava que a antiga grandeza o tinha abandonado e ele se encontrava totalmente indefeso e sem coragem para suportar as desgraças do destino.

Durante algum tempo, Octaviano demonstrou boas intenções em relação a Cleópatra, assegurando-lhe que podia esperar dele os melhores favores, desde que expulsasse Marco Antônio dos seus territórios. De início, ela ainda acreditou nele e pensou que a sua causa ainda não estava perdida, mas que estava a de Marco Antônio. E ela respondeu a Octaviano que estava perfeitamente consciente da sua generosidade de alma e que ele lhe iria permitir partilhar o trono do Egito com seu filho Cesarião; porque, dizia-se que ela afirmara, "Apesar de ser uma fraca mulher e de ter sido usada e abusada, permito-me afirmar ser o melhor apoio de meu filho no governo do Egito e assim poder provar ser um forte aliado do povo romano e do seu imperador, Octaviano César."

Há quem diga que, quando meu amo soube do que se passara nessas negociações, ficou furioso e fez com que o embaixador de Octaviano fosse açoitado e em seguida se voltou irado para a rainha, dizendo-lhe que, se ela o abandonasse, ele se mataria e levá-la-ia com ele para o reino das sombras.

Mas isso é um absurdo, já que está provado que fora ele mesmo que havia sugerido esse tipo de negociações levadas a cabo pela rainha. Mas, embora as suas razões o tivessem levado a servir-se dela na sua política, meu amo sentia o coração ferido pela forma pouco airosa como ela tinha seguido o seu conselho. Só podia sentir desgosto ao descobrir que ela estava pronta a abandoná-lo para se salvar. Mas sentiu-se mais consolado quando ela lhe assegurou que fizera o que fizera porque ele a tinha aconselhado a tal e porque acreditava que era esse o único caminho que lhe restava para fugir à vingança de Octaviano.

— Se te deixarem partir para Atenas e viver lá como cidadão comum, como tu pediste — disse Cleópatra —, e se Cesarião e eu própria governarmos o Egito, quem sabe se a roda da fortuna não vai rodar de novo a nosso favor? A derrota nunca é absoluta, e assim nós continuaremos livres.

Ele acreditou nessa história, ou fingiu que acreditou, pois não podia fazer outra coisa, porque ela acompanhava as suas palavras com beijos e ele não sentia nesses beijos o sabor da traição.

Mas foi o jovem Cesarião quem pôs fim a essa disputa. Ele, que nunca me impressionou pela sua inteligência, como acontecia com o jovem Antilo.

Mas agora era ele quem falava com toda a frontalidade:

— Tu sempre me disseste que eu era o filho de César — disse ele para a Cleópatra —, título que Octaviano reclama para si próprio. Sendo assim, é impossível ele manter a sua palavra e poupar-me a vida. Na minha opinião, o que ele está tentando é afastar-te de Marco Antônio para assim poder destruir-nos aos dois de forma mais fácil e mais visível. Prefiro pôr a mão num ninho de serpentes a confiar nas palavras de Octaviano. E, embora a nossa situação seja totalmente desesperada, acho que não temos escolha que não seja o teste da batalha.

Quando meu amo ouviu essas palavras, ficou profundamente emocionado. Abraçou Cesarião e disse até que ele parecia o próprio pai, César, a falar.

E todos ficaram convencidos da lógica inexorável do rapaz, até a própria Cleópatra, embora esta não tivesse ainda abandonado a esperança de conseguir salvar alguma coisa do naufrágio. E foi nessa altura que ordenou que todo o seu tesouro — metais preciosos, joias, marfim, ébano e especiarias — fosse reunido e transportado para o mausoléu que mandara construir próximo dos túmulos dos Ptolomeus, pois achava que enquanto estivesse na posse de tão grandes riquezas conseguiria sempre negociar com o conquistador.

Nesse mesmo dia, Cesarião foi admitido no grupo dos Efebos e Antilo recebeu a *toga virilis*; "porque", disse Marco Antônio, "uma vez que ambos se haviam comportado como verdadeiros homens, mereciam receber o estatuto de adultos".

A guarda avançada de Octaviano estava cada vez mais próxima dos subúrbios de Alexandria, e ele próprio tinha acampado próximo do hipódromo ou da pista de corridas.

— Chegou o momento — gritou meu amo quando lhe trouxeram tais novidades.

E, no último dia do mês de César, reuniu as tropas e passou revista, como se estivesse preparado para enfrentar o inimigo. E, enquanto quarenta navios se colocavam em frente do porto, ele marchava à frente de umas vinte e três legiões, algumas romanas, outras orientais, na direção de Octaviano.

A decisão de enfrentar o flanco de Octaviano do lado do mar provou ser um erro, porque os barcos, logo que ficaram livres da proteção do mar, foram traiçoeiramente empurrados na direção de Otaviano e renderam-se-lhe. Então a infantaria recusou-se a lutar, alguns desertaram, outros fugiram e só um pequeno número se manteve firme e organizado. No entanto, e embora meu amo, à frente da sua tropa de cavalaria, tivesse conseguido dispersar os que o atacaram, nada de substancial foi obtido com essa ação, o que só parecia provar que tinha sido a última das inumeráveis vitórias de Marco Antônio.

E ele próprio regressou ao palácio e abraçou Cleópatra como se tivesse regressado em triunfo. Mas fê-lo porque sabia que, se desse mostras de que fora derrotado, só iria prejudicar a sua causa e atrair mais depressa a sua ruína. A rainha, para seu maior espanto e tristeza, ficou emocionada com o ar de sobranceria que ele conseguiu apresentar e, por momentos, ainda acreditou verdadeiramente que ele tinha vencido Octaviano.

Mas ele sabia bem o que estava se passando e os seus movimentos seguintes deram a ver o desespero a que estava agora reduzido. E ordenou-me que redigisse uma carta desafiando Octaviano a decidir o reencontro num combate a dois. Eu escrevi esaa missiva com a maior relutância, pois sabia que Octaviano iria recebê-la com desprezo, porque ele via nela o último lance de dados do jogador. E, naturalmente, a resposta não se fez esperar:

"Marco Antônio", escreveu Octaviano "podia pensar em outras maneiras de acabar com a vida."

Hesitei em entregar essa resposta a meu amo e fingi que ainda não tinha chegado nenhuma missiva de Octaviano. Mas ele pôs-se a interrogar junto de outras pessoas e, certificando-se de que a resposta do seu rival já havia chegado, repreendeu-me com amabilidade, e uma certa traquinice e perguntou-me se eu achava que ele já não era um homem capaz de ouvir as más notícias.

Não penso que ele tivesse pensado alguma vez que Octaviano iria aceitar o seu desafio. Ele conhecia demasiado bem o rapaz e não iria imaginar que ele tinha adquirido a coragem física que sempre lhe faltara. No entanto, só um louco iria correr um risco que significava tudo menos ganhar uma batalha; e Octaviano era tão sagaz quanto falso.

Nessa noite, tendo resolvido arriscar tudo no teste da batalha final no dia seguinte, meu amo mandou organizar um enorme banquete e disse:

— Manda chamar os meus capitães desalentados. Vamos passar mais uma grande noite juntos. Seja o que for que o destino nos reserve amanhã, não interessa o resultado que os deuses determinarem, Marco Antônio é ainda Marco Antônio.

Quando todos se reuniram e festejaram, comendo as melhores iguarias que ainda tinham ao seu dispor — lagosta, cabrito e pratos de saladas —, e todos tinham já bebido bastante dos vinhos mais finos, meu amo ergueu-se e disse o seguinte:

— Esta noite ainda somos donos do nosso destino. Amanhã, vocês, por enquanto ainda meus servidores, podem pertencer a outro senhor, enquanto eu estarei já morto, jazendo sobre as areias, e sujeito aos predadores do céu.

Muitos choraram ao ouvi-lo dizer essas coisas, e ele, ao notar-lhes o choro, tentou dar um tom mais agradável ao discurso, afirmando-lhes que não desesperara ainda e que as suas expectativas de uma vitória gloriosa eram pelo menos iguais às de uma morte com honra.

Mas ele fez uma pausa ao dizer "morte com honra" e com uma sinceridade que não correspondia à perspectiva de uma vitória. E não houve ninguém que não tivesse sentido que estava participando de uma festa fúnebre...

Finalmente, foram-se todos embora, e Marco Antônio despediu-se deles com gentis palavras, algumas lágrimas, muitos beijos e distribuição de prendas.

Eu o acompanhei aos seus aposentos, ele se despiu e pediu para lhe trazerem mais vinho e música, porque, dizia ele, "quero que o sono daquela que penso ser a minha última noite de vida seja um sono agradável". Conseguiu deitar-se sozinho e pouco a pouco o seu rosto começou a ficar calmo, e não ansioso, e acabou por dormir tão apaziguado como uma criança. E eu reparei que as rugas dos desgostos e aborrecimentos que ele tinha sofrido na vida se tinham desvanecido do rosto e que o veterano grisalho tinha retomado a sua beleza de juventude.

Disse-se que, na hora mais negra da noite, quando a cidade tinha caído em profundo silêncio, uma música fantasmática fora ouvida nas ruas e acompanhada por canções de louvor dirigidas a Dioniso. Depois, a música e os gritos foram-se abafando, até se ouvir apenas o som longínquo das areias para além da cidade. Os que afirmam ter ouvido essa música dizem que era o deus que finalmente abandonava Marco Antônio, aquele que muitas vezes tinha sido adorado como se fosse a sua encarnação.

Mas eu devo dizer que não ouvi música alguma e acho que a história fora posta a circular por agentes de Octaviano. Além disso, como um grego racionalista, sempre pensei que os deuses são indiferentes às ações e ao destino dos homens. As histórias que falam de outras coisas são histórias para crianças e pertencem à infância do mundo. De qualquer forma, mesmo que não seja assim, para mim é nítido que Marco Antônio havia muito tempo deixara de ter sorte, a única deusa que no fundo conta.

Durante a manhã não fui com ele para a batalha e ocupei-me com assuntos privados, entre os quais a elaboração de um plano que pusesse Antilo a salvo da vingança do vencedor. E não tenho vergonha de dizer que estabeleci igualmente planos para a minha própria segurança.

Não houve batalha. As forças de meu amo, compostas pelos poucos que restavam ainda no acampamento, ficaram completamente desanimadas quando se deram conta do poderoso exército que Octaviano ou os seus generais tinham colocado em campo para lutar com elas. Muitos deles demonstraram imediatamente a sua vontade de se render e, embora meu amo tivesse conduzido uma pequena força de cavalaria para enfrentar o inimigo, rapidamente foram derrotados de forma ignominiosa.

E ainda não era meio-dia quando o meu amo regressou ao palácio e a expressão do seu rosto me disse o que as palavras não precisavam dizer. Houve alguém que, esperando com a sua atitude fazer renascer nele um novo ânimo, veio com a notícia de que as tropas haviam desertado sob as ordens de Cleópatra, que ainda mantinha a esperança de fazer uma paz separada com Octaviano.

E, por instantes, ele ficou como petrificado, aterrorizado como o seu antepassado Hércules, quando Hera lançou Lissa, a que também chamam Loucura, sobre ele, e o levou a matar os próprios filhos. Ele oscilou como uma alta árvore sob a força do vento implacável de inverno e teria caído se eu não o tivesse apoiado. Em seguida, soltou um grito enorme de raiva e agonia que ecoou pelo palácio praticamente deserto. E, após um longo silêncio, soltou uma torrente de palavras, acusando a rainha de o ter atraído e traído e levado à destruição.

Muito do que ele dizia era incoerente; mas vi bem que estava a recordar-se de que Aenobarbo e outros tinham insistido em que ele afastasse a rainha do seu acampamento, porque nesse caso Octaviano não teria tido hipóteses de unir a Itália inteira à sua volta na luta contra a mulher estrangeira, e de como ele lhes havia resistido, recusando-se a acreditar que uma mulher que ele, de certa maneira, tinha realmente amado pudesse provocar-lhe algum mal. Mas na sua agonia via aquilo que os outros havia muito sabiam: que Octaviano, sozinho, nunca teria sucesso numa guerra contra ele; e que sem Cleópatra não havia uma razão convincente para a guerra; e que, se ele tivesse continuado com Octávia, esta nunca teria permitido que acontecessem desacordos entre o seu marido e o seu irmão.

E todos esses pensamentos, desgostos, recriminações perpassaram pela sua mente angustiada. Ninguém que o tivesse amado tinha coragem para ver a decadência a que tinha chegado um homem de tão esplêndida figura sem sofrer e sentir pena dele.

Foi então que chegou um mensageiro dizendo que a rainha tinha preferido a morte à desonra e se matara. Ao ouvir isso, Marco Antônio, envergonhado por tudo aquilo que pouco antes lhe havia chamado, caiu em si e começou a elogiar as virtudes de Cleópatra.

— Para que me serve a vida — disse —, se o único ser por quem tive admiração já não é deste mundo? Não posso hesitar em segui-la no túmulo!

E, em seguida, virando-se para mim e puxando a espada, ordenou-me que o matasse.

Mas eu não podia fazer uma coisa dessas.

Então ele chamou Eros, o oficial que se encarregava de lhe colocar a armadura, e ordenou-lhe o que já me havia ordenado.

Eros pegou a espada, mas, ao encarar Marco Antônio, não conseguiu suportar-lhe o olhar, que tinha o brilho arrogante de um leão ferido.

— Não consigo, senhor — disse ele, e virou a espada para si próprio, enterrando-a de tal forma no ventre, que caiu no mármore do chão, com os intestinos de fora.

E Marco Antônio tornou a dizer-me:

— Crítias, não podes recusar-me o que te ordenei.

E eu não consegui fazer o que ele me pedia.

— Se Cleópatra conseguiu, eu não lhe ficarei atrás — disse, e olhando para Eros, murmurou: — Meu valente Eros, mostraste-me o que devo fazer.

Eu pensei ainda em dissuadi-lo, porque não conseguia imaginá-lo morto ou contemplar o seu corpo sem vida. Mas não fui capaz de dizer palavra. Para ele, já não havia nada neste mundo...

E ele então, com um sorriso que me fazia lembrar os melhores momentos da sua vida, retirou da cintura um punhal e enterrou-o nos intestinos. Em seguida deitou-se sobre uma almofada e o sangue começou a correr-lhe da boca.

Eu me ajoelhei a seu lado e peguei-lhe a mão, à espera de que ele morresse; não queria pensar que ele fosse morrer sozinho. E assim ficamos os dois durante um certo tempo, sem conseguir falar. E eu confesso que estava com medo que os soldados de Octaviano entrassem no palácio e me fossem encontrar ali. Quando senti passos a aproximarem-se rápidos, urinei-me, mas continuei com a minha mão agarrada à mão do meu senhor.

Mas o homem que entrou era Diomedes, um secretário de Cleópatra, que trazia um recado dela em que pedia a meu amo que se fosse juntar a ela no seu monumento funerário.

E a partir de então, fiquei sem saber se a sua morte tinha sido apenas um rumor, ou se fora uma mentira da sua parte quando soube que já nada podia esperar de meu amo. O seu pedido não parecia contradizer esta hipótese, mas talvez as coisas não se tivessem passado exatamente assim. Cleópatra era a mais inesperada das mulheres.

Ao ouvir o nome dela, Marco Antônio abriu os olhos e pareceu ter entendido o que fora dito. Fez um gesto tímido com a mão, que eu interpretei como um desejo dele de se juntar a ela. E chamei escravos para trazerem uma liteira que o levasse para junto da rainha. As ruas estavam desertas, porque ninguém se atrevia a sair, com medo das tropas de Octaviano.

Chegamos ao monumento de Cleópatra, mas a rainha estava demasiado receosa, eu não compreendia o porquê, e não deixou abrir a porta. E foi então necessário ligar cordas à liteira para puxá-la até a janela onde a rainha se encontrava. Quando ataram as cordas, eu me inclinei e beijei meu amo nos lábios, coisa que nunca tinha feito até então. Ele estendeu as mãos, que estavam todas ensanguentadas, porque as apertara contra a ferida dos intestinos para não morrer antes de chegar junto da rainha. A última recordação que tenho dele, enquanto a liteira era içada pela janela, é a das suas mãos cobertas de sangue.

Eu não estava com meu amo quando ele morreu. Mas um dos criados de Cleópatra, que, passado pouco tempo, abandonou o monumento, disse-me que ele tinha dito ao morrer que devia regozijar-se com a memória da sua antiga felicidade e não se lamentar com os infortúnios do presente. Porque tinha sido um homem ilustre na vida e não fora um desgraçado na morte. Que tinha conquistado como um romano e apenas tinha sido vencido por um romano.

E, embora eu sempre me inclinasse para não acreditar em nada do que Cleópatra ou os seus criados dissessem (porque até o meu querido Alexas me chegou a mentir frequentes vezes), penso que estas palavras eram autênticas. Cleópatra nunca teria inventado estas últimas palavras.

XXX

MEU AMO FOI SEMPRE A MINHA VIDA E EU NÃO SABIA AGORA O QUE podia fazer sem ele. Mas tinha ainda uma obrigação a cumprir. Com enormes precauções, e seguindo por ruas estreitas, voltei ao palácio e descobri que ainda não tinha sido ocupado pelos homens de Octaviano; era tal o respeito que eles continuavam a ter por Marco Antônio, que evitaram encontrar o leão ferido na sua toca, ainda receosos da sua fama e do seu poder, mesmo na situação extrema em que ele acabara por ficar reduzido. E nada testemunhava melhor o que fora a grandeza do meu amo do que essa timidez de que os seus inimigos davam mostras mesmo quando o deixaram por terra.

Procurei o jovem Antilo e contei-lhe que o pai tinha morrido e ambos começamos a chorar. Mas não havia tempo para lamentações. Deixando o palácio por uma passagem secreta subterrânea, acompanhei-o até o templo do Divino Júlio, onde consegui que os sacerdotes lhe dessem hospitalidade. Levei conosco o seu tutor, Teodoro. Antilo pediu-me com muitos beijos que ficasse com ele; mas eu, depois de me certificar de que o santuário era seguro e de que seria um sacrilégio da parte dos sacerdotes entregarem alguém que tinha ficado à sua guarda, disse ao garoto que, para sua segurança, seria mais prudente eu abandoná-lo.

O que era verdade apesar das histórias que os meus inimigos puseram depois a correr quanto à minha atitude. Quando me dirigi ao porto e embarquei, depois de ter feito algumas diligências, num barco que ia para Corinto, não o fiz pensando apenas na minha segurança. O meu objetivo era, pois julgava que Antilo ficava em segurança por alguns meses, dirigir-me a Roma, procurar Octávia e pedir-lhe, uma vez que ela tanto amara meu amo, que intercedesse junto do irmão a favor de Antilo.

E eu tinha certeza de que ela o faria, devido à nobreza do seu caráter, ao amor que sentira por Marco Antônio e à estima que sempre tivera por mim.

Mas, enquanto eu procurava arranjar em Corinto um barco que me levasse em segurança à Itália, e isso não era fácil porque não podia falar abertamente do assunto ou oferecer muito dinheiro pela passagem, chegaram aos meus ouvidos notícias de que Antilo tinha sido traído pelo seu tutor, que provou ser um tratante, e que o infeliz rapaz fora levado do santuário por ordem de Octaviano, que ordenou a sua execução. Esse assassínio não figura entre os muitos crimes de que o tirano é culpado.

O mundo sabe que Cleópatra, depois de ter tentado em vão submeter Octaviano aos seus encantos, desesperada pela falta de sucesso e não querendo desfilar agrilhoada no triunfo do tirano, decidiu acabar com a vida, servindo-se de uma víbora que levava escondida no seu cabaz de figos. E apertou o réptil contra aqueles seios que Marco Antônio tinha beijado e acariciado, até que o veneno lhe atingisse o coração. Morreu de maneira nobre, mas eu não consegui chorar ou sentir pena dela, porque ela tinha destruído meu amo, cuja grandeza suplantava a dela, como a do sol suplanta a da lua.

Quanto a mim, mantive-me em Corinto durante alguns meses, descobrindo refúgio no sótão de um bordel, com o apoio de alguém que eu tinha conhecido anos antes numa taberna de rapazes em Atenas. Ele tinha se estabelecido com esta casa à custa de Escribônio Curião, que lhe dedicava uma profunda amizade. O próprio Curião foi também executado e não foi de maneira alguma a última vítima da luxúria sanguinária do tirano.

A compilação deste relato ocupou-me alguns meses, pois achei que seria necessário fazer várias cópias e não confiava a tarefa a outra pessoa.

Entreguei uma no Templo de Dioniso, em Corinto, outra no Templo de Hércules, em Tirinte, o seu lugar de nascimento. Depois pensei que seria bom enviar secretamente uma outra ao Templo de Vesta, em Roma, lembrando-me do ato sacrílego que Octaviano tinha lá cometido ao roubar (e alterar) o testamento de meu amo e que de certo modo desencadeou a sua tragédia.

Num momento de raiva ou de bravura pensei em fazer outra cópia e enviá-la ao próprio tirano. Tinha certeza de que ele não era capaz de deixar de ler e dava-me prazer pensar que ele iria perceber que havia pelo menos um homem que conhecia toda a extensão da sua vilania. Além disso, isso iria fazer com que ele suspeitasse da existência de outras cópias. E alegrava-me pensar que tal coisa iria perturbar-lhe muitas noites de sono.

Por fim, e uma vez que esta minha ação tornava a minha vida bastante precária, viajei para Corinto, depois segui para a Ásia e em seguida para as terras para além da Euxina, na fronteira do Império. Aqui, com o ouro e as riquezas que conseguira trazer do palácio de Cleópatra, abri uma casa de diversões. A elegância dos atos que nela se praticavam era muito apreciada pelos mercadores gregos, que se sentiam muito felizes em apreciar a boa mercadoria que eu adquiria nos mercados de escravos para além da fronteira. Sinto-me feliz por dizer também que achei a reputação dos povos bárbaros, no que diz respeito à virtude e à castidade, francamente exagerada.

A verdade é que podia dizer que estava próspero; mas também é verdade que trocava toda a minha fortuna, todo o meu conforto, todo o meu bem-estar por um sorriso do meu amo; e que o esplendor das montanhas que se erguiam sobre a cidade onde eu vivo não se pode comparar ao da majestade da sua figura.

FIM.

ASSINE NOSSA NEWSLETTER E RECEBA INFORMAÇÕES DE TODOS OS LANÇAMENTOS

WWW.FAROEDITORIAL.COM.BR

COLEÇÃO "OS SENHORES DE ROMA"

ESTE LIVRO FOI IMPRESSO
EM JUNHO DE 2021